宋词三百首

儿童版 ● 注音

绘画／张卫民 范振涯 王家训
注音／殷作炎
选编／王值西

浙江少年儿童出版社

前　言

　　词，原是隋唐时兴起的配乐可唱的歌辞，以后逐渐脱离音乐，成为一种句子长短不一的诗体。词起初称"曲子词"，后来又称"乐府"、"长短句"和"诗余"。在形式上，每首词都有一个曲牌，叫词牌。词牌规定着这首词的字数、句数和声韵。词牌和词的内容并无必然联系，所以，词牌下面往往另立标题。词根据篇幅长短分为小令、中调和长调，最短的小令仅十几个字，长调在九十一字以上，最长的有二百四十字。

　　宋代是词创作的鼎盛期，流传至今收录进《全宋词》的就有一千三百多位作者的近两万首词作。在这一时期，出现了柳永、苏轼、辛弃疾、李清照等艺术造诣极高的词人和多种风格的词流派。宋词的内容十分广泛，有的抒发豪情壮志，有的表述离情别绪，有的吟花咏月赞美大自然，有的描绘社会风物人情……篇篇词作，韵味无穷，值得反复吟诵。尤其是当异族侵扰、宋室南渡时，词人慷慨激昂，直抒胸臆，富有爱国热情，令人感动。

　　《儿童版·宋词三百首》选入的多为历代传诵的名作，篇幅短小，多为小令和中调，内容易懂，力求格调健康，丰富多彩。书中每首词都配有彩图，并加上简明的注释和解说，以帮助小读者理解。原词上按现代汉语普通话读音加注拼音，以便于少年儿童诵读。我们相信，本书将与已出版的《儿童版·唐诗三百首》互相辉映，成为少年儿童学习古代文学的启蒙读物。

编　　者

1998 年 12 月

目　录

王禹偁

点绛唇（雨恨云愁）…………………… 1

潘阆

酒泉子（长忆西湖）…………………… 2

酒泉子（长忆观潮）…………………… 3

寇準

江南春（波渺渺）……………………… 4

林逋

长相思（吴山青）……………………… 5

范仲淹

苏幕遮（碧云天）……………………… 6

渔家傲（塞下秋来风景异）…………… 7

御街行（纷纷坠叶飘香砌）…………… 8

柳永

蝶恋花（伫倚危楼风细细）…………… 9

雨霖铃（寒蝉凄切）…………………… 10

望海潮（东南形胜）…………………… 12

满江红（暮雨初收）…………………… 14

八声甘州（对潇潇暮雨洒江天）…… 16

张先

天仙子（《水调》数声持酒听）……… 18

木兰花（龙头舴艋吴儿竞）…………… 19

画堂春（外湖莲子长参差）…………… 20

青门引（乍暖还轻冷）………………… 21

晏殊

清平乐（红笺小字）…………………… 22

踏莎行（祖席离歌）…………………… 23

踏莎行（细草愁烟）…………………… 24

踏莎行（小径红稀）…………………… 25

浣溪沙（一曲新词酒一杯）…………… 26

蝶恋花（槛菊愁烟兰泣露）…………… 27

诉衷情（芙蓉金菊斗馨香）…………… 28

破阵子（燕子来时新社）……………… 29

玉楼春（绿杨芳草长亭路）…………… 30

张昇

离亭燕（一带江山如画）……………… 31

宋 祁

木兰花(东城渐觉风光好) ………… 32

叶清臣

贺圣朝(满斟绿醑留君住) ………… 33

欧阳修

采桑子(轻舟短棹西湖好) ………… 34

采桑子(画船载酒西湖好) ………… 35

采桑子(群芳过后西湖好) ………… 36

采桑子(天容水色西湖好) ………… 37

踏莎行(候馆梅残) ………… 38

生查子(去年元夜时) ………… 39

蝶恋花(越女采莲秋水畔) ………… 40

渔家傲(花底忽闻敲两桨) ………… 41

玉楼春(尊前拟把归期说) ………… 42

玉楼春(别后不知君远近) ………… 43

浣溪沙(湖上朱桥响画轮) ………… 44

阮郎归(南园春半踏青时) ………… 45

蝶恋花(庭院深深深几许) ………… 46

王安石

浪淘沙令(伊吕两衰翁) ………… 47

桂枝香(登临送目) ………… 48

王 观

卜算子(水是眼波横) ………… 50

晏幾道

临江仙(梦后楼台高锁) ………… 51

蝶恋花(梦入江南烟水路) ………… 52

生查子(关山魂梦长) ………… 53

鹧鸪天(彩袖殷勤捧玉钟) ………… 54

阮郎归(天边金掌露成霜) ………… 55

思远人(红叶黄花秋意晚) ………… 56

长相思(长相思) ………… 57

张舜民

卖花声(木叶下君山) ………… 58

魏夫人

菩萨蛮(溪山掩映斜阳里) ………… 59

苏 轼

水调歌头(明月几时有) ………… 60

念奴娇(大江东去) ………… 62

西江月(照野弥弥浅浪) ………… 64

定风波(莫听穿林打叶声) ………… 65

定风波(常羡人间琢玉郎) ………… 66

卜算子(缺月挂疏桐) ………… 67

鹧鸪天(林断山明竹隐墙) ………… 68

望江南(春未老) ………… 69

诉衷情(小莲初上琵琶弦) ………… 70

临江仙(夜饮东坡醒复醉) ………… 71

江城子(凤凰山下雨初晴) ⋯⋯⋯⋯ 72
江城子(老夫聊发少年狂) ⋯⋯⋯⋯ 73
江城子(十年生死两茫茫) ⋯⋯⋯⋯ 74
阮郎归(绿槐高柳咽新蝉) ⋯⋯⋯⋯ 75
行香子(一叶舟轻) ⋯⋯⋯⋯⋯⋯⋯ 76
蝶恋花(花褪残红青杏小) ⋯⋯⋯⋯ 77
浣溪沙(菊暗荷枯一夜霜) ⋯⋯⋯⋯ 78
浣溪沙(山下兰芽短浸溪) ⋯⋯⋯⋯ 79
浣溪沙(旋抹红妆看使君) ⋯⋯⋯⋯ 80
浣溪沙(麻叶层层苘叶光) ⋯⋯⋯⋯ 81
浣溪沙(簌簌衣巾落枣花) ⋯⋯⋯⋯ 82
浣溪沙(软草平莎过雨新) ⋯⋯⋯⋯ 83
浣溪沙(细雨斜风作晓寒) ⋯⋯⋯⋯ 84

李子仪
卜算子(我住长江头) ⋯⋯⋯⋯⋯ 85

黄 裳
减字木兰花(红旗高举) ⋯⋯⋯⋯⋯ 86

黄庭坚
定风波(万里黔中一漏天) ⋯⋯⋯⋯ 87
念奴娇(断虹霁雨) ⋯⋯⋯⋯⋯⋯⋯ 88
清平乐(春归何处) ⋯⋯⋯⋯⋯⋯⋯ 90
诉衷情(一波才动万波随) ⋯⋯⋯⋯ 91
诉衷情(小桃灼灼柳鬖鬖) ⋯⋯⋯⋯ 92

李元膺
洞仙歌(雪云散尽) ⋯⋯⋯⋯⋯⋯⋯ 93

秦 观
鹊桥仙(纤云弄巧) ⋯⋯⋯⋯⋯⋯⋯ 94
画堂春(落红铺径水平池) ⋯⋯⋯⋯ 95
踏莎行(雾失楼台) ⋯⋯⋯⋯⋯⋯⋯ 96
浣溪沙(漠漠轻寒上小楼) ⋯⋯⋯⋯ 97
如梦令(遥夜沉沉如水) ⋯⋯⋯⋯⋯ 98
南歌子(香墨弯弯画) ⋯⋯⋯⋯⋯⋯ 99
好事近(春路雨添花) ⋯⋯⋯⋯⋯ 100
行香子(树绕村庄) ⋯⋯⋯⋯⋯⋯ 101

贺 铸
望书归(边堠远) ⋯⋯⋯⋯⋯⋯⋯ 102
半死桐(重过阊门万事非) ⋯⋯⋯ 103
杵声齐(砧面莹) ⋯⋯⋯⋯⋯⋯⋯ 104
芳心苦(杨柳回塘) ⋯⋯⋯⋯⋯⋯ 105
横塘路(凌波不过横塘路) ⋯⋯⋯ 106
浣溪沙(楼角初销一缕霞) ⋯⋯⋯ 107
浣溪沙(秋水斜阳演漾金) ⋯⋯⋯ 108
陌上郎(西津海鹘舟) ⋯⋯⋯⋯⋯ 109
六州歌头(少年侠气) ⋯⋯⋯⋯⋯ 110

仲 殊
诉衷情(涌金门外小瀛洲) ⋯⋯⋯ 112

柳梢青(岸草平沙)·············113
周邦彦
浣溪沙(楼上晴天碧四垂)······114
苏幕遮(燎沉香)···············115
诉衷情(出林杏子落金盘)······116
玉楼春(桃溪不作从容住)······117
关河令(秋阴时晴渐向暝)······118
菩萨蛮(银河宛转三千曲)······119
阮阅
眼儿媚(楼上黄昏杏花寒)······120
毛滂
烛影摇红(一亩清阴)···········121
晁冲之
汉宫春(潇洒江梅)·············122
叶梦得
水调歌头(秋色渐将晚)·········124
点绛唇(缥缈危亭)·············125
汪藻
点绛唇(新月娟娟)·············126
曹组
如梦令(门外绿阴千顷)·········127
卜算子(松竹翠萝寒)···········128
品令(乍寂寞)·················129

万俟咏
诉衷情(一鞭清晓喜还家)·······130
长相思(一声声)···············131
长相思(短长亭)···············132
陈克
谒金门(愁脉脉)···············133
菩萨蛮(赤栏桥尽香街直)·······134
朱敦儒
临江仙(直自凤凰城破后)·······135
鹧鸪天(我是清都山水郎)·······136
好事近(摇首出红尘)···········137
卜算子(旅雁向南飞)···········138
相见欢(金陵城上西楼)·········139
周紫芝
踏莎行(情似游丝)·············140
临江仙(记得武陵相见日)·······141
廖世美
好事近(落日水熔金)···········142
李清照
点绛唇(蹴罢秋千)·············143
如梦令(常记溪亭日暮)·········144
如梦令(昨夜雨疏风骤)·········145
渔家傲(天接云涛连晓雾)·······146

减字木兰花(卖花担上)·············· 147

一剪梅(红藕香残玉簟秋)··········· 148

醉花阴(薄雾浓云愁永昼)··········· 149

南歌子(天上星河转)··············· 150

菩萨蛮(风柔日薄春犹早)··········· 151

声声慢(寻寻觅觅)················· 152

武陵春(风住尘香花已尽)··········· 154

吕本中

采桑子(恨君不似江楼月)··········· 155

向子諲

秦楼月(芳菲歇)··················· 156

阮郎归(江南江北雪漫漫)··········· 157

李持正

人月圆(小桃枝上春风早)··········· 158

蒋兴祖女

减字木兰花(朝云横度)············· 159

蔡伸

长相思(村姑儿)··················· 160

柳梢青(数声鶗鴂)················· 161

苍梧谣(天)······················· 162

李重元

忆王孙(萋萋芳草忆王孙)··········· 163

乐婉

卜算子(相思似海深)··············· 164

陈与义

临江仙(忆昔午桥桥上饮)··········· 165

张元幹

贺新郎(梦绕神州路)··············· 166

水调歌头(举手钓鳌客)············· 168

浣溪沙(山绕平湖波撼城)··········· 170

渔家傲(钓笠披云青嶂绕)··········· 171

菩萨蛮(春来春去催人老)··········· 172

朱翌

点绛唇(流水泠泠)················· 173

曹勋

饮马歌(边头春未到)··············· 174

清平乐(秋凉破暑)················· 175

胡铨

好事近(富贵本无心)··············· 176

岳飞

小重山(昨夜寒蛩不住鸣)··········· 177

满江红(怒发冲冠)················· 178

满江红(遥望中原)················· 180

康与之

长相思(南高峰)··················· 182

曾觌

阮郎归(柳阴庭院占风光)…… 183

吴淑姬

小重山(谢了荼蘼春事休)…… 184

洪 适

渔家傲引(子月水寒风又烈)…… 185

朱淑真

眼儿媚(迟迟春日弄轻柔)…… 186

蝶恋花(楼外垂杨千万缕)…… 187

菩萨蛮(山亭水榭秋方半)…… 188

袁去华

水调歌头(雄跨洞庭野)…… 189

向 滈

如梦令(谁伴明窗独坐)…… 190

曹 冠

凤栖梧(桂棹悠悠分浪稳)…… 191

陆 游

好事近(秋晓上莲峰)…… 192

钗头凤(红酥手)…… 193

秋波媚(秋到边城角声哀)…… 194

卜算子(驿外断桥边)…… 195

夜游宫(雪晓清笳乱起)…… 196

诉衷情(当年万里觅封侯)…… 197

诉衷情(青衫初入九重城)…… 198

桃源忆故人(一弹指顷浮生过)…… 199

长相思(桥如虹)…… 200

长相思(面苍然)…… 201

谢池春(壮岁从戎)…… 202

蝶恋花(禹庙兰亭今古路)…… 203

恋绣衾(不惜貂裘换钓篷)…… 204

范成大

蝶恋花(春涨一篙添水面)…… 205

鹊桥仙(双星良夜)…… 206

忆秦娥(楼阴缺)…… 207

鹧鸪天(嫩绿重重看得成)…… 208

霜天晓角(晚晴风歇)…… 209

眼儿媚(酣酣日脚紫烟浮)…… 210

杨万里

好事近(月未到诚斋)…… 211

昭君怨(午梦扁舟花底)…… 212

昭君怨(偶听松梢扑鹿)…… 213

张孝祥

水调歌头(雪洗虏尘静)…… 214

念奴娇(洞庭青草)…… 216

浣溪沙(行尽潇湘到洞庭)…… 217

浣溪沙(霜日明霄水蘸空)…… 218

西江月(问讯湖边春色)…… 219

吕胜己

　　蝶恋花(天色沉沉云色赭)…………… 220

王 质

　　鹧鸪天(空响萧萧似见呼)…………… 221

赵长卿

　　探春令(笙歌间错华筵启)…………… 222

　　临江仙(过尽征鸿来尽燕)…………… 223

王 炎

　　南柯子(山冥云阴重)………………… 224

辛弃疾

　　卜算子(刚者不坚牢)………………… 225

　　好事近(日日过西湖)………………… 226

　　菩萨蛮(郁孤台下清江水)…………… 227

　　青玉案(东风夜放花千树)…………… 228

　　清平乐(柳边飞鞚)…………………… 229

　　清平乐(茅檐低小)…………………… 230

　　清平乐(绕床饥鼠)…………………… 231

　　清平乐(连云松竹)…………………… 232

　　清平乐(少年痛饮)…………………… 233

　　清平乐(溪回沙浅)…………………… 234

　　生查子(青山非不佳)………………… 235

　　鹧鸪天(枕簟溪堂冷欲秋)…………… 236

　　鹧鸪天(扑面征尘去路遥)…………… 237

　　鹧鸪天(陌上柔桑破嫩芽)…………… 238

　　鹧鸪天(春入平原荠菜花)…………… 239

　　鹧鸪天(着意寻春懒便回)…………… 240

　　鹧鸪天(壮岁旌旗拥万夫)…………… 241

　　西江月(明月别枝惊鹊)……………… 242

　　西江月(醉里且贪欢笑)……………… 243

　　鹊桥仙(松冈避暑)…………………… 244

　　生查子(悠悠万世功)………………… 245

　　生查子(溪边照影行)………………… 246

　　丑奴儿(少年不识愁滋味)…………… 247

　　破阵子(醉里挑灯看剑)……………… 248

　　南乡子(何处望神州)………………… 249

　　浣溪沙(北陇田高踏水频)…………… 250

程 垓

　　愁倚栏(春犹浅)……………………… 251

石孝友

　　卜算子(见也如何暮)………………… 252

陈 亮

　　水调歌头(不见南师久)……………… 253

章良能

　　小重山(柳暗花明春事深)…………… 254

张 镃

　　昭君怨(月在碧虚中住)……………… 255

满庭芳(月洗高梧)‥‥‥‥‥‥ 256

江城子(春风旗鼓石头城)‥‥‥‥ 257

刘 过

唐多令(芦叶满汀洲)‥‥‥‥‥ 258

姜 夔

点绛唇(燕雁无心)‥‥‥‥‥‥ 259

扬州慢(淮左名都)‥‥‥‥‥‥ 260

崔与之

水调歌头(万里云间戍)‥‥‥‥ 262

俞国宝

风入松(一春长费买花钱)‥‥‥‥ 264

戴复古

柳梢青(袖剑飞吟)‥‥‥‥‥‥ 265

洞仙歌(卖花担上)‥‥‥‥‥‥ 266

卢 炳

减字木兰花(莎衫筠笠)‥‥‥‥ 267

史达祖

双双燕(过春社了)‥‥‥‥‥‥ 268

高观国

菩萨蛮(何须急管吹云暝)‥‥‥‥ 270

菩萨蛮(红云半压秋波碧)‥‥‥‥ 271

少年游(春风吹碧)‥‥‥‥‥‥ 272

杏花天(霁烟消处寒犹嫩)‥‥‥‥ 273

更漏子(玉箫间)‥‥‥‥‥‥ 274

魏了翁

醉落魄(无边春色)‥‥‥‥‥‥ 275

刘学箕

惜分飞(池上楼台堤上路)‥‥‥‥ 276

菩萨蛮(昨日杏花春满树)‥‥‥‥ 277

菩萨蛮(烟汀一抹兼葭渚)‥‥‥‥ 278

行香子(雪白肥鳜)‥‥‥‥‥‥ 279

桃源忆故人(暮霞散绮西溪浦)‥‥ 280

黄 机

眼儿媚(莫嗔日日话思归)‥‥‥‥ 281

菩萨蛮(惜山不厌山行远)‥‥‥‥ 282

忆秦娥(秋萧索)‥‥‥‥‥‥ 283

刘克庄

长相思(朝有时)‥‥‥‥‥‥ 284

玉楼春(年年跃马长安市)‥‥‥‥ 285

卜算子(片片蝶衣轻)‥‥‥‥‥ 286

清平乐(风高浪快)‥‥‥‥‥‥ 287

王 澜

念奴娇(凭高远望)‥‥‥‥‥‥ 288

李好古

菩萨蛮(东园映叶梅如豆)‥‥‥‥ 290

吴 潜

如梦令（江上绿杨芳草）……………… 291
如梦令（枝上蝶纷蜂闹）……………… 292
如梦令（闲向园林点检）……………… 293
望江南（家山好）……………………… 294

淮上女
减字木兰花（淮山隐隐）……………… 295

萧泰来
霜天晓角（千霜万雪）………………… 296

吴文英
浣溪沙（门隔花深梦旧游）…………… 297
望江南（三月暮）……………………… 298
唐多令（何处合成愁）………………… 299

陈人杰
沁园春（谁使神州）…………………… 300

曾觌
谒金门（山衔日）……………………… 302

刘辰翁
柳梢青（铁马蒙毡）…………………… 303

周密
闻鹊喜（天水碧）……………………… 304

邓剡
唐多令（雨过水明霞）………………… 305

文天祥
酹江月（乾坤能大）…………………… 306
沁园春（为子死孝）…………………… 308

袁正真
长相思（南高峰）……………………… 310

金德淑
望江南（春睡起）……………………… 311

蒋捷
贺新郎（深阁帘垂绣）………………… 312
一剪梅（一片春愁待酒浇）…………… 314
虞美人（少年听雨歌楼上）…………… 315
燕归梁（我梦唐宫春昼迟）…………… 316

张炎
清平乐（辔摇衔铁）…………………… 317
清平乐（候蛩凄断）…………………… 318

无名氏
水调歌头（平生太湖上）……………… 319
青玉案（年年社日停针线）…………… 320
浣溪沙（水涨鱼天拍柳桥）…………… 321
如梦令（莺嘴啄花红溜）……………… 322
鹧鸪天（枝上流莺和泪闻）…………… 323
御街行（霜风渐紧寒侵被）…………… 324

diǎn jiàng chún
点绛唇

王禹偁 (wáng yǔ chēng)

雨恨云愁，江南依旧称佳丽。水村渔市，一缕孤烟细。 天际征鸿，遥认行如缀。平生事，此时凝睇，谁会凭栏意！

【注释】 ①佳丽：美丽。 ②征鸿：远飞的大雁。 凝睇：凝望。

【解说】 江南尽管是阴雨绵绵，使人心里不快，但毕竟依旧是美丽的地方。蒙蒙的雨幕中，水村渔市，一缕淡淡的炊烟袅袅升起。凭栏遥望，只见一行北去的大雁渐渐消失在烟水茫茫的天际。此时联想起平生的功名事业，却不能像大雁一样展翅高飞，令人惆怅不已，但又有谁能理解我呢？词中水乡的雨景与作者的心绪交融；借飞鸿抒发情怀，含蓄而深沉。

酒泉子 jiǔ quán zǐ

潘阆 pān làng

长忆西湖，尽日凭栏楼上望。三
三两两钓鱼舟，岛屿正清秋。笛
声依约芦花里，白鸟成行忽惊起。别
来闲整钓鱼竿，思入水云寒。

【注释】 ①西湖：在今杭州城西，为著名的风景区。 ②依约：隐约，听不分明。

【解说】 常常想念杭州西湖的美景。当年我整天登上湖边的楼阁凭栏观赏：秋天的湖中岛屿上，停泊着三三两两的钓鱼船；湖畔芦花丛中飘来隐约的笛声，忽然惊起了成行的水鸟掠水而飞。这样清幽的自然风光，令我难忘。告别西湖以来，空闲时准备好钓鱼竿，想投身云水杳杳中，做一个悠然的钓鱼人。词表达了作者对西湖的喜爱以及归隐西湖之意。

酒泉子

jiǔ quán zǐ

潘阆
pān làng

长 忆 观 潮，满
cháng yì guān cháo mǎn

郭 人 争 江 上 望。
guō rén zhēng jiāng shàng wàng

来 疑 沧 海 尽 成 空，
lái yí cāng hǎi jìn chéng kōng

万 面 鼓 声 中。
wàn miàn gǔ shēng zhōng

弄 潮 儿 向 涛 头
nòng cháo ér xiàng tāo tóu

立，手 把 红 旗 旗 不 湿。
lì shǒu bǎ hóng qí qí bù shī

别 来 几 向 梦 中
bié lái jǐ xiàng mèng zhōng

看，梦 觉 尚 心 寒。
kàn mèng jué shàng xīn hán

【注释】 ①观潮：夏历八月十八日观看著名的钱塘江大潮。　满郭：全城。　②弄潮儿：指敢于在浪尖戏弄潮头、向潮头挑战的人。

【解说】 这是一首写回忆观潮盛况的名作。上片写观潮，表现潮水的壮观。词人常常记起钱塘江大潮到来那天观潮的情景，满城的人争着到江边观看。潮水排山倒海而来，简直使人怀疑大海里的水都被倾倒在这钱塘江了。涛声轰隆，就像万面战鼓齐敲，真是天下奇观！下片写弄潮儿的矫健身姿，表现人定胜天的奇迹。弄潮儿迎向潮头，手举红旗，出没于鲸波之中，腾身百变而红旗不湿。这种与波浪搏斗的场面，别后多次在梦中见到，梦醒了还心有余悸呢！词写潮，有声有色；写人，惊心动魄，令人难忘。

江南春
jiāng nán chūn

寇準
kòu zhǔn

波渺渺，柳依依。孤村
bō miǎo miǎo liǔ yī yī gū cūn

芳草远，斜日杏花飞。
fāng cǎo yuǎn xié rì xìng huā fēi

江南春尽离肠断，蘋
jiāng nán chūn jìn lí cháng duàn pín

满汀洲人未归
mǎn tīng zhōu rén wèi guī

【注释】①渺渺：水远阔的样子。 依依：形容树枝柔弱，随风摇摆。 蘋：又叫田字草，是生长在浅水中的蕨类植物。古代女子有采蘋花赠情人的风俗。 汀洲：水中的陆地。

【解说】 这是写女子春日怀人之作。暮春傍晚，一女子妆楼远望，只见绿波渺渺，杨柳依依，不禁使她想起在这里与情人难分难舍的情景。那延伸到天边的芳草似乎是情人愈走愈远的游踪。斜阳余晖里，杏花飘飞。汀洲上开满蘋花，似乎等着自己去采摘赠人。可是所思念的人却至今未归。春已暮，人易老，怎不叫人"离肠断"？前四句写景，景中有情，为抒发离情安排了一种气氛；后二句写离情，情中有景，说明"断肠"的原因。全词情景交融，写得婉转感人。

长相思

林逋

吴山青，越山青。两岸青山相送迎。谁知离别情？君泪盈，妾泪盈。罗带同心结未成。江头潮已平。

【注释】 ①吴山、越山：指今杭州钱塘江两岸的山。春秋时江北为吴地，江南为越国。 送迎：偏义复词，即送行。 ②君：您，尊称对方。 妾：女子自称。 同心结：用丝绸带结成"心"形的结，作为两心相印的信物。

【解说】 这首词具有民歌质朴清新的风味，描述一对钟情男女婚姻受阻后江边诀别的情景。离人的船儿已停在钱塘江边，吴山青青，越山青青，两岸青山静立着为他送行，有谁能真正理解分离的苦痛呢？您满眼泪水，我泪眼盈盈。我们虽然两心相印，却难成眷属。正当难分难舍的时刻，潮水已涨平，船儿就要启航了。这一江的流水，流淌着绵绵的离恨。词以吴越山青水秀起兴，拟人手法反衬离情，含蓄隽永。

苏幕遮

sū mù zhē

范仲淹
fàn zhòng yān

碧云天，黄叶地，秋色连波，波上寒烟翠。
bì yún tiān huáng yè dì qiū sè lián bō bō shàng hán yān cuì

山映斜阳天接水，芳草无情，更在斜阳
shān yìng xié yáng tiān jiē shuǐ fāng cǎo wú qíng gèng zài xié yáng

外。黯乡魂，追旅思，夜夜除非，好梦留人
wài àn xiāng hún zhuī lǚ sī yè yè chú fēi hǎo mèng liú rén

睡。明月楼高休独倚。酒入愁肠，化作相思泪。
shuì míng yuè lóu gāo xiū dú yǐ jiǔ rù chóu cháng huà zuò xiāng sī lèi

【注释】 ①芳草无情：比喻乡思别情。 ②黯乡魂：思乡的情怀黯然凄凉。 追旅思：羁旅的愁绪重叠相续。

【解说】 这是一首抒写羁旅相思愁情的词。上片写壮阔的秋景，色彩鲜明，境界高远。碧蓝的天，黄叶满地，秋色向远方伸展，连接着天地尽头的秋江，江面上笼着一层翠绿的寒烟。夕阳映照着远山，蓝天与绿波相接，无情的芳草，绿到斜阳照映的远山之外。在那极目远望不到的地方，许是故乡吧？下片以柔情写"乡魂"与"旅思"。思乡的情怀黯然凄怆，羁旅的愁绪连续不断，除非夜夜有好梦来驱散这乡愁。睡不着可别独自在明月中登楼，因为登楼眺望故乡，要触动乡情；借酒浇愁吧，酒入愁肠，化作相思之泪，更添相思之苦。全词境界开阔，乡情真挚深沉。

渔家傲 yú jiā ào

范仲淹 fàn zhòng yān

塞下秋来风景异，衡阳
sài xià qiū lái fēng jǐng yì héng yáng

雁去无留意。四面边声连
yàn qù wú liú yì sì miàn biān shēng lián

角起。千嶂里，长烟落日孤
jiǎo qǐ qiān zhàng lǐ cháng yān luò rì gū

城闭。 浊酒一杯家万里，
chéng bì zhuó jiǔ yī bēi jiā wàn lǐ

燕然未勒归无计。羌 管悠悠
yān rán wèi lè guī wú jì qiāng guǎn yōu yōu

霜 满地。人不寐，将军白发
shuāng mǎn dì rén bù mèi jiāng jūn bái fà

征夫泪。
zhēng fū lèi

【注释】 ①塞下：边境上军队驻守之地。 衡阳雁去：传说秋冬之际，北雁南飞到湖南衡阳的衡山回雁峰而止。 边声：边塞上的风吼弓鸣、人喊马嘶、笳吹鼓擂等悲凉之声。 ②燕然未勒：东汉窦宪带兵出击匈奴，登燕然山，刻石记功而还。勒，刻。这里指敌虏未灭，大功未成。 羌管：羌笛，发声凄切。 征夫：指士兵。

【解说】 边塞的秋天与内地不同，秋风一起，北雁就向南飞往衡阳，毫无留恋之意。千山万岭中一座孤城紧闭着，落日的余晖映照着传递军情的烽烟，四面不断传来战马嘶鸣声、风吹草木声和悲壮的号角声，军情紧急。一杯浊酒消不了万里之遥的乡愁。敌人未消灭，还乡的打算也就无从谈起。深夜传来凄切的羌笛声，秋霜满地；彻夜难眠，思乡之情梦牵魂绕，将军与战士和泪苦守，熬白了头发。词中充满了爱国激情，悲壮感人。

御街行

yù jiē xíng

范仲淹 fàn zhòng yān

纷纷坠叶飘香砌。夜寂静，寒声碎。真珠
fēn fēn zhuì yè piāo xiāng qì yè jì jìng hán shēng suì zhēn zhū

帘卷玉楼空，天淡银河垂地。年年今夜，月华
lián juǎn yù lóu kōng tiān dàn yín hé chuí dì nián nián jīn yè yuè huá

如练，长是人千里。　　愁肠已断无由醉，
rú liàn cháng shì rén qiān lǐ　　chóu cháng yǐ duàn wú yóu zuì

酒未到，先成泪。残灯明灭枕头敧，谙尽孤
jiǔ wèi dào xiān chéng lèi cán dēng míng miè zhěn tóu qī ān jìn gū

眠滋味。都来此事，眉间心上，无计相回避。
mián zī wèi dū lái cǐ shì méi jiān xīn shàng wú jì xiāng huí bì

【注释】①香砌：有残花余香的台阶。　寒声碎：寒风吹动落叶发出细碎的声音。　真珠：珍珠。　②敧：斜靠。　谙尽：尝尽。　都来：算来。

【解说】　词写思念亲人的情怀。月夜寂静，只听得落叶飘坠在门前的台阶上，秋声细碎。空楼寂寞，卷上珠帘，看到的是耿耿的银河垂向大地，空阔深远，更让人感到空旷冷清和孤寂。今夜的月色皎洁如白练，所思念的人却远在千里之外，不能共赏美景，就这样年复一年，关山遥隔，离愁别恨终难排遣。愁肠已断，酒醉也解不了愁，因为酒还未到嘴边，就先化成泪水了。茫茫长夜，只有残灯孤枕陪伴着不眠的人，尝尽了失眠之苦。算来这思念之情，萦绕在心上，郁结在眉头，无法回避，难以消除。

蝶恋花
dié liàn huā

柳永
liǔ yǒng

伫倚危楼风细细，望极春愁，黯黯
zhù yǐ wēi lóu fēng xì xì　wàng jí chūn chóu àn àn

生天际。草色烟光残照里，无言谁
shēng tiān jì　cǎo sè yān guāng cán zhào lǐ　wú yán shuí

会凭栏意？　拟把疏狂图一醉，对酒
huì píng lán yì　　nǐ bǎ shū kuáng tú yī zuì duì jiǔ

当歌，强乐还无味。衣带渐宽终不
dāng gē　qiǎng lè hái wú wèi　yī dài jiàn kuān zhōng bù

悔，为伊消得人憔悴。
huǐ wèi yī xiāo dé rén qiáo cuì

【注释】　①伫：久立。　危楼：高楼。　会：理会，理解。　②拟：打算。　疏狂：放纵。　衣带渐宽：形容腰肢消瘦。　伊：她。　消得：值得。

【解说】　这是一首写离情别绪的怀人之作。上片展示了一幅春日里凭栏独眺的画面。作者倚楼远望，微风残照，草色烟光，在这凄迷的景色中透露出凄凉的心境。但是，有谁能理解他此时的心情呢？叹息中表露出他的思恋、愁怨的心思。下片写作者对恋人的执着追求和矢志不移的态度。他想以歌酒遣春愁，勉强欢愉一下，竟觉无味。他表示，为了她，就是一天天消瘦下去也决不后悔；即使被相思之苦折磨得脸黄肌瘦也感到值得。词的最后二句表达对爱情执着专注，后来被引申成为对理想和事业始终不渝地追求的名句。

【注释】 ①寒蝉:秋蝉。 都门帐饮:在京城郊外张设帐幕宴饮饯别。 兰舟:船的美称。 凝噎:哽咽。 楚
天:泛指长江中下游一带。 ②经年:年复一年。 风情:风流情意。

【解说】 这是一首与恋人惜别之作,写得委婉凄恻。秋天的傍晚,一对恋人在长亭分别,一阵急雨刚止,凄
切的蝉声叫个不停,气氛悲凉。京郊设帐饯别,饮酒没有好心情。正在留恋不舍时,航船已在催着开发了。两
人手拉着手泪眼相对,竟然哽咽得说不出话来。想到这次要远至千里之外暮霭沉沉的江南水乡,心里也觉
茫然。多情的人自古以来离别时最伤心,而更令人难受的又是在这样冷落的清秋时节。今晚酒醒后,我将发

雨霖铃

柳永

寒蝉凄切。对长亭晚，骤雨初歇。都门帐饮无绪，留恋处、兰舟催发。执手相看泪眼，竟无语凝噎。念去去、千里烟波，暮霭沉沉楚天阔。　多情自古伤离别，更那堪、冷落清秋节。今宵酒醒何处？杨柳岸、晓风残月。此去经年，应是良辰好景虚设。便纵有千种风情，更与何人说？

现自己孤舟一叶，停靠在杨柳岸边，面对凄冷的晓风、清淡的残月，该是一种什么心情！我这一去，年复一年，就是有良辰美景也是虚设，无心独赏；即使有万般情怀，还能跟谁倾吐呢？全词以景染情，融情入景，回环曲折地表达了缠绵的离情。

望海潮

wàng hǎi cháo

liǔ yǒng
柳 永

东南形胜，三吴都会，钱塘自古繁华。烟柳画桥，风帘翠幕，参差十万人家。云树绕堤沙。怒涛卷霜雪，天堑无涯。市列珠玑，户盈罗绮，竞豪奢。

重湖叠巘清嘉。有三秋桂子，十里荷花。羌管弄晴，菱歌泛夜，嬉嬉钓叟莲娃。千骑拥高牙。乘醉听箫鼓，吟赏烟霞。异日图将好景，归去凤池夸。

【注释】 ①三吴：旧指吴兴、吴郡、会稽。 钱塘：今杭州。 堤沙：指钱塘江堤。 天堑：天然壕沟，指钱塘江。 珠玑：泛指各种珍宝。 ②重湖：指西湖兼有里湖和外湖。 叠巘：重叠的山峰。 清嘉：清秀美丽。 莲娃：采莲女子。 高牙：高扬的军旗。此指大官出行的仪仗。 烟霞：代指秀美的山光水色。 凤池：凤凰池，原是皇帝禁苑中的池沼，代指朝廷。

【解说】 杭州地处东南，景物优美，是三吴的重要都市，自古以来以繁华著称。城中杨柳如烟，河桥如画；家家门前垂挂着挡风的帘幕，全城高高低低有十万人家。钱塘江堤上，行行的树木逶迤远伸，郁郁葱葱。怒涛

翻卷如喷霜雪，江面广阔无边。街市上到处陈列着各种珍宝，市民家中摆满绫罗绸缎，似乎在竞夸繁华和富丽。西湖的胜景更值得称赞。里湖外湖和层叠的青山清秀美丽。四时景色赏玩不尽，秋天有山中的桂子，夏天有满湖的荷花。不论白天或晚上，湖面上荡漾着优美的笛声和采菱的歌声，原来是渔翁和采莲姑娘们在欢乐地荡桨。众多的骑兵拥着高扬的军旗，仪仗威严地簇拥着地方长官。乘醉欣赏音乐，在山水风景中游赏吟诗，威武风流。改日你可将这美丽的风景画成图本，归京时献给朝廷定会得到夸赞。词的上片写杭州的繁华和钱塘江的壮观，下片写西湖山水的优美。"三秋桂子，十里荷花"写西湖典型景色，成为传诵千古的名句。

13

【注释】 ①长川：长长的江河。这里指桐江。　征帆：远航的船。　几许：多少。　短艇：小船。　②严陵滩：在桐庐县南桐江七里泷，是东汉名士严光隐居的地方。　游宦：在外做官。　区区：小，有不屑之意。　底事：什么事。　云泉约：归隐云山泉石间的意愿。　来：语助词。　"一曲"句：指仲宣（即王粲）写的《从军行》，诗中写到军士行役的辛苦和对故乡的怀念。

【解说】 这首词描写桐江和严陵滩的景象，抒发了作者厌倦官场生活、渴望归隐的思想感情。上片写傍晚江上的所见所感。傍晚时秋雨刚停，江水澄静。夜幕降临，泊船江边。对面的岛屿上，水蓼所开淡红色和白

满 江 红
mǎn jiāng hóng

柳 永
liǔ yǒng

暮雨初收，长川静，征帆夜
mù yǔ chū shōu cháng chuān jìng zhēng fān yè

落。临岛屿，蓼烟疏淡，苇风萧索。几
luò lín dǎo yǔ liǎo yān shū dàn wěi fēng xiāo suǒ jǐ

许渔人飞短艇，尽载灯火归村落。
xǔ yú rén fēi duǎn tǐng jìn zài dēng huǒ guī cūn luò

遣行客、当此念回程，伤漂泊。
qiǎn xíng kè dāng cǐ niàn huí chéng shāng piāo bó

桐江好，烟漠漠，波似染，山如
tóng jiāng hǎo yān mò mò bō sì rǎn shān rú

削。绕严陵滩畔，鹭飞鱼跃。游宦区
xuē rào yán líng tān pàn lù fēi yú yuè yóu huàn qū

区成底事？平生况有云泉约。
qū chéng dǐ shì píng shēng kuàng yǒu yún quán yuē

归去来，一曲仲宣吟，从军乐。
guī qù lái yī qǔ zhòng xuān yín cóng jūn yuè

色小花远望一片淡淡如烟，阵阵苇风，送来凉意。渔人们驾着小船，船上点着盏盏灯火，划过茫茫的江面向村落归去。渔人欢乐的家庭生活，引发了作者对漂泊生活的伤感和对家乡的思念。下片回叙白天所见桐江的美景。桐江好，淡淡的雾，蓝蓝的水，陡陡的山，鹭飞鱼跃，自由自在。相比这严陵滩畔的美景，追求仕途功名的生活又算得上什么呢？何况自己早有归隐山水的宿愿。归去吧，行役苦啊！全词写景，上片萧瑟清冷，下片优美轻快，两两对比，表达了作者厌倦仕途奔波并对归隐山水的向往之情。

bā shēng gān zhōu
八声甘州

liǔ yǒng
柳永

duì xiāo xiāo mù yǔ sǎ jiāng tiān yī fān xǐ qīng qiū jiàn shuāng fēng
对潇潇暮雨洒江天，一番洗清秋。渐霜风

qī jǐn guān hé lěng luò cán zhào dāng lóu shì chù hóng shuāi cuì jiǎn rǎn
凄紧，关河冷落，残照当楼。是处红衰翠减，苒

rǎn wù huá xiū wéi yǒu cháng jiāng shuǐ wú yǔ dōng liú bù rěn dēng
苒物华休。惟有长江水，无语东流。不忍登

gāo lín yuǎn wàng gù xiāng miǎo miǎo guī sī nán shōu tàn nián lái zōng
高临远，望故乡渺邈，归思难收。叹年来踪

jì hé shì kǔ yān liú xiǎng jiā rén zhuāng lóu níng wàng wù jǐ huí tiān
迹，何事苦淹留？想佳人、妆楼凝望，误几回、天

jì shí guī zhōu zhēng zhī wǒ yǐ lán gān chù zhèng nèn níng chóu
际识归舟。争知我、倚栏干处，正恁凝愁！

【注释】 ①凄紧：寒意强烈逼人。 关河：山河。 是处：到处。 苒苒：渐渐。 物华休：美丽的景物凋零。
②渺邈：遥远。 淹留：久留。 争：怎。 恁：如此。 凝愁：愁思郁结难解。

【解说】 这是一首抒写秋日离思的名篇。上片以写景为主，写景及情。词人傍晚登楼，凭栏面对江天的潇潇秋雨，感到霜欺风逼，到处花凋叶落，山河冷寂；在楼头凄淡的夕阳中，望着长江默默地向东流去，不禁思绪如潮。下片写桐江美景，引发思归之情。说不忍登高望远，因为怕眺望遥远的故乡会触发绵绵不尽的思归。多年来在异乡飘泊，为什么要久留不归呢？遥望佳人在妆楼上天天盼我回家，看到多少次天边驶回的船帆，

还以为是我的归舟呢！她哪里知道我现在倚在栏杆上，眺望故乡，也正在为不能回家而发愁呢！词中写景，境界寥廓，气势磅礴，景中含情，寄寓离别之情；抒情，从"望"、"叹"、"想"到"正凝愁"，绵绵密密地表达出作者的乡思之深。

天仙子

tiān xiān zǐ

张先
zhāng xiān

《水调》数声持酒听，
shuǐ diào shù shēng chí jiǔ tīng

午醉醒来愁未醒。送
wǔ zuì xǐng lái chóu wèi xǐng sòng

春春去几时回？临晚镜，
chūn chūn qù jǐ shí huí lín wǎn jìng

伤流景，往事后期空
shāng liú jǐng wǎng shì hòu qī kōng

记省。　沙上并禽池
jì xǐng shā shàng bìng qín chí

上暝，云破月来花弄
shàng míng yún pò yuè lái huā nòng

影。重重帘幕密遮灯
yǐng chóng chóng lián mù mì zhē dēng

风不定，人初静，明日落
fēng bù dìng rén chū jìng míng rì luò

红应满径。
hóng yīng mǎn jìng

【注释】 ①《水调》：曲调名。　愁未醒：愁未消。　临：照。　流景：流逝的年华。　后期：后约。　空：徒劳。
记省：清楚地记着。　②并禽：成对的鸟。　落红：落花。　径：路。

【解说】 这是北宋词中的名篇。词人在家品酒听曲来解愁闷。午睡酒醒而愁却未减。为何烦愁？因感伤韶光将逝，青春不再，镜里容颜已老，往昔错失风流机会，至今空留记忆。闲步小园遣愁，暮色中只见水鸟成对并宿于池边沙岸。一阵风起，吹开云层，露出月色；风动花枝，花影摇曳婆娑。在这天晚之时欣赏到即将流逝的春意，使他寂寞的情怀得到暂时的快慰。但还是担心明日落花满径，春将逝去。词中通过暮春迷离的夜色烘托伤春叹老的情怀，其中"云破"句语言精美，堪称古今绝唱。

18

mù lán huā
木兰花
yǐ mǎo wú xīng hán shí
乙卯吴兴寒食

zhāng xiān
张 先

lóng tóu zé měng wú ér jìng
龙头舴艋吴儿竞，

sǔn zhù qiū qiān yóu nǚ bìng fāng
笋柱秋千游女并。芳

zhōu shí cuì mù wàng guī xiù yě
洲拾翠暮忘归，秀野

tà qīng lái bù dìng　　xíng yún
踏青来不定。　行云

qù hòu yáo shān míng yǐ fàng
去后遥山暝，已放

shēng gē chí yuàn jìng zhōng tíng
笙歌池院静。中庭

yuè sè zhèng qīng míng wú shù
月色正清明，无数

yáng huā guò wú yǐng
杨花过无影。

【注释】 ①龙头舴艋：饰以龙头的轻便小船，作临时的龙舟。 笋柱：指竹架秋千。 拾翠：游春时采拾翠鸟羽毛。 踏青：寒食、清明时到郊外游览。 ②行云：飘动的云。 暝：昏黑。 放：停止。 清明：清朗明亮。

【解说】 这首词描绘了吴兴（今浙江湖州）寒食节的动人的场景。上片写白天的景象。寒食节那天，小伙子们乘坐一艘艘龙头小船竞渡；姑娘们双双对对在竹架秋千上尽兴地荡着。妇女们到沙洲草地上拾翠羽作首饰，人们络绎不绝地去郊野踏青游赏。下片写月夜优美的景色。云去山昏，游人散后郊外一片空寂。笙歌已经停止，整个庭院沉浸在清朗的月色之中，柳絮轻扬，飘过时看不到影子。全词生动地再现了当时的民俗。最后两句写景工绝，显现出春夜的清幽之美，同时也表露出作者恬适舒畅的心情。

19

画堂春
huà táng chūn

张 先
zhāng xiān

外湖莲子长参
wài hú lián zǐ zhǎng cēn

差，霁山青处鸥飞。
cī jì shān qīng chù ōu fēi

水天溶漾画桡
shuǐ tiān róng yàng huà ráo

迟，人影鉴中移。
chí rén yǐng jiàn zhōng yí

桃叶浅声双
táo yè qiǎn shēng shuāng

唱，杏红深色轻
chàng xìng hóng shēn sè qīng

衣。小荷障面避
yī xiǎo hé zhàng miàn bì

斜晖，分得翠阴归。
xié huī fēn dé cuì yīn guī

【注释】 ①霁：雨后天晴。 溶漾：水波微微动荡。 画桡：画船。桡，桨。 迟：缓慢。 鉴：镜子。 ②桃叶：《桃叶歌》，相传为晋代王献之所作赞美其爱妾桃叶的诗歌。 轻衣：薄纱衣。

【解说】 这是一首纯美的词作。上片写湖山之美。湖上莲子长得高高低低；雨后的青山，映衬着飞翔的白鸥；天光倒映在平静的绿水中，画船缓缓地滑行，船中的人影如在镜面上移动；景象清新。下片写歌女之美。一对歌女双唱，歌声轻婉美妙；歌女穿着杏红深色的薄罗衫，斜晖中以小荷遮面避暑热，绿荷映着芙蓉花似的娇脸，情态很美。词中自然景色的美与女性之美交相辉映，给人以纯净自然的美感。

青门引
qīng mén yǐn

张 先
zhāng xiān

乍暖还轻冷,风雨
zhà nuǎn hái qīng lěng fēng yǔ

晚来方定。庭轩寂寞近
wǎn lái fāng dìng tíng xuān jì mò jìn

清明,残花中酒,又是
qīng míng cán huā zhòng jiǔ yòu shì

去年病。 楼头画角风
qù nián bìng lóu tóu huà jiǎo fēng

吹醒,入夜重门静。那
chuī xǐng rù yè chóng mén jìng nǎ

堪更被明月,隔墙送
kān gèng bèi míng yuè gé qiáng sòng

过秋千影。
guò qiū qiān yǐng

【注释】 ①乍暖:忽然变暖。 方定:才停。 庭轩:庭院和走廊。 中酒:酒醉。 ②楼头:指城上戍楼。 画角:古代军号。 那堪:怎能忍受。

【解说】 这首词写暮春时节怀人的心情,情调悲凉,层层推进,暗示出词人多愁善感的心情。上片写醉酒前的处境和感触。时近清明的天气忽暖忽寒,整天的风雨到晚才停。庭院寂寞,面对的又是残花,这些都使人感伤,因此独饮易醉。下片写酒醒后的寂寞思绪。酒醉被楼头凄厉的角声惊醒了。入夜庭院重门闭锁,正当孤独伤怀之时,隔墙发现月光下秋千的影子荡来荡去,心绪为之触动。"隔墙送过秋千影",朦胧含蓄,极富美感,脍炙人口。

qīng píng yuè
清平乐

yàn shū
晏殊

hóng jiān xiǎo zì　shuō jìn píng shēng yì　hóng
红笺小字,说尽平生意。鸿

yàn zài yún yú zài shuǐ chóu chàng cǐ qíng nán jì
雁在云鱼在水,惆怅此情难寄。

xié yáng dú yǐ xī lóu yáo shān qià duì lián gōu
斜阳独倚西楼,遥山恰对帘钩。

rén miàn bù zhī hé chù lǜ bō yī jiù dōng liú
人面不知何处,绿波依旧东流。

【注释】 ①红笺:一种精美的淡红色的纸,可用来题诗、写信。 "鸿雁"句:古人有"雁足传书"和"鱼传尺素"的说法。 ②"人面"句:唐朝书生崔护,在都城南庄偶遇一少女,彼此相恋。第二年再来,少女不知去向,于是题诗:"去年今日此门中,人面桃花相映红。人面不知何处去,桃花依旧笑东风。"人面,借指所思之人。

【解说】 精美的淡红色的信笺上写满小字,说尽平生相慕相爱之意,但是能传信的雁在云端,鱼在水底,此情难寄。托书不成,登楼眺望,但远山遮隔,又不能如愿。所思之人不知在何处,我的思恋之情犹如绿波东流绵绵不断。词写离愁别绪,内容并不新奇,但抒情细腻,用语雅致,能使人体会到作者表面上的宁静正蕴藏着深沉难言的感情浪涛,故历来为人传诵。

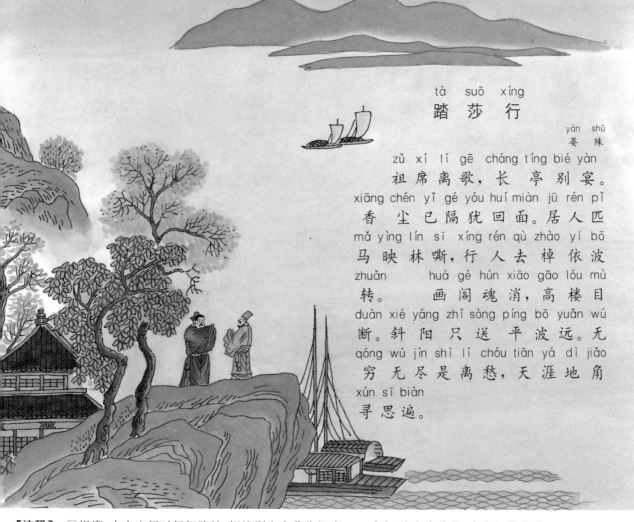

踏莎行 (tà suō xíng)

晏殊 (yàn shū)

祖席离歌，长亭别宴。(zǔ xí lí gē cháng tíng bié yàn)
香尘已隔犹回面。(xiāng chén yǐ gé yóu huí miàn)居人匹马映林嘶，(jū rén pǐ mǎ yìng lín sī)行人去棹依波转。(xíng rén qù zhào yī bō zhuǎn)画阁魂消，高楼目断。(huà gé hún xiāo gāo lóu mù duàn)斜阳只送平波远。(xié yáng zhǐ sòng píng bō yuǎn)无穷无尽是离愁，(wú qióng wú jìn shì lí chóu)天涯地角寻思遍。(tiān yá dì jiǎo xún sī biàn)

【注释】 ①祖席：古人出行时祭祀路神，把饯别宴会称作祖席。 香尘：地上多落花，尘土都带芳香。 回面：回头。 映林：隔着树林。 棹：船桨，代指船。 ②寻思：思念。

【解说】 词从长亭饯别写起，写送行时的情景和深挚的感情。别宴上，唱着离歌；行人上路了，双方还频频含情回头相望；行人远去，送者的马儿隔林长嘶，行者下船随波远去。送者登楼目送直到船影消失，只见斜晖下的脉脉流水。无穷无尽的都是离愁，天涯海角都思想遍，可你在哪里呢？这相思之情真是无时无处不在呀！

踏莎行 (tà suō xíng)

晏殊 (yàn shū)

细草愁烟，幽花怯露，凭栏总是销魂处。日高深院静无人，时时海燕双飞去。

带缓罗衣，香残蕙炷，天长不禁迢迢路。垂杨只解惹春风，何曾系得行人住！

【注释】①销魂处：使人伤感的事物。 ②蕙炷：用蕙草为原料制成多种形状的熏香。 不禁：不能阻拦。

【解说】 词写一个女子思念远行情郎的心情。清晨，凭栏见到庭院中的细草被笼在晨雾中，幽花沾着露水，似在愁惨惨，战兢兢，所见无处不使她伤心断肠。日高深院静悄悄地没有别的人，只见时时有燕子双双飞去，更觉得孤寂惆怅。因为思人日久，消瘦得衣带宽松；空房久坐，蕙炷香残，长日的思念，也阻拦不了游子远行的脚步，因而强烈地发出喟叹：垂杨只能招惹春风飘拂，何曾系得住行人！ 全词借物抒情，情致深挚缠绵。

踏莎行 (tà suō xíng)

晏殊 (yàn shū)

小径红稀，芳郊
xiǎo jìng hóng xī fāng jiāo

绿遍。高台树色阴阴见。
lǜ biàn gāo tái shù sè yīn yīn xiàn

春风不解禁杨花
chūn fēng bù jiě jìn yáng huā

濛濛乱扑行人面。
méng méng luàn pū xíng rén miàn

翠叶藏莺，朱帘隔
cuì yè cáng yīng zhū lián gé

燕。炉香静逐游丝转。
yàn lú xiāng jìng zhú yóu sī zhuàn

一场愁梦酒醒时，
yī cháng chóu mèng jiǔ xǐng shí

斜阳却照深深院。
xié yáng què zhào shēn shēn yuàn

【注释】 ①红稀：花儿稀疏。 阴阴见：暗暗显露。 解：懂得。 濛濛：微雨飘洒的样子，这里形容飞舞的杨花。 ②逐：追随。 游丝：飘荡在空中的蛛丝之类。 却：还，仍。

【解说】 词写暮春初夏特有的景象，景色如画，又耐人寻味。小路两旁的红花已稀稀落落，郊野上已芳草绿遍。高台楼阁掩映在浓郁的树色中。春风不懂得约束杨花，以致让杨花漫天飞舞，乱扑行人的面庞。无计留春，只好听任杨花飘舞送春归去。翠绿的树叶掩藏着黄莺的身影，朱红的帘幕阻隔着燕子归巢，燕子只能在屋外徘徊翻飞。炉香袅袅，蛛丝飘悠，庭院闲静，词人以酒浇愁，酒醒梦回时，只见斜阳仍照着深深的朱门院落。这景象，是静穆，是空落，是无言的惆怅和解悟，会久久地留在读者的心里。

huàn xī shā
浣 溪 沙

yàn shū
晏 殊

yī qǔ xīn cí jiǔ yī bēi
一曲新词酒一杯，

qù nián tiān qì jiù tíng tái　　xī
去年天气旧亭台。夕

yáng xī xià jǐ shí huí　　　　wú
阳西下几时回？　无

kě nài hé huā luò qù　sì céng
可奈何花落去，似曾

xiāng shí yàn guī lái　xiǎo yuán
相识燕归来。小园

xiāng jìng dú pái huái
香 径 独 徘 徊。

【注释】　①香径：落花飘香的小路。
【解说】　这是一首脍炙人口的小令，在明白如话的抒写中，蕴藏着丰富的理趣。词人手擎一杯酒，吟唱一曲新填的歌词，潇洒轻松地步入小园。边吟边饮，忽然发觉此时和去年一样，也是暮春的天气，也是眼前一样的亭台，一样的清歌美酒。在似乎一切依旧的表象下，词人感觉到有的东西已经有了难以逆转的变化。夕阳已西下，只能寄希望于它的东升再现。花园里的花已落去，春光的流逝是无法抗拒的；似曾相识的燕子又归来了，但毕竟不是往昔的燕子。词人独自在小园花径上徘徊，触景生情，感慨岁月易逝；惜花伤春，叹息时光不再来。"无可奈何花落去，似曾相识燕归来"两句不仅写得工巧，而且含意丰富，是历来为人赞赏的名句。

dié liàn huā
蝶恋花

yàn shū
晏殊

jiàn jú chóu yān lán qì lù luó mù
槛菊愁烟兰泣露。罗幕
qīng hán yàn zǐ shuāng fēi qù míng
轻寒，燕子双飞去。明
yuè bù ān lí hèn kǔ xié guāng dào
月不谙离恨苦，斜光到
xiǎo chuān zhū hù zuó yè xī fēng
晓穿朱户。 昨夜西风
diāo bì shù dú shàng gāo lóu wàng jìn
凋碧树。独上高楼，望尽
tiān yá lù yù jì cǎi jiān jiān chǐ sù
天涯路。欲寄彩笺兼尺素，
shān cháng shuǐ kuò zhī hé chù
山长水阔知何处！

【注释】 ①槛菊：围栏里的菊花。 罗幕：丝罗帘幕，借指室内。 谙：熟悉，了解。 ②凋碧树：使绿树叶凋零。 彩笺：可供题诗、写信用的精美的纸。这里指诗词。 尺素：指书信。

【解说】 此词写闺思。花园栏杆内的菊花似为烟气笼罩而发愁，兰花似因沾上露珠而哭泣；罗幕间的燕子像怕冷似的，双双飞去；明月不理解离恨之苦，彻夜透过窗户照着失眠的我。昨晚西风劲厉，绿叶一夜凋尽，秋意肃杀，令人伤感；独自登上高楼，望尽情人远在天涯的去路，心想寄封书信给他，可是两地有高山远水的阻隔无处寄书。"昨夜西风凋碧树。独上高楼，望尽天涯路"，展现了令人神远的境界，近人王国维借用来比喻古今成大事业、大学问者必经的第一种境界，取其高瞻远瞩、目标始终如一的含义，使这名句更富哲理。

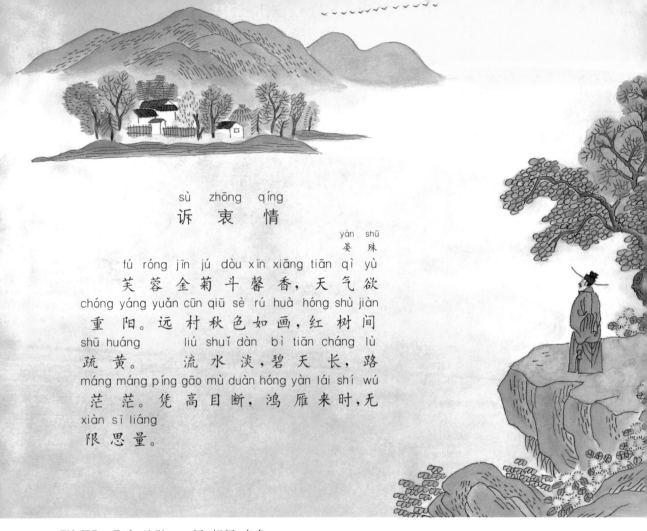

sù zhōng qíng
诉 衷 情

yàn shū
晏 殊

fú róng jīn jú dòu xīn xiāng tiān qì yù
芙 蓉 金 菊 斗 馨 香，天 气 欲

chóng yáng yuǎn cūn qiū sè rú huà hóng shù jiàn
重 阳。远 村 秋 色 如 画，红 树 间

shū huáng　　　　liú shuǐ dàn　bì tiān cháng lù
疏 黄。　　　流 水 淡，碧 天 长，路

máng máng píng gāo mù duàn hóng yàn lái shí wú
茫 茫。凭 高 目 断，鸿 雁 来 时，无

xiàn sī liáng
限 思 量。

【注释】 ①斗：比胜。 间：相间，夹杂。

【解说】 这是一首以写景为主的出色的小令。在将近重阳的时候，眼前是芙蓉和黄菊在争香斗艳；远处的乡村，秋色如画，艳红的霜叶间杂着疏疏的黄叶，树色胜于丛花。上片用多种色彩点染花树独特的秋色，下片用单纯的色彩渲染北方的秋色。秋水清浅无波，碧空万里无云，原野上的道路茫茫邈远：整个景象高阔空旷。于是，凭高极目，看到鸿雁飞过，引起了无限的思量。作者当时从京城被贬在陈州(今河南淮阳)已六年，见秋雁南飞，自然会心有触动，有所寄望。

破阵子

晏殊

燕子来时新社，梨花落后清明。池上碧苔三四点，叶底黄鹂一两声，日长飞絮轻。

巧笑东邻女伴，采桑径里逢迎。疑怪昨宵春梦好，原是今朝斗草赢，笑从双脸生。

【注释】 ①新社：春社。古代立春后第一个戊日为祭祀土地神的日子叫春社。　碧苔：水中飘浮的绿苔。
②逢迎：相遇，互相问候。　疑怪：怪不得。　斗草：古代妇女有斗百草的游戏。

【解说】 词描绘暮春农村采桑少女的斗草嬉戏，富有生活情趣。上片写景，清新自然。春社来到，燕子飞翔，梨花刚落，碧苔新生，甚至叶底传来的一两声黄鹂鸣叫和悠悠飘扬的飞絮，都给人以新鲜亲切的感受。下片写人，音容笑貌写得生动传神。两个姑娘在采桑的乡间小道上相遇，笑问对方："你怎么这样高兴？""今天大家斗草，我得了头彩，怪不得我昨夜做了一个好梦呢！"说着，两人的脸上笑逐颜开。

玉楼春
yù lóu chūn

晏殊
yàn shū

绿杨芳草长亭
lǜ yáng fāng cǎo cháng tíng

路，年少抛人容易去。
lù, nián shào pāo rén róng yì qù

楼头残梦五更钟，花
lóu tóu cán mèng wǔ gēng zhōng huā

底离愁三月雨。 无
dǐ lí chóu sān yuè yǔ wú

情不似多情苦，一寸
qíng bù sì duō qíng kǔ yī cùn

还成千万缕。天涯地
hái chéng qiān wàn lǚ tiān yá dì

角有穷时，只有相思
jiǎo yǒu qióng shí zhǐ yǒu xiāng sī

无尽处。
wú jìn chù

【注释】 ①长亭：建在路边的亭舍，也是古人送别的地方。 去：离去。

【解说】 词写一位女子相思的心理活动。上片写思妇回忆离别的情景和思念之苦。长亭路边，绿柳依依，芳草萋萋，情郎就在这暮春时节轻易地与她分手了。她魂系情郎，夜夜梦中两人相见，但好梦却被五更钟声惊破；离愁之苦就像三月的风雨摧落花朵一样使人难受。下片再以对比来突出相思之苦。无情的人不知多情的人心里愁苦，多情的人多愁善感，一寸芳心会化成千万缕。天涯海角还有尽头，我的相思却无穷无尽。这位女子对情郎的感情十分深挚，"无情不似多情苦"，说出了世人共同的感受。

离亭燕

张昇

一带江山如画，风物向秋潇洒。水浸碧天何处断？霁色冷光相射。蓼屿荻花洲，掩映竹篱茅舍。云际客帆高挂，烟外酒旗低亚。多少六朝兴废事，尽入渔樵闲话。怅望倚层楼，寒日无言西下。

【注释】 ①向秋：临秋。 潇洒：凄清。 霁色：指雨后晴空的颜色。 屿、洲：水中陆地。 荻：形如芦苇的植物，秋天开紫色花。 ②低亚：低垂。 六朝：指三国吴、东晋和南朝宋、齐、梁、陈等六个建都于金陵（今江苏南京）的朝代。 兴废：兴盛和衰亡。

【解说】 词人登临怀古，鸟瞰金陵一带，江山如画，一切景物临秋显得萧疏凄清。极目江天，天光水色相映；江滩上，蓼草荻花掩映着竹篱茅舍的小渔村。水天相接之际，客船高挂着白帆；烟霭之外，酒旗低垂着。这人来人去的客船，人醉人醒的酒楼，代代不已。这三百六十多年中经历的六个朝代的兴盛和衰亡，全成了老百姓茶余饭后的闲谈资料。词人倚楼怅望，只见凄冷的夕阳默默地西沉。词表达了作者对国事的隐忧。

31

木兰花

mù lán huā

宋祁 sòng qí

东城渐觉风光好，
dōng chéng jiàn jué fēng guāng hǎo

縠皱波纹迎客棹。绿杨烟
hú zhòu bō wén yíng kè zhào lù yáng yān

外晓寒轻，红杏枝头春意
wài xiǎo hán qīng hóng xìng zhī tóu chūn yì

闹。浮生长恨欢娱
nào fú shēng cháng hèn huān yú

少，肯爱千金轻一笑？为君
shǎo kěn ài qiān jīn qīng yī xiào wèi jūn

持酒劝斜阳，且向花间留
chí jiǔ quàn xié yáng qiě xiàng huā jiān liú

晚照。
wǎn zhào

【注释】 ①縠皱：比喻水的波纹。縠，有皱纹的纱。 棹：船桨，借指船。 ②"肯爱"句：怎能吝惜钱财而轻视欢娱。

【解说】 东城的风光美好，绿波微漾，正好荡舟；绿杨如烟，晨晓轻寒，红杏竞放，春意正浓。面对这样的美景，联想人生苦多乐少，更感到要珍惜这难得欢娱的好机会，为了欢娱可以不惜抛掷千金。持杯寄语斜阳，暂且再向花间留个晚照，不要匆匆离去。词表达了惜春之意，也流露出及时行乐的消极情绪。"红杏枝头春意闹"是久被传诵的名句，王国维称"著一'闹'字而境界全出"。正是"闹"字使人联想到春意喧闹的春天景象。

hè shèng cháo
贺圣朝
liú bié
留别

yè qīng chén
叶清臣

mǎn zhēn lù xǔ liú jūn zhù mò cōng
满斟绿醑留君住,莫匆
cōng guī qù　sān fēn chūn sè èr fēn chóu
匆归去。三分春色二分愁,
gèng yī fēn fēng yǔ　　huā kāi huā xiè
更一分风雨。　　花开花谢,
dū lái jǐ xǔ　qiě gāo gē xiū sù　bù zhī
都来几许?且高歌休诉。不知
lái suì mǔ dān shí zài xiāng féng hé chù
来岁牡丹时,再相逢何处?

【注释】　①绿醑:绿色的酒。　②都来:算来。　几许:多少。
【解说】　词写别情,曲折细致,情谊深厚。饯别时,作者满斟美酒,殷切地劝友人不要匆匆离去。时值暮春,总共三分春色,其中二分是愁,再一分是风雨。风雨亦愁人,此情此景使人不忍分离。花从开到谢算来也没有多少日子,人也是别易会难。还是饮酒高歌吧,不要去诉说离愁了。忽而又想到明年牡丹开时,我们能否重逢。词推开离愁,欲扬先抑,未分别就想到何时重逢,难分难舍的情意更浓。

cǎi sāng zǐ
采 桑 子

ōu yáng xiū
欧阳修

qīng zhōu duǎn zhào xī hú hǎo lù shuǐ wēi yí
轻 舟 短 棹 西 湖 好，绿 水 逶 迤，

fāng cǎo cháng dī yǐn yǐn shēng gē chù chù suí
芳 草 长 堤，隐 隐 笙 歌 处 处 随。

wú fēng shuǐ miàn liú lí huá bù jué chuán
无 风 水 面 琉 璃 滑，不 觉 船

yí wēi dòng lián yī jīng qǐ shā qín lüè àn fēi
移，微 动 涟 漪，惊 起 沙 禽 掠 岸 飞。

【注释】 ①西湖：此指颖州西湖，在今安徽阜阳。 逶迤：绵延曲折的样子。 ②琉璃：天然发光的半透明的矿石，借以形容平滑如镜的水面。

【解说】 词写乘小舟游湖的情趣，以轻松的笔调刻画颖州西湖的春色，动静结合，有声有色。在西湖里荡起轻舟，漾起长长的绿水波纹；湖堤芳草青青，处处飘来隐隐的笙歌声，所见所闻令人赏心悦目。游船在澄澈、平静的水面上随意滑行，泛起微波惊起水鸟掠岸飞去，划破了湖上的宁静。"无风水面琉璃滑，不觉船移"二句，写出对春水的特殊感受，十分精警。

cǎi sāng zǐ
采桑子

ōu yáng xiū
欧阳修

huà chuán zài jiǔ xī hú hǎo　jí guǎn fán xián yù zhǎn
画船载酒西湖好，急管繁弦，玉盏
cuī chuán wěn fàn píng bō rèn zuì mián　　xíng yún què zài
催传，稳泛平波任醉眠。　行云却在
xíng zhōu xià　kōng shuǐ chéng xiān fǔ yǎng liú lián yí shì
行舟下，空水澄鲜，俯仰留连，疑是
hú zhōng bié yǒu tiān
湖中别有天。

【注释】　①急管繁弦：指节奏急促、高亢嘹亮的管弦乐声。　稳泛：稳稳地漂着船。

【解说】　词写"画船载酒"游颍州西湖的情景。上片写游湖之乐。乘坐彩绘的游船，饮着美酒，荡漾于湖光山色之间，又有欢快的音乐助兴，玉盏催传，开怀畅饮；湖上风平浪静，醉了尽可以放心地躺在船上，任船儿在水上自由漂行。这是多么惬意啊！下片写醉后观湖之乐。醉倚船上，俯仰湖天，澄鲜明净，白云倒映，船在移动，云也在移动，似乎"湖中别有天"！这奇妙的景象真令观者陶醉。

cǎi sāng zǐ
采 桑 子

ōu yáng xiū
欧阳修

qún fāng guò hòu xī hú hǎo　láng jí cán
群芳过后西湖好，狼藉残
hóng fēi xù méng méng chuí liǔ lán gān jìn rì fēng
红，飞絮濛濛，垂柳栏干尽日风。
shēng gē sàn jìn yóu rén qù shǐ jué chūn kōng
笙歌散尽游人去，始觉春空，
chuí xià lián lóng shuāng yàn guī lái xì yǔ zhōng
垂下帘栊，双燕归来细雨中。

【注释】①群芳：百花。　西湖：指颍州西湖。　狼藉：杂乱。　②帘栊：窗帘。栊，窗。
【解说】词描写暮春凭栏观湖的情景，表达一种静观自适的情调。落花狼藉，垂柳飘曳，柳絮纷飞，昔日游春的盛况已无影无踪。笙歌散尽游人归去，湖山显得特别空旷冷落。这时，一双燕子从细雨中匆匆归来，词人开帘待燕，放下了帘栊。关闭了自然之景，室内更显得宁静安闲。作者晚年退隐颍州，写了十首《采桑子》歌吟颍州西湖风光。这是其中赞扬残春美景的第四首，写得清淡自然，别有韵味。

采桑子
cǎi sāng zǐ

欧阳修
ōu yáng xiū

天容水色西湖好，云物俱鲜。鸥鹭闲眠，应惯寻常听管弦。　风清月白偏宜夜，一片琼田。谁羡骖鸾，人在舟中便是仙。

【注释】　①天容：天空的景色。　云物：云彩风物。　②琼田：神话传说中的玉田，这里形容月光下的湖水。骖鸾：神话传说中仙人乘神鸟——鸾鸟驾的车腾空而去。

【解说】　词写泛舟夜游颍州西湖的感受。西湖的月夜，天光水色，云彩风物都令人感到清新鲜美。鸥鹭对于人们的管弦歌吹之声早已听惯不惊，正悠闲地入睡。清风朗月，湖面如一片莹洁的"琼田"，西湖的夜色如远离尘嚣的仙境那样美，因此词人满心喜悦地赞叹：谁还会再羡慕乘鸾车腾空升天的神仙，我今晚人在舟中便是神仙了。词体现出作者对西湖夜景和现实人生的无限热爱和眷恋，反映了作者晚年乐观旷达的人生态度。

37

踏莎行 (tà suō xíng)

欧阳修 (ōu yáng xiū)

候馆梅残,溪桥柳细,
(hòu guǎn méi cán　xī qiáo liǔ xì)

草薰风暖摇征辔。离
(cǎo xūn fēng nuǎn yáo zhēng pèi　lí)

愁渐远渐无穷,迢迢不
(chóu jiàn yuǎn jiàn wú qióng tiáo tiáo bù)

断如春水。　寸寸柔
(duàn rú chūn shuǐ　　cùn cùn róu)

肠,盈盈粉泪,楼高莫近
(cháng yíng yíng fěn lèi　lóu gāo mò jìn)

危栏倚。平芜尽处是春
(wēi lán yǐ　píng wú jìn chù shì chūn)

山,行人更在春山外。
(shān xíng rén gèng zài chūn shān wài)

【注释】 ①候馆:迎候宾客的馆舍,指旅舍。 薰:花草香。 摇征辔:骑马远行。辔,马嚼子和缰绳,代指马。
②危栏:高栏。 平芜:平旷的草地。

【解说】 这是一首写离愁别绪的小令,写得真切感人。上片写行人的离愁。旅舍旁的梅花只剩下几朵残花,溪桥边的杨柳刚抽出嫩芽细叶,春风吹送着芳草的清香。在这样美好的春光中却不能与佳人同赏,我正在抖动着丝缰催马赶路。离愁越走越无穷,犹如迢迢不断的春水奔流。下片写遥想。行人设想自己深爱的人正在高楼凭栏凝望,她思念我已寸寸柔肠断,盈盈粉泪滴滴。唉,你不要凭栏眺望了,原野的尽头是春山,而我还远在春山外呢!这遥想实际上是行人离愁的深化。

shēng chá zǐ
生 查 子

ōu yáng xiū
欧阳修

qù nián yuán yè shí
去年元夜时，

huā shì dēng rú zhòu yuè
花市灯如昼。月

shàng liǔ shāo tóu rén yuē
上柳梢头，人约

huáng hūn hòu　　　　jīn
黄昏后。　　今

nián yuán yè shí yuè yǔ
年元夜时，月与

dēng yī jiù bù jiàn qù nián
灯依旧。不见去年

rén lèi mǎn chūn shān xiù
人，泪满春衫袖。

【注释】 ①元夜：元宵节，农历正月十五。自隋唐以来民间有元夜观灯的习俗。　　花市：卖花的集市。
【解说】 这首词是广为传诵的名篇，语言通俗，节奏明快，具有民歌风味。上片回忆去年元夜时的甜蜜往事：华灯照得花市如同白昼，主人公在这繁闹的地方与心爱的人在月挂柳梢头的黄昏时刻悄悄约会。下片回到现实，描述今年元夜的凄凉景况：虽然月光与华灯依旧，却见不到去年约会的情人，主人公伤心得眼泪沾湿了春衫的袖子。词中运用对比写法，将境是人非、旧情难续的感伤情怀表现得十分充分。

蝶恋花

dié liàn huā

欧阳修
ōu yáng xiū

越女采莲秋水畔。窄
yuè nǚ cǎi lián qiū shuǐ pàn   zhǎi

袖轻罗，暗露 双 金钏。
xiù qīng luó àn lù shuāng jīn chuàn

照影摘花花似面。芳心
zhào yǐng zhāi huā huā sì miàn fāng xīn

只共丝争乱。 鸂鶒滩
zhǐ gòng sī zhēng luàn   xī chì tān

头风浪晚。露重烟轻，不
tóu fēng làng wǎn   lù zhòng yān qīng bù

见来时伴。隐隐歌声归
jiàn lái shí bàn   yǐn yǐn gē shēng guī

棹远。离愁引着江南岸。
zhào yuǎn lí chóu yǐn zhuó jiāng nán àn

【注释】 ①钏：镯子。 芳心：形容姑娘美好的心灵。 ②鸂鶒：像鸳鸯一样的水鸟，成双游水。

【解说】 词写江南采莲女。姑娘穿着窄袖的丝罗衫，手腕上的金镯子时隐时现。摘花时偶尔照见倒影，她的面容与荷花一样娇美。看着荷花拗断时连着丝儿的情景，她的芳心忽有所动。傍晚了，暮霭轻笼，见鸂鶒双栖滩头，却突然发现不见了来时的女伴们，只隐约地听到归家远去的采莲船上传来悠悠的歌声，不禁从心底里涌起了孤独的离愁。词以美丽的荷花倒影来烘托江南少女的姿容，以采莲时所见的荷塘情景来衬托少女细腻的心理活动，写得别具情韵。

yú jiā ào
渔家傲

ōu yáng xiū
欧阳修

huā dǐ hū wén qiāo liǎng jiǎng
花底忽闻敲两桨，

qūn xún nǚ bàn lái xún fǎng jiǔ zhǎn
逡巡女伴来寻访。酒盏

xuán jiāng hé yè dàng lián zhōu dàng
旋将荷叶当。莲舟荡，

shí shí zhǎn lǐ shēng hóng làng
时时盏里生红浪。

huā qì jiǔ xiāng qīng sī niàng
花气酒香清厮酿，

huā sāi jiǔ miàn hóng xiāng xiàng zuì
花腮酒面红相向。醉

yǐ lǜ yīn mián yī shǎng jīng qǐ
倚绿阴眠一饷，惊起

wàng chuán tóu gē zài shā tān shàng
望，船头搁在沙滩上。

【注释】 ①逡巡：即刻。 旋：便。 当：替代。 ②厮：相。 饷：通"晌"，一会儿。
【解说】 词描写采莲女荡舟采莲时喝酒逗乐的情景。采莲姑娘进入荷塘，隐入了花底，女伴们一听到荡桨声，就立即来寻找。大家将荷叶当酒杯，一起喝酒逗乐。随着莲舟轻荡，荷杯中的清酒映着荷花和姑娘脸上的红晕，漾起了"红浪"，天真烂漫的姑娘们多么开心啊！花香和着酒香，粉腮与酒面的红晕相映，乐极、美极，令人陶醉！还有在绿荷丛里醉倚在小船上睡一会儿，多么自在啊！不料被惊醒，原来船头搁浅在沙滩上，这里仿佛又可以听到一串欢笑声。词中的采莲女，活泼、大胆，呼之欲出。此词清新明朗，富有生活情趣。

41

玉楼春
yù lóu chūn

ōu yáng xiū
欧阳修

尊前拟把归期说，未语春容
zūn qián nǐ bǎ guī qī shuō wèi yǔ chūn róng

先惨咽。人生自是有情痴，此恨
xiān cǎn yè rén shēng zì shì yǒu qíng chī cǐ hèn

不关风与月。离歌且莫翻新
bù guān fēng yǔ yuè lí gē qiě mò fān xīn

阕，一曲能教肠寸结。直须看尽
què yī qǔ néng jiào cháng cùn jié zhí xū kàn jìn

洛城花，始共春风容易别。
luò chéng huā shǐ gòng chūn fēng róng yì bié

【注释】 ①春容：指女子的面容。 惨咽：哀伤得说不出话来。 ②直须：只须，须待。

【解说】 词写惜春伤别之情。在离别的酒宴上，本想说说归来重聚的日期以安慰对方，没想到话没出口，那人就伤心不堪了。唉，人生原是痴情种子，这种离愁别恨与春风秋月之类的景物变化本无关系。正因为人与人之间有真情，不忍离别，一曲旧的送别歌已够教人愁肠寸结了，且不要再创制新的送别歌了。只有让我们一同赏尽洛阳的牡丹花，尽情享受春光，然后再与春风愉快地道别吧！伤春惜别之情，词以豁达语道出，表现了作者旷达的胸襟和着眼于现实的态度，这也正是此词的魅力之所在。

玉楼春
yù lóu chūn

欧阳修
ōu yáng xiū

别后不知君远近，触
bié hòu bù zhī jūn yuǎn jìn chù

目凄凉多少闷！渐行
mù qī liáng duō shǎo mèn jiàn xíng

渐远渐无书，水阔鱼
jiàn yuǎn jiàn wú shū shuǐ kuò yú

沉何处问？夜深风
chén hé chù wèn yè shēn fēng

竹敲秋韵，万叶千声
zhú qiāo qiū yùn wàn yè qiān shēng

皆是恨。故敧单枕梦
jiē shì hèn gù qī dān zhěn mèng

中寻，梦又不成灯
zhōng xún mèng yòu bù chéng dēng

又烬。
yòu jìn

【注释】 ①水阔鱼沉：言相距遥远，音信隔绝。古代有鱼腹传书的传说，这里以鱼代指书信。 ②敧：斜靠。
【解说】 词写闺中思妇的别恨。上片写恨的缘由：一是别后不知爱人的行踪在哪里，由于思念、孤独，所以触目凄凉，心中烦闷；二是爱人越行越远越不见音信，又无处可打听。下片进一步描写思妇愁苦。深夜难以入睡，窗外秋风吹竹林，万叶千声听起来特别凄凉。于是斜靠在单枕上只想在睡梦中追寻爱人的踪迹，然而这一希望又成泡影，彻夜难眠，终于连相伴着的残灯也熄灭了，留下的只是一片黑暗。词的笔调既深沉又婉曲。

huàn xī shā
浣溪沙

欧阳修

hú shàng zhū qiáo xiǎng huà lún róng róng
湖上朱桥响画轮，溶溶

chūn shuǐ jìn chūn yún bì liú lí huá jìng wú chén
春水浸春云，碧琉璃滑净无尘。

dāng lù yóu sī yíng zuì kè gé huā tí niǎo
当路游丝萦醉客，隔花啼鸟

huàn xíng rén rì xié guī qù nài hé chūn
唤行人，日斜归去奈何春。

【注释】 ①朱桥：栏杆朱红的桥。 画轮：指有彩绘的豪华车子。
【解说】 词写在颍州西湖游春的情景。上片写湖面风光很有特色。湖上架着朱桥，桥上不断地响着游人乘坐的豪华车子的车轮声。春水溶溶，碧绿清澈，平滑如琉璃，倒映着美丽的云彩。下片写游人留恋春景。当路的蛛丝飘游，似要牵住醉客不让走；花丛里的鸟儿不住地鸣叫，似在召唤行人。湖光春色如此诱人，游人游赏到夕阳西斜才无可奈何地离去。词从春景留人的角度来写游人留恋春天，别有情趣。

44

阮郎归 (ruǎn láng guī)

欧阳修 (ōu yáng xiū)

南园春半踏青时，风和闻马嘶。青梅如豆柳如眉，日长蝴蝶飞。 花露重，草烟低；人家帘幕垂。秋千慵困解罗衣，画堂双燕归。

【注释】 ①踏青：春天到郊野游览。旧俗以清明节为踏青节。 ②慵困：困乏，懒洋洋。

【解说】 词写少女游春的情思。上片写游春所见。仲春时分，芳春过半了，踏青游赏，风和日丽，车来马嘶。梅花已残，青梅如豆，柳叶细长如眉；日长天暖，蝴蝶翩翩。下片写归来所见。花湿露重，似觉娇弱不胜；草浮暮烟，似觉嫩软无力。忽见人家帘幕垂挂，天色将晚了。荡罢秋千只觉困乏，解衣小憩，回到家中，忽见燕子也归巢来了。人归是一人，而燕归是"双燕"，联系上片游春所见暮春景象，少女被触动的春思隐隐可见。

dié liàn huā
蝶 恋 花

ōu yáng xiū
欧阳修

tíng yuàn shēn shēn shēn jǐ xǔ
庭 院 深 深 深 几 许?
yáng liǔ duī yān lián mù wú chóng shù
杨 柳 堆 烟, 帘 幕 无 重 数。
yù lè diāo ān yóu yě chù lóu gāo bù
玉 勒 雕 鞍 游 冶 处, 楼 高 不
jiàn zhāng tái lù　　　　　yǔ héng fēng
见 章 台 路。　　雨 横 风
kuáng sān yuè mù　mén yǎn huáng hūn
狂 三 月 暮。门 掩 黄 昏,
wú jì liú chūn zhù　lèi yǎn wèn huā huā
无 计 留 春 住。泪 眼 问 花 花
bù yǔ　luàn hóng fēi guò qiū qiān qù
不 语, 乱 红 飞 过 秋 千 去。

【注释】 ①深几许:有多少深。　玉勒雕鞍:嵌玉的马笼头和雕花的马鞍,代指骑马的人。　游冶处:指寻欢作乐的地方。　章台路:指歌楼妓馆。　②横:凶暴。

【解说】 词写贵族妇人的愁怨。上片写浓雾弥漫的早晨。女主人身处幽深的庭院,帘幕无重数,周围烟柳丛丛簇簇,孤独寂寞之情可以想见。她愁的是什么呢?她猜想薄情郎这时又骑马到歌楼妓馆寻欢作乐去了。下片写狂风暴雨的黄昏。三月的暮春天气,风狂雨骤,又是黄昏时刻,女主人只得掩门独守空房,不禁发出惜春的悲叹,所惜的是春光,也是她的青春年华。因花而有泪,因泪而问花,花不仅不语,反而纷纷飘落,不去理会她,还有意似地飘飞过秋千而去。人愈伤心,花愈恼人,语浅意深,自然浑成,耐人寻味。

浪淘沙令
làng táo shā lìng

王安石
wáng ān shí

伊吕两衰翁，历遍
yī lǚ liǎng shuāi wēng lì biàn

穷通。一为钓叟一耕
qióng tōng yī wéi diào sǒu yī gēng

佣。若使当时身不遇，老
yōng ruò shǐ dāng shí shēn bù yù lǎo

了英雄。　汤武偶相
liǎo yīng xióng　tāng wǔ ǒu xiāng

逢，风虎云龙。兴王只
féng fēng hǔ yún lóng xīng wàng zhǐ

在笑谈中。直至如今千
zài xiào tán zhōng zhí zhì rú jīn qiān

载后，谁与争功！
zǎi hòu shuí yǔ zhēng gōng

【注释】　①伊吕：古代两位著名的政治家伊尹和吕尚。伊尹曾佣耕于莘，后受汤王的重视，辅佐汤王建立商朝。吕尚即姜太公，晚年在渭水之滨垂钓遇上文王，得到重用，后辅佐武王建立周朝。　衰翁：年老的人。历遍穷通：历尽生活困顿和官运通达的日子。　②风虎云龙：风随着虎出现，云随着龙出现。比喻只有圣明君主，贤才才会出现。

【解说】　伊尹和吕尚，一个是垂钓的老人，一个曾经是耕田的佣工，要不是遇上明君，也就老死于荒野了。只因为他们偶然遇上了汤王和武王，才得以风从虎，云随龙，笑谈间就帮助完成了兴王道、建国家的大业，立下盖世之功。就是千载之后，又有谁能与之匹敌？作者借历史人物、历史事件来表达自己的思想和抱负。

guì zhī xiāng
桂枝香

wáng ān shí
王安石

dēng lín sòng mù zhèng gù guó wǎn qiū tiān qì chū sù qiān lǐ
登临送目，正故国晚秋，天气初肃。千里

chéng jiāng sì liàn cuì fēng rú cù zhēng fān qù zhào cán yáng lǐ
澄江似练，翠峰如簇。征帆去棹残阳里，

bèi xī fēng jiǔ qí xié chù cǎi zhōu yún dàn xīng hé lù qǐ huà tú
背西风、酒旗斜矗。彩舟云淡，星河鹭起，画图

nán zú niàn wǎng xī fán huá jìng zhú tàn mén wài lóu tóu bēi
难足。　　念往昔、繁华竞逐。叹门外楼头，悲

hèn xiāng xù qiān gǔ píng gāo duì cǐ màn jiē róng rǔ liù cháo jiù
恨相续。千古凭高对此，谩嗟荣辱。六朝旧

shì suí liú shuǐ dàn hán yān shuāi cǎo níng lù zhì jīn shāng nǚ shí
事随流水，但寒烟、衰草凝绿。至今商女，时

shí yóu chàng hòu tíng yí qǔ
时犹唱，《后庭》遗曲。

【注释】　①送目：远望。　故国：指故都金陵（今南京市）。　肃：肃爽。　练：白绢。　簇：同"镞"，箭头，比喻耸立的远山。　矗：竖立。　星河：银河，代指长江。　②门外楼头：引用隋灭陈的典故。隋军兵临城下，陈后主还与宠妃寻欢作乐。　谩嗟荣辱：空叹兴亡。　商女：卖唱的歌女。　《后庭》：《玉树后庭花》的简称，相传为陈后主所作，后人称此为亡国之音。

【解说】　这是一首怀古咏史之作。上片写景，景象壮阔。晚秋天气高爽，词人在金陵登高望远，只见千里长江如练，两岸翠峰矗立。船帆来往在夕阳的斜晖之中，酒旗在西风中招展。远帆飘向云外，江上白鹭飞翔，景

48

象比图画更美。下片抒情。回想历史上这里是六朝古都繁华之地,六朝在这儿相继覆亡。令人可叹的是陈后主在兵临城下之时还在寻欢作乐,结果只能如前朝一样被灭亡。历来人们登高怀古,只知空叹兴亡和荣辱,很少能从中吸取历史教训。六朝的往事已如江水而去,眼前只见寒烟秋草凄碧。歌女们至今还时时在唱那荒淫的陈后主遗留下来的亡国之音。作者遗恨于北宋的政治腐败,写下这首怀古词,可见这位力主变法图强的政治家忧国忧民的情怀长在。

bǔ suàn zǐ
卜算子

sòng bào hào rán zhī zhé dōng
送 鲍 浩 然 之 浙 东

wáng guān
王 观

shuǐ shì yǎn bō héng shān
水 是 眼 波 横，山
shì méi fēng jù yù wèn xíng rén
是 眉 峰 聚。欲 问 行 人
qù nǎ biān méi yǎn yíng yíng
去 那 边？眉 眼 盈 盈
chù cái shǐ sòng chūn guī
处。 才 始 送 春 归，
yòu sòng jūn guī qù ruò dào
又 送 君 归 去。若 到
jiāng nán gǎn shàng chūn qiān
江 南 赶 上 春，千
wàn hé chūn zhù
万 和 春 住。

【注释】 ①盈盈：美好的样子。
【解说】 这是一首送友人返家的送别词，写得风趣幽默。上片设想友人欲归的地方。浙东是个山水秀美的地方，水如美人流盼的眼波，山如女子簇聚的眉峰。要问行人今天到哪里去？就是要到秋波流动、顾盼生姿的地方去。这"眉眼盈盈处"，既形容友人家乡山水的秀美，又隐含友人妻子急盼的娇姿。下片设想友人归家的情景。才送走了春天，又要送别友人，真有点依依不舍。但想到江南春归迟，因而叮嘱他：要是赶上春天还未离去，那千万和春住。"和春住"也是劝告友人与家人长住不分离。这首词将送别和惜春、山水和人情交织在一起，语带双关，轻松活泼，比喻巧妙，耐人寻味。

临江仙 (lín jiāng xiān)

晏几道 (yàn jī dào)

梦后楼台高锁，(mèng hòu lóu tái gāo suǒ)

酒醒帘幕低垂。(jiǔ xǐng lián mù dī chuí) 去年 (qù nián)

春恨却来时。(chūn hèn què lái shí) 落花人 (luò huā rén)

独立，微雨燕双飞。(dú lì wēi yǔ yàn shuāng fēi)

记得小蘋初见，(jì dé xiǎo pín chū jiàn)

两重心字罗衣。(liǎng chóng xīn zì luó yī) 琵琶 (pí pá)

弦上说相思。(xián shàng shuō xiāng sī) 当 (dāng)

时明月在，曾照彩 (shí míng yuè zài céng zhào cǎi)

云归。(yún guī)

【注释】 ①却来：再来。 ②小蘋：歌女名。 两重心字：指妇女裙衫上绣有双重的"心"字。宋代妇女衣裙上每有"心"字形的图案。

【解说】 此词为怀念歌女小蘋而作。上片写思念。醉梦醒来，只见楼锁帘垂，空落落的一个人。去年因春去而惆怅的情景今又浮现在眼前——独立在庭院中，对着飘零的片片落英，看燕子双双在微雨中飞来飞去。下片追忆初见小蘋的情景。小蘋穿着绣着两重心字的薄罗衫，借助琵琶的美妙乐声来传递胸中的情思。分别时，她在皎洁的明月光中，像一朵彩云飘然而去。全词言浅意深，形象生动，时空交错，极具魅力。

蝶恋花
dié liàn huā

晏幾道
yàn jī dào

梦入江南烟水
mèng rù jiāng nán yān shuǐ

路,行尽江南,不与离
lù xíng jìn jiāng nán bù yǔ lí

人遇。睡里消魂无说
rén yù shuì lǐ xiāo hún wú shuō

处,觉来惆怅消魂
chù jué lái chóu chàng xiāo hún

误。 欲尽此情书尺
wù yù jìn cǐ qíng shū chǐ

素,浮雁沉鱼,终了
sù fú yàn chén yú zhōng liǎo

无凭据。却倚缓弦
wú píng jù què yǐ huǎn xián

歌别绪,断肠移破
gē bié xù duàn cháng yí pò

秦筝柱。
qín zhēng zhù

【注释】 ①睡里:梦中。 觉来:醒来。 消魂:悲伤,愁苦。 ②书尺素:写信。 浮雁沉鱼:意为无从寄信。传说雁、鱼可以传书。 缓弦:指低沉的琴声,弦松音低。 移破:弹遍。

【解说】 上片写梦中无法找到离人。梦游江南烟水处,行尽江南,始终都找不到离人。梦里的悲伤愁苦无处诉说,醒来寻思倍感惆怅,更觉得这伤感情怀误人。下片写改换传情方式。想写封书信,但是雁在云天,鱼沉水底,无从寄出;即使寄了也得不到回音,终于无从表达。于是再借琴弦来抒发伤别的情怀,但弹遍筝柱仍不免是断肠之声。词写情,从入梦到寄信,到弹筝,层层递进。

生查子
shēng chá zǐ

晏幾道
yàn jī dào

关 山 魂 梦
guān shān hún mèng

长，塞 雁 音 书 少。
cháng sài yàn yīn shū shǎo

两 鬓 可 怜 青，只 为
liǎng bìn kě lián qīng zhǐ wèi

相 思 老。 归 傍
xiāng sī lǎo　　guī bàng

碧 纱 窗，说 与 人 人
bì shā chuāng shuō yǔ rén rén

道。真 个 别 离 难，不
dào zhēn gè bié lí nán bù

似 相 逢 好。
sì xiāng féng hǎo

【注释】 ①关山：关隘山川。　可怜：可爱。　青：黑。　②傍：靠。　人人：称所爱的人。

【解说】 词写离恨。上片写分别思念之苦。两地远隔关山，连梦魂都难到，音信又少。因为相思苦，使得乌黑的两鬓也变白了。下片直抒胸臆。从室外的凝望，失望地回到室内倚傍在窗前，从心底里涌出要与爱人说："真个别离难，不似相逢好。"最后两句似白话，却是发自内心的深切感受，喊出离人的共同心声。

zhè gū tiān

鹧 鸪 天

yàn jǐ dào
晏幾道

cǎi xiù yīn qín pěng yù zhōng dāng
彩袖殷勤捧玉钟，当

nián pàn què zuì yán hóng wǔ dī yáng
年拚却醉颜红。舞低杨

liǔ lóu xīn yuè gē jìn táo huā shàn dǐ
柳楼心月，歌尽桃花扇底

fēng　　　　cóng bié hòu　yì xiāng féng
风。　　　从别后，忆相逢，

jǐ huí hún mèng yǔ jūn tóng jīn xiāo
几回魂梦与君同？今宵

shèng bǎ yín gāng zhào yóu kǒng xiāng
剩把银钅工照，犹恐相

féng shì mèng zhōng
逢是梦中。

【注释】　①彩袖:指代歌女。　玉钟:精美的酒杯。　拚却:豁出去。　"舞低"二句:极言歌舞时间之久。②与君同:与你欢聚在一起。　剩:只管。　银钅工:银制的灯台,此指灯。

【解说】　词写与一个相熟的歌女久别重逢。上片写当年宴乐盛况:歌女多情,殷勤捧杯劝饮;词人豪爽,拼命痛饮,醉得满脸通红。歌女尽情歌舞,舞到楼头月低柳梢,唱到手持的桃花扇停挥。两句极写当年宴饮之乐。下片写久别重逢的惊喜之情。别离后,回想相聚时,常是梦中相见。而今夜真的相遇了,尽管把银灯照了又照,还恐怕是在梦中呢! 全词虚实结合,结构精巧,曲折深婉。

54

阮郎归 (ruǎn láng guī)

晏幾道 (yàn jī dào)

天边金掌露成霜，云随
(tiān biān jīn zhǎng lù chéng shuāng yún suí)
雁字长。绿杯红袖趁重阳，人
(yàn zì cháng lù bēi hóng xiù chèn chóng yáng rén)
情似故乡。　兰佩紫，菊簪黄，
(qíng sì gù xiāng　lán pèi zǐ jú zān huáng)
殷勤理旧狂。欲将沉醉换悲
(yīn qín lǐ jiù kuáng yù jiāng chén zuì huàn bēi)
凉，清歌莫断肠！
(liáng qīng gē mò duàn cháng)

【注释】　①金掌：仙人掌露盘。汉武帝在长安建章宫建承露盘，高二十丈，由铜人掌托露盘。　露成霜：白露为霜，秋天之景。　雁字：雁群飞行组成"一"字或"人"字。　绿杯红袖：代指美酒佳人。　②兰佩紫、菊簪黄：即佩紫兰、簪黄菊。

【解说】　词写作者在汴京的一次重阳节宴会上的感受。京城里高耸天边的铜人掌露盘，露水凝结成了霜花；雁群曳着彩云南飞，秋意已浓，这触发了词人思乡的情怀。宴席上有美酒佳人殷勤的款待，人情温暖，亦似故乡，便趁重阳一同欢享。于是随俗，衣佩紫兰，头簪黄菊，勉力重复旧时的清狂豪饮。我要以沉醉改换心头的悲凉，但怕听到红袖的清歌而使自己断肠，所以事先告诫自己：清歌莫断肠！

思远人

晏幾道

红叶黄花秋意晚，千里念行客。飞云过尽，归鸿无信，何处寄书得？泪弹不尽临窗滴。就砚旋研墨。渐写到别来，此情深处，红笺为无色。

【注释】 ①千里念行客：思念千里之外的行人。 ②就砚旋研墨：眼泪滴到砚中，用来研墨。 别来：别后。

【解说】 林叶转红，黄菊开遍，又到了晚秋的时候，闺中人不禁想念起千里之外的游子来了。遥望鸿雁随着天际的浮云向南飞去，希望得到游子的音信，可是鸿雁无信，不知游子的去处，能往何处寄书呢？闺中人愈失望愈思念，伤心得临窗挥泪，泪水不停。泪水滴到砚台上，就用它磨墨写信吧，写到深情之处，泪如泉涌，滴到信笺上，竟至把笺上的红色都褪尽了。词层层递进，表达闺人思远人的深情。泪、墨、红笺，都融进了闺人的深情之中，物与情浑然一体，感情已升华到物我两忘的境界。

cháng xiāng sī
长 相 思

yàn jī dào
晏 幾 道

cháng xiāng sī cháng xiāng sī ruò wèn xiāng sī shèn

长 相 思，长 相 思。若 问 相 思 甚

liǎo qī chú fēi xiāng jiàn shí　　　cháng xiáng sī cháng

了 期，除 非 相 见 时。　　长 相 思，长

xiāng sī　yù bǎ xiāng sī shuō sì shuí qiǎn qíng rén bù zhī

相 思。欲 把 相 思 说 似 谁，浅 情 人 不 知。

【注释】 ①甚了期：什么时候才能了结。 ②说似谁：说与谁，向谁说。

【解说】 此词用民歌体裁，全用女主人公的口吻，表达相思的深情。上下片都用"长相思"反复出句，似冲口而出，可见感情之强烈。然后都采用设问的形式来表达相思之深。若问相思什么时候才能了结？没有别的办法，"除非相见时"。这似痴人痴语。欲把相思说给谁听呢？一般的人是无法理解的，所以深信"浅情人不知"，还不如不说。可见她难以排遣的相思之苦。这首词，语言浅近，情极深挚，朴直中深蕴婉曲，非情深者难以表达。

卖花声
mài huā shēng

题岳阳楼
tí yuè yáng lóu

张舜民
zhāng shùn mín

木叶下君山。空水漫漫。十分
mù yè xià jūn shān kōng shuǐ màn màn shí fēn

斟酒敛芳颜。不是渭城西去客,休
zhēn jiǔ liǎn fāng yán bù shì wèi chéng xī qù kè xiū

唱《阳关》。 醉袖抚危栏。天淡云
chàng yáng guān zuì xiù fǔ wēi lán tiān dàn yún

闲。何人此路得生还?回首夕阳
xián hé rén cǐ lù dé shēng huán huí shǒu xī yáng

红尽处,应是长安。
hóng jìn chù yīng shì cháng ān

【注释】 ①君山:洞庭湖中的一座山。《阳关》:唐朝王维的著名送别诗《送元二使安西》,入乐歌唱,称《阳关三叠》。 ②长安:唐朝都城,这里代指宋朝都城汴京(今河南开封)。

【解说】 此词为作者被贬途经岳阳楼的登临之作。登楼远眺,烟波浩渺,君山秋叶纷纷,景象萧瑟。别宴上,歌妓殷勤劝酒,敛颜正色,正准备演奏《阳关三叠》,作者劝说道,我不是受朝廷派遣出使的元二,而是遭贬的迁客,请不要唱这样的送别曲。凭栏极目,只见白云悠悠,不免联想到行踪如浮云的迁客的命运,有什么人被贬到边远的地方而能活着回来呢?但是又想到应该"处江湖之远,则忧其君",于是因夕阳而想起国君和故乡。词中以景托情,耐人寻味。

58

菩萨蛮 (pú sà mán)

魏夫人 (wèi fū rén)

溪山掩映斜阳里，楼台影动鸳
鸯起。隔岸两三家，出墙红杏花。
绿杨堤下路，早晚溪边去。三见柳
绵飞，离人犹未归。

【注释】 ①早晚：随时，日日。

【解说】 全词紧紧围绕一个"溪"字来写景寄情。在夕阳的斜照下,溪中不仅有青山的倒影,还有楼台的倒影,成对的鸳鸯在嬉水。隔岸溪边只住着两三户人家,春色关不住,从墙头探出了红杏花。上片写溪对岸幽美的景色。下片写溪水这一边作者的活动和思念之情。溪边有一绿杨长堤,词人经常从这里走过,三次看见柳絮飘飞,但离人还不回来。可见她盼望外出的丈夫回家已经三年了。词写家乡的美、春色的美和思念之情,写得含蓄、温婉动人。

59

【注释】　①宫阙:宫殿。这里指月宫。　归去:作者自比谪仙,故称上天为"归去"。　琼楼玉宇:指月宫。　不
胜寒:令人难以忍受的寒冷。月宫名广寒宫,所以说"不胜寒"。　②朱阁:朱红色楼阁。　绮户:雕花的门窗。
婵娟:形容形态美好,这里指明月。

【解说】　苏轼为回避与朝中掌权的变法派的争执自请外放,与其弟不见六年。那年中秋之夜大醉,对月抒
怀。上片写望月。他把自己当做谪仙,本是月中人,于是举杯问月,你什么时候开始有的?今夜天上又是什
么日子?我想回去,又担心月宫高寒难忍。在清朗的月下起舞弄影,胜似天上宫宇。他想超然物外,最终还

shuǐ diào gē tóu
水调歌头

sū shì
苏轼

míng yuè jǐ shí yǒu bǎ jiǔ wèn qīng tiān bù zhī tiān shàng gōng què jīn xī shì
明月几时有?把酒问青天。不知天上宫阙,今夕是
hé nián wǒ yù chéng fēng guī qù yòu kǒng qióng lóu yù yǔ gāo chù bù shèng hán
何年。我欲乘风归去,又恐琼楼玉宇,高处不胜寒。
qǐ wǔ nòng qīng yǐng hé sì zài rén jiān zhuǎn zhū gé dī qǐ hù zhào wú mián
起舞弄清影,何似在人间! 转朱阁,低绮户,照无眠。
bù yīng yǒu hèn hé shì cháng xiàng bié shí yuán rén yǒu bēi huān lí hé yuè yǒu yīn
不应有恨,何事长向别时圆?人有悲欢离合,月有阴
qíng yuán quē cǐ shì gǔ nán quán dàn yuàn rén cháng jiǔ qiān lǐ gòng chán juān
晴圆缺,此事古难全。但愿人长久,千里共婵娟。

是选定了现实。下片写怀人。深夜斜月窥户,照着屋中不眠之人,想到与弟弟无缘团聚,所以向月发问:为什么在人们离别时偏偏这样圆呢?"不应有恨"而恨在其中。转而又想,既然"月有阴晴圆缺""人有悲欢离合",自古以来就如此,那又何必为别离而悲伤呢?只愿大家健康长寿,虽分隔千里,但共赏这同一轮明月,不也是一种团聚吗?此词构思奇特,境界虚清,感情深挚,胸襟豁达,见解超妙,才气飘逸,历来公认为写中秋词的绝唱。

niàn nú jiāo
念奴娇
chì bì huái gǔ
赤壁怀古

苏轼

dà jiāng dōng qù làng táo jìn qiān gǔ fēng liú rén
大江东去,浪淘尽、千古风流人

wù gù lěi xī biān rén dào shì sān guó zhōu láng chì bì
物。故垒西边,人道是、三国周郎赤壁。

luàn shí chuān kōng jīng tāo pāi àn juǎn qǐ qiān duī xuě
乱石穿空,惊涛拍岸,卷起千堆雪。

jiāng shān rú huà yī shí duō shǎo háo jié yáo xiǎng
江山如画,一时多少豪杰! 遥想

gōng jǐn dāng nián xiǎo qiáo chū jià liǎo xióng zī yīng fā
公瑾当年,小乔初嫁了,雄姿英发。

yǔ shàn guān jīn tán xiào jiān qiáng lǔ huī fēi yān miè gù
羽扇纶巾,谈笑间,樯橹灰飞烟灭。故

guó shén yóu duō qíng yīng xiào wǒ zǎo shēng huá fà rén
国神游,多情应笑我,早生华发。人

shēng rú mèng yī zūn hái lèi jiāng yuè
生如梦,一樽还酹江月。

【注释】①大江:长江。 故垒:黄州古老的城堡,作者推测可能是古战场的陈迹。 周郎:周瑜。 雪:这里比喻浪花。 ②小乔:乔玄的小女儿,嫁给周瑜。 纶巾:青丝帛的头巾。 樯橹:这里指曹操的水军。 故国:旧地。 华:白。 酹:(古人祭奠)把酒洒在地上。这里指洒酒酹月,寄托自己的感情。

【解说】 浩荡长江,日夜东流,对比追思昔日英雄,心潮如波涌。据说古城西边是三国时周瑜大败曹操的古战场赤壁,这里的江山雄奇险峻;山石高耸,惊涛拍击江岸,怒涛激起浪花千叠。江山如画,引来了当年多少南北豪杰在此演出了一场场威武壮烈的历史剧。遥想周瑜当年,小乔初嫁的时候,正当春风得意,英姿潇

62

洒,年轻有为。身为主将的周瑜,手摇羽扇,头戴儒冠,指挥若定,只在笑谈间,就叫曹操的战船灰飞烟灭,几十万大军覆灭。回想历史,不禁感慨不已:周瑜二三十岁就功成名就,而我头发都花白了,却无所成,深感自愧。回顾平生,正如一场梦,还是举杯邀江上明月一醉消愁吧。上片咏赤壁,赞美江山之胜,下片怀周瑜,赞羡英雄年少得志,最后以感慨自身作结。全词词采飞动,激荡着豪迈之气,历来以之为苏轼豪放词的代表作。

西江月
xī jiāng yuè

苏轼
sū shì

zhào yě mǐ mǐ qiǎn làng héng
照野弥弥浅浪，横
kōng yǐn yǐn céng xiāo zhàng ní wèi
空隐隐层霄。障泥未
jiě yù cōng jiāo wǒ yù zuì mián fāng
解玉骢骄，我欲醉眠芳
cǎo　　　kě xī yī xī fēng yuè mò
草。　　可惜一溪风月，莫
jiào tà suì qióng yáo　jiě ān qī zhěn
教踏碎琼瑶。解鞍欹枕
lù yáng qiáo dù yǔ yī shēng chūn xiǎo
绿杨桥，杜宇一声春晓。

【注释】　①弥弥：指视野所到之处都是。弥，意为遍、满。　层霄：层云。　障泥：马鞯，垫在马鞍下，垂至马腹两旁以挡泥。　玉骢：白色的骏马。　②可惜：可爱。　琼瑶：美玉，此指水中月影。　杜宇：杜鹃鸟。
【解说】　月光照着溪水，波影闪闪；天空飘着薄云片片。渡头前，白马忽然昂立，词人已不胜酒力，就想在草地上暂眠。因为喜爱这一溪的月色，不使马儿踏碎水中白璧似的月影，于是就解鞍作枕斜靠在绿杨桥上歇息。杜鹃一声把他惊醒，只见已是天晓了。这一觉睡得真酣甜。词中的夜景既清朗又朦胧；春晨，杜鹃空谷传音，悦耳，悠远。词人陶醉在美丽的大自然的怀抱，多么逍遥自得啊！

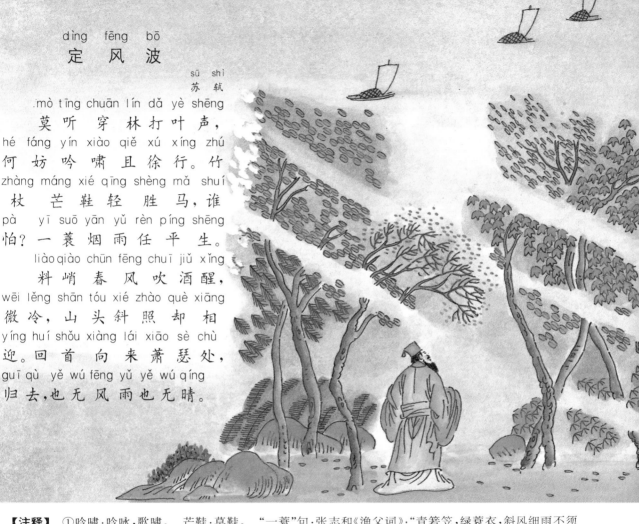

dìng fēng bō
定 风 波

sū shì
苏 轼

mò tīng chuān lín dǎ yè shēng
莫听穿林打叶声，

hé fáng yín xiào qiě xú xíng zhú
何妨吟啸且徐行。竹

zhàng máng xié qīng shèng mǎ shuí
杖芒鞋轻胜马，谁

pà yī suō yān yǔ rèn píng shēng
怕？一蓑烟雨任平生。

liào qiào chūn fēng chuī jiǔ xǐng
料峭春风吹酒醒，

wēi lěng shān tóu xié zhào què xiāng
微冷，山头斜照却相

yíng huí shǒu xiàng lái xiāo sè chù
迎。回首向来萧瑟处，

guī qù yě wú fēng yǔ yě wú qíng
归去，也无风雨也无晴。

【注释】 ①吟啸：吟咏、歌啸。 芒鞋：草鞋。 "一蓑"句：张志和《渔父词》："青箬笠，绿蓑衣，斜风细雨不须归。"此暗用其意。 ②料峭：形容微寒，多指春寒。 向来：刚才。 萧瑟处：指遇雨的地方。

【解说】 词写于作者贬谪黄州的第三年。上片写道中遇雨，表现出作者处变不惊和开朗达观的处世态度。不必听雨点穿林打叶的声音，不妨边漫行边吟唱诗词。手拄竹杖，脚穿草鞋，比骑马还轻松。平生就任其在烟雨中行走，怕什么呢？下片写雨霁。词人酒醉在行路中被料峭的春风吹醒，发觉迎面的山头上斜阳照耀着，眼前是一片清朗的景象。回头看看刚才遇风雨的地方，反正准备回去了，也就不管它是风雨还是晴天了。天有雨、晴，人有顺、逆，终究都成过去，不必萦怀。全词以自然现象而寓人生哲理，既形象又启人深思。

定风波

苏轼

常羡人间琢玉郎，天教分付点酥娘。自作清歌传皓齿，风起，雪飞炎海变清凉。 万里归来年愈少，微笑，笑时犹带岭梅香。试问岭南应不好？却道，此心安处是吾乡。

【注释】 ①琢玉郎：指相思多情之人。一说这是指王巩"面如红玉"的姿容。 分付：交给。 点酥娘：这是夸赞聪明而多才多艺的柔奴。 炎海：炎热的海边，指今广东一带。 ②岭梅：指大庾岭上的梅花。

【解说】 苏轼的好友王巩因他而受牵连，被贬岭南，歌女柔奴同行，三年后北归，苏轼写此词赞美她。我真羡慕"琢玉郎"，老天交给你一位心灵手巧的"点酥娘"。她能自己作歌曲，清亮悦耳的歌声从她芳洁的口中传出，使人感到如同风起雪飞，使炎热的岭南变为清凉之乡，陪你度过艰难的岁月。她万里归来更显得年轻，微笑时还带有岭南梅花的气韵。问她："岭南不大好吧？"她却说："令这颗心安稳之处就是我的家乡。"她身处穷境而安之若素。上片记歌，赞美她的美好心灵；下片记言，赞美她的人生态度。

bǔ suàn zǐ
卜算子

huáng zhōu dìng huì yuàn yù jū zuò
黄州定惠院寓居作

sū shì
苏轼

quē yuè guà shū tóng lòu
缺月挂疏桐，漏
duàn rén chū jìng shuí jiàn yōu
断人初静。谁见幽
rén dú wǎng lái　piāo miǎo gū
人独往来？缥缈孤
hóng yǐng　　　jīng qǐ què huí
鸿影。　　惊起却回
tóu yǒu hèn wú rén xǐng jiǎn jìn
头，有恨无人省。拣尽
hán zhī bù kěn qī　jì mò shā
寒枝不肯栖，寂寞沙
zhōu lěng
洲冷。

【注释】　①漏断：漏壶中的水已滴完，表示夜深。漏壶，古人计时的器具。　幽人：幽居孤独之人，作者自指。缥缈：隐隐约约，似有似无。　②省：了解。

【解说】　苏轼被贬谪黄州，初到时寓居于定慧寺，词就写于此。如钩的残月挂在秋叶凋疏的梧桐树上，漏断夜深，寂无人声，不时有缥缈的孤鸿，仿佛伴着"幽人"独自在徘徊。上片用缺月、疏桐、静夜的寥落衬托幽人的孤寂。下片写孤鸿。失群的孤雁，惊起还不时地回头，惊恐不安，挑拣尽寒枝也不肯栖宿，只得停宿于荒冷的沙洲，但有谁能理解其内心的怨恨呢？词中的"幽人"与"孤鸿"两相映照，词人借孤鸿来衬托、抒写自己受贬谪时的心情和处境，寓意深远。

鹧鸪天

苏轼

林断山明竹隐墙，
乱蝉衰草小池塘。翻
空白鸟时时见，照水红
蕖细细香。　村舍外，古
城旁。杖藜徐步转斜
阳。殷勤昨夜三更雨，又
得浮生一日凉。

【注释】　①红蕖：红荷。　②杖藜：拄着拐杖。　殷勤：恳切深厚的情意。
【解说】　词写作者幽居的生活。上片写景：夏末秋初，远处的树林尽头，高山清晰可见；近处，翠竹遮隐着院墙。墙外的地边长满枯草，蝉声纷杂。白鸟在空中时时翻飞，荷花映水，散发着幽微的清香。居所周围的景象是那样的自然而幽静。下片写到词人的自我形象。他拄着藜杖漫步在村舍外、古城旁，直到太阳西斜。幸得天公的深情厚意，昨夜三更下了一场好雨，使得他又度过了凉爽的一天。作者被贬在黄州，无所事事，表面上过着清闲自得的生活，却掩饰不了得过且过、日复一日地消磨岁月的无可奈何的情绪。词中的景物描写，丰富而有序，由近到远，由上到下，使人有身历其境之感。

wàng jiāng nán
望 江 南

chāo rán tái zuò
超 然 台 作

sū shì
苏 轼

chūn wèi lǎo fēng xì liǔ xié
春 未 老，风 细 柳 斜

xié shì shàng chāo rán tái shàng
斜。试 上 超 然 台 上

wàng bàn háo chūn shuǐ yī chéng
望，半 壕 春 水 一 城

huā yān yǔ àn qiān jiā hán
花。烟 雨 暗 千 家。 寒

shì hòu jiǔ xǐng què zī jiē xiū duì
食 后，酒 醒 却 咨 嗟。休 对

gù rén sī gù guó qiě jiāng xīn huǒ
故 人 思 故 国，且 将 新 火

shì xīn chá shī jiǔ chèn nián huá
试 新 茶。诗 酒 趁 年 华。

【注释】 ①超然台：在密州(今山东诸城)。 ②咨嗟：叹息。 故国：故乡。 新火：寒食禁火三天后新点火。

【解说】 作者登超然台眺望满城烟雨，触动了乡思而写下这首词。上片写登台时所见。春还未过去，杨柳在春风中飘荡。远眺，只见半沟护城河的春水，满城的春花，烟雨笼罩着千家万户。下片触景生情。寒食后，酒醒反而因思乡而叹息。但是思归的欲望又不可能实现，因而只得自我安慰：不要在老朋友面前思念故乡了，姑且用新火来烹新茶，忘却世间一切，超然物外，趁着未老的时光，借吟诗饮酒来自得其乐吧！词人饱含着春未过去而人将老的痛楚，强作"超然"以自我安慰，自我解脱。

诉 衷 情
pí pá nǚ
琵琶女

sū shì
苏 轼

xiǎo lián chū shàng pí pá xián tán pò bì yún tiān
小 莲 初 上 琵 琶 弦，弹 破 碧 云 天。
fēn míng xiù gé yōu hèn dōu xiāng qǔ zhōng chuán
分 明 绣 阁 幽 恨，都 向 曲 中 传。
fū yíng yù bìn shū chán qǐ chuāng qián sù é
肤 莹 玉，鬟 梳 蝉，绮 窗 前。素 娥
jīn yè gù gù suí rén sì dòu chán juān
今 夜，故 故 随 人，似 斗 婵 娟。

【注释】 ①鬟梳蝉：鬟发束成如蝉翼那样缥缈，称蝉鬟。这是古代美女的发式。 素娥：嫦娥，代指月亮。
故故：故意，特意。 斗：比试。 婵娟：姿态美好。

【解说】 词描写琵琶女小莲。上片写她的弹奏。小莲刚刚给琵琶调弦，声音清脆激越，好像要冲破云霄。细
细听赏，乐声分明是在诉说绣阁中的怨恨，声声感人。这既赞美她高妙的技艺，也透露出她身世的不幸。下
片写她的美丽。在绮窗前，手抱琵琶，肤如美玉，梳着一对蝉鬟。今夜的月亮时时照着她，好像月宫里的嫦娥
特意要跟她比美似的。词以嫦娥来比况，拓展了意境，进一步赞美了小莲的美丽可爱。

lín jiāng xiān
临 江 仙

苏轼

夜饮东坡醒复醉，归
来仿佛三更。家童鼻息
已雷鸣。敲门都不应，倚
杖听江声。　　长恨
此身非我有，何时忘却
营营？夜阑风静縠纹
平。小舟从此逝，江海
寄馀生。

【注释】　①东坡：地名，在湖北省黄冈市东。　②营营：纷扰的样子，指为世俗之事而劳碌费神。　縠纹：形
容水波。縠，有绉纹的纱。　逝：去、离开。
【解说】　苏轼被贬黄州，住在长江边的临皋亭，后在不远的东坡筑雪堂，准备躬耕。词写秋夜畅饮东坡，酒
醉后回寓所临皋亭的情景。夜饮回来已仿佛三更时分，夜深了，他立在门外，只听到家童鼾声如雷，敲门都
不应，便"倚杖听江声"。这时豁然有悟：既然长恨此身非我所有，自己无法掌握命运，何不抛开碌碌世事，驾
一叶扁舟，随波流逝，把有限的生命融化在无限的大自然中呢？词表达了作者欲摆脱政治上多次打击的痛
苦，进而想追求一种新的人生的理想。词写得洒脱飘逸，富有浪漫情调。

江城子

苏轼

凤凰山下雨初晴,水风清,晚霞明。一朵芙蕖,开过尚盈盈。何处飞来双白鹭,如有意,慕娉婷。　忽闻江上弄哀筝,苦含情,遣谁听!烟敛云收,依约是湘灵。欲待曲终寻问取,人不见,数峰青。

【注释】　①凤凰山:杭州西湖南岸的一座山。　盈盈:丰满的样子。　娉婷:美好的样子。这里指弹筝女子。②哀筝:指筝的曲调哀怨感人。　苦:甚,十分。　湘灵:湘水女神。

【解说】　此词是苏轼与有名词人张先同游西湖时所作。凤凰山下雨后初晴,风爽水清,晚霞明丽。湖中一朵荷花盛放,丰满美丽。一双白鹭不知从什么地方飞来,好像是倾慕弹筝女子的美丽而特意飞来。忽然听到江上传来曲调哀怨感人的筝乐声,谁听了都会忍受不住。乐曲的哀伤,使烟霭为之敛容,彩云为之收色,又像是湘水女神在倾诉她的哀怨。想等曲终时再去寻问,弹筝人却已飘然而逝,唯见湖畔数座青山耸立,哀怨的乐曲仿佛还荡漾在山间水际。词中人物与自然景色相映成趣,音乐与山水相得益彰。

江城子
密州出猎
苏轼

老夫聊发少年狂，左牵黄，右擎苍，锦帽貂裘，千骑卷平冈。为报倾城随太守，亲射虎，看孙郎。

酒酣胸胆尚开张，鬓微霜，又何妨。持节云中，何日遣冯唐？会挽雕弓如满月，西北望，射天狼。

【注释】 ①聊发:暂且一发。 狂:狂放。 黄:指黄狗。 苍:苍鹰。 锦帽貂裘:戴着锦缎制的帽子,穿着貂皮裘衣。 孙郎:孙权。 ②"持节"二句:汉文帝时云中太守魏尚御敌有功,战绩卓著。后获罪削职,汉文帝又派冯唐持节去赦免并恢复他的官职。 天狼:星名,主侵掠,代指屡犯边境的西夏。

【解说】 全词以一"狂"字贯串。上片写出猎之"狂"。老夫暂且一发年青人的豪兴,牵着黄犬,擎着猎鹰,戴锦帽穿貂裘,随从千骑,奔土坡翻山冈。去告诉全城的人跟随我去打猎吧,我要像当年的孙权那样,亲自弯弓射虎。下片写请战之"狂"。酒已酣胆尚开气更壮,鬓边增添几根白发又算得了什么?何时能像云中太守那样再受朝廷重用,立功边疆?那时我要亲挽雕弓如满月,望西北,射下天狼星。词中场面热烈,气概非凡。

江城子

jiāng chéng zǐ

乙卯正月二十日夜记梦
yǐ mǎo zhèng yuè èr shí rì yè jí mèng

苏轼
sū shì

十年生死两茫茫。不思量，自难
shí nián shēng sǐ liǎng máng máng bù sī liáng zì nán

忘。千里孤坟，无处话凄凉。纵使相
wàng qiān lǐ gū fén wú chù huà qī liáng zòng shǐ xiāng

逢应不识，尘满面，鬓如霜。　　夜来
féng yīng bù shí chén mǎn miàn bìn rú shuāng　yè lái

幽梦忽还乡，小轩窗，正梳妆。
yōu mèng hū huán xiāng xiǎo xuān chuāng zhèng shū zhuāng

相顾无言，惟有泪千行。料得年年
xiāng gù wú yán wéi yǒu lèi qiān háng liào dé nián nián

肠断处：明月夜，短松冈。
cháng duàn chù míng yuè yè duǎn sōng gāng

【注释】　①千里孤坟：苏轼妻王氏葬在作者的故乡四川眉州，作者此时在密州（今山东），两地相距甚远。②轩窗：门窗，窗。　短松冈：遍植松树的小山冈，此指墓地。

【解说】　此词为悼念亡妻而写。十年来生死相隔，两相茫茫，即使不去想念也难以忘怀。你孤坟一座，又在千里之外，彼此无法诉说别后苦况。不过即使真的相见了，你也会认不得我了。十年来宦海浮沉，奔波劳苦，我已满面尘土，两鬓如霜了。梦中回到了故乡，见到妻子与往常一样正在小窗前梳妆，夫妻两人只是互相端详而默默无言，唯有泪水纷纷滑落。幸福生活只在片刻的睡梦中，多么令人伤怀。最后设想千里之外荒郊月夜的"短松冈"上，妻子定会年复一年地为思念丈夫而悲伤。全词写得缠绵真切，哀伤感人。

阮郎归 (ruǎn láng guī)

初夏 (chū xià)

苏轼 (sū shì)

绿槐高柳咽新蝉,薰风初入弦。碧纱窗下水沉烟,棋声惊昼眠。

微雨过,小荷翻。榴花开欲燃。玉盆纤手弄清泉,琼珠碎却圆。

【注释】　①"薰风"句:比喻南风初起。据《礼记·乐记》载:"昔者,舜作五弦琴以歌《南风》。"　水沉:沉香。
②琼珠:形容像珍珠一样的水珠。

【解说】　词写初夏时闺阁的生活。初夏,屋外,槐树绿叶繁茂,南风初起,高柳飘拂,绿阴深处新蝉鸣声乍歇;室内,碧纱窗下沉香轻烟袅袅,在这幽静闲雅的环境中,传来棋子着枰的响声,惊醒了正在午睡的女主人公。园池里,细雨飘过,轻风翻动荷叶;石榴花开得红如火。少女端着漂亮的水盆到清水池边玩水,水花散溅到荷叶上,像珍珠那样圆润晶莹。词中少女单纯天真、热爱生活,与勃勃生机的初夏景象构成了一种和谐美。

75

行香子
过七里濑

苏轼

一叶舟轻，双桨鸿惊。水天清、影湛波平。鱼翻藻鉴，鹭点烟汀。过沙溪急，霜溪冷，月溪明。

重重似画，曲曲如屏。算当年、虚老严陵。君臣一梦，今古空名。但远山长，云山乱，晓山青。

【注释】 ①湛：沉。 藻鉴：镜子。这里比喻江水。 ②虚老：白白地终老。 严陵：即严陵濑七里泷，在桐江。东汉初隐士严光不肯接受皇帝的多次征召而在此隐居垂钓。

【解说】 词写舟游桐江的所见所感。小船漂行，天青水碧，波平如镜，天光山色倒映其中；鱼跃出水面，鹭点缀在轻烟缥缈的沙滩上，江景优美而生动。接着写船行过程中的不同感受。白天，经"沙溪"，水急船疾；早晨，两岸霜华，水面清冷；夜晚，江山笼在月色的清辉中，清凉透明：江景如流动的图画。两岸连山、重重叠叠如画，曲曲折折如屏风。严光归隐在这里，还不曾真正领略山水的佳处，只留空名而已。如今皇帝和隐士如梦幻般早已消逝，但是青山依旧。远山绵绵，入云的山峰簇拥，清晨山色青青，大自然的美丽是永恒的。

dié liàn huā
蝶恋花

sū shì
苏轼

huā tuì cán hóng qīng xìng
花褪残红青杏
xiǎo yàn zǐ fēi shí lù shuǐ rén jiā
小。燕子飞时,绿水人家
rào zhī shàng liǔ mián chuī yòu
绕。枝上柳绵吹又
shǎo tiān yá hé chù wú fāng cǎo
少,天涯何处无芳草!
qiáng lǐ qiū qiān qiáng wài
墙里秋千墙外
dào qiáng wài xíng rén qiáng lǐ jiā
道。墙外行人,墙里佳
rén xiào xiào jiàn bù wén shēng jiàn
人笑。笑渐不闻声渐
qiǎo duō qíng què bèi wú qíng nǎo
悄,多情却被无情恼。

【注释】 ①花褪残红:春花凋谢。 ②佳人:美人。 悄:寂静无声。

【解说】 词人借咏暮春之景来表达人生之理。春花凋谢,春将归去,使人惋惜、伤心。但是,青杏初生,绿水环抱人家,燕子飞来,又现生机,更何况天涯何处无芳草?词人在哀伤中看到可喜之处,表达了乐观旷达的豪迈之情。下片写秋千上的佳人笑声,搅动墙外行人情思。墙外的行人听到墙里姑娘玩秋千传出的嬉笑声,自作多情,但姑娘们并不理会,嬉笑声渐渐听不到了。行人自笑多情却被无情引起烦恼。这也是作者对于一生中有许多美好的愿望不能被理解的感慨。作者善于捕捉生活小景并写得富有情趣。

huàn xī shā
浣溪沙

yǒng jú
咏橘

sū shì
苏轼

jú àn hé kū yī yè shuāng xīn
菊暗荷枯一夜霜，新
bāo lǜ yè zhào lín guāng zhú lí máo
苞绿叶照林光，竹篱茅
shè chū qīng huáng　　xiāng wù xùn rén
舍出青黄。　　香雾噀人
jīng bàn pò qīng quán liú chǐ qiè chū
惊半破，清　泉流齿怯初
cháng wú jī sān rì shǒu yóu xiāng
尝。吴姬三日手犹香。

【注释】　①新苞：新包，指新橘。　②噀：喷水。　吴姬：：泛指江南女子。
【解说】　这是一首咏橘词。一夜霜冻，菊残荷枯，而青黄的新橘却与绿油油的叶子相映。它掩映在竹篱茅舍旁，特别照眼诱人。下片写尝橘。剥开橘皮，芳香的油雾喷溅；初尝新橘，汁水在齿颊间如泉流涌。三天过去了，尝橘的江南女子的手上还留有橘子的清香呢！"惊"、"怯"二字，活画出女子尝橘时的娇态。惊，是惊于橘皮进裂时香雾溅人；怯，是怯于橘汁的凉冷和酸甜味。末句"吴姬"，也点出了新橘的产地。"三日手犹香"，着意夸张，余味无穷。

huàn xī shā
浣 溪 沙

sū shì
苏 轼

shān xià lán yá duǎn jìn xī
山 下 兰 芽 短 浸 溪,

sōng jiān shā lù jìng wú ní xiāo
松 间 沙 路 净 无 泥, 萧

xiāo mù yǔ zǐ guī tí　　　　shuí
萧 暮 雨 子 规 啼。 谁

dào rén shēng wú zài shào mén qián
道 人 生 无 再 少? 门 前

liú shuǐ shàng néng xī　xiū jiāng
流 水 尚 能 西。 休 将

bái fà chàng huáng jī
白 发 唱 黄 鸡。

【注释】　①子规:即杜鹃鸟。　　②再少:再变年轻。　西:向西流。　白发、黄鸡:比喻光阴催人老。
【解说】　此词是苏轼贬居黄州游湖北蕲水清泉寺时所作。上片写清泉寺幽雅的风光。山下溪水潺潺,岸边长满鲜嫩的兰草,松林间的沙路净无泥尘,晚间细雨潇潇,寺外传来了杜鹃鸟的啼声。这如画的光景,如脱去尘世间的恶浊,清新而充满春的生机。下片抒情。谁说人生不能再焕发青春?门前的流水还能向西流呢。不要再唱"白发感秋""黄鸡催晓"自伤衰老的歌曲了。人们惯用"白发"、"黄鸡"来比喻光阴催人老,作者反其意而发出"休将白发唱黄鸡"之语。这是作者对生活、对未来的向往和追求,对青春活力的召唤,是一首催人自强的赞歌。

浣溪沙 huàn xī shā

苏轼 sū shì

旋抹红妆看使君，三三五五棘篱门，
xuán mǒ hóng zhuāng kàn shǐ jūn，sān sān wǔ wǔ jí lí mén，

相排踏破蒨罗裙。
xiāng pái tà pò qiàn luó qún

老幼扶携收麦社，乌鸢翔舞赛神村。道
lǎo yòu fú xié shōu mài shè，wū yuān xiáng wǔ sài shén cūn。dào

逢醉叟卧黄昏。
féng zuì sǒu wò huáng hūn

【注释】　①旋：匆忙，迅速。　抹红妆：抹脂粉。　使君：州郡长官的敬称，这里是作者自谓。　棘篱门：柴门。排：推挤。　蒨：同"茜"，红色。　②收麦社：指收麦子祭土地神。　赛神村：指为感谢上天降雨而祭神的村庄。　叟：老头儿。

【解说】　当年徐州发生春旱，作者身为州官曾往石潭祈神求雨，得雨后，又往石潭酬神谢雨。词写谢雨途中的见闻。爱看热闹的村姑村妇们为睹使君的风采，便匆忙地打扮一下，三五成群，在柴门口你挤我推争着探看，有人惊叫起来："红裙子踩破了！"村民们扶老携幼来到土地祠酬神，祭品引来了乌鸦盘旋不去。黄昏时，有个老头儿醉卧在路旁，这是欢饮的结果。词生动地表现了得雨后人们欣喜的景象。

80

huàn xī shā
浣 溪 沙

sū shì
苏 轼

má yè céng céng qǐng yè
麻叶层层蒜叶

guāng shuí jiā zhǔ jiǎn yī cūn xiāng
光, 谁家煮茧一村香?

gé lí jiāo yǔ luò sī niáng
隔篱娇语络丝娘。

chuí bái zhàng lí tái zuì yǎn
垂白杖藜抬醉眼,

luō qīng dǎo chǎo ruǎn jī cháng
捋青捣麨软饥肠。

wèn yán dòu yè jǐ shí huáng
问言豆叶几时黄?

【注释】 ①蒜:即一种麻类植物。今作"苘"。 络丝娘:缫丝女。 ②垂白:须发将白的老翁。 杖藜:拄拐杖。 捋青:摘取将熟的麦子。 捣麨:将麦子炒干后捣成粉末。 软饥肠:充饥。

【解说】 这首词也写谢雨途中的见闻。上片写农事活动。得雨后,村外的麻叶层层发光;来到村头就闻到阵阵茧香,是谁家在煮茧使得满村飘香呢?走进村来,隔着篱墙就听到缫丝女娇媚悦耳的谈笑声。下片写作者对农民生活的叩访。须发斑白的老翁拄着藜杖,他正喝过一点酒,醉眼迷离;村民们正在捋青,准备捣麨后用来充饥。看来青黄不接之时,农民生活仍有困难,于是询问:豆子几时能黄熟可收?词中洋溢着浓郁的农村生活的气息,表现出作者对农民的深深的关切。

huàn xī shā
浣 溪 沙
sū shì
苏 轼

sù sù yī jīn luò zǎo huā cūn
簌 簌 衣 巾 落 枣 花，村
nán cūn běi xiǎng sāo chē niú yī
南 村 北 响 缫 车，牛 衣
gǔ liǔ mài huáng guā   jiǔ kùn
古 柳 卖 黄 瓜。   酒 困
lù cháng wéi yù shuì rì gāo rén
路 长 惟 欲 睡，日 高 人
kě màn sī chá   qiāo mén shì wèn
渴 漫 思 茶。敲 门 试 问
yě rén jiā
野 人 家。

【注释】 ①缫车：缫丝的工具。 牛衣：用粗麻或草编织成的衣服，披在牛背上的。这里形容卖瓜人衣衫粗朴。 ②漫：随便。 野人家：农民家。

【解说】 这是写谢雨途中见闻的第四首。初夏晴日，枣花盛开，簌簌地落在过路行人的衣巾上。收茧正忙，村南村北响起缫车声。村头的老柳树阴下一个穿着粗麻衣服的农民正在席地卖黄瓜。这些平常之景在词人笔下显得极富农村的生活情趣。下片写问茶。因为酒困路长只想瞌睡，又因日高天热，使人口渴，于是随便地想向农家要口茶喝，便去敲门。这位"使君"没有官架子，洒脱旷放的性格和平易近人的作风跃然纸上。

huàn xī shā
浣溪沙

sū shì
苏轼

ruǎn cǎo píng suō guò yǔ
软草平莎过雨

xīn qīng shā zǒu mǎ lù wú chén
新，轻沙走马路无尘。

hé shí shōu shí ǒu gēng shēn
何时收拾耦耕身？

rì nuǎn sāng má guāng sì
日暖桑麻光似

pō fēng lái hāo ài qì rú xūn shǐ
泼，风来蒿艾气如薰。使

jūn yuán shì cǐ zhōng rén
君元是此中人。

【注释】　①莎：莎草，多长于原野沙地。　耦耕：两人并耜而耕。这里指归隐务农。　②薰：形容花草香气浓烈。　元：通"原"。

【解说】　久旱逢雨，道上细软平展的莎草，油绿水灵，格外清新；路面上一层薄沙，雨后洗净了尘土。作者纵马驰骋，自然十分惬意，不禁情动于衷，脱口而出："什么时候能弃官归隐去种田呢?"下片转入田园风光的特写。在夏天阳光照耀下，桑麻油光鲜亮如水泼过一样，田野上蒿艾薰香袭人，令人心醉。全身心投入其中的作者，忽然感到自己原来也是这当中的人。作者出身农村，热爱自然，道中所见清新之景，田园所见蓬勃的生机，引发了归耕田园的夙愿。

浣溪沙
huàn xī shā

苏轼
sū shì

细雨斜风作晓寒，
xì yǔ xié fēng zuò xiǎo hán

淡烟疏柳媚晴滩。入
dàn yān shū liǔ mèi qíng tān rù

淮清洛渐漫漫。
huái qīng luò jiàn màn màn

雪沫乳花浮午盏，
xuě mò rǔ huā fú wǔ zhǎn

蓼茸蒿笋试春盘。人
liǎo róng hāo sǔn shì chūn pán rén

间有味是清欢。
jiān yǒu wèi shì qīng huān

【注释】 ①清洛：即洛涧，发源于合肥，北流至怀远，再流入淮河。 ②午盏：指午茶。 蓼茸：蓼芽。 蒿笋：
莴苣笋。 春盘：《风土记》："元旦以葱、蒜、韭、蓼、蒿芥杂和而食之，名五辛盘，取迎新之意。"这就是春盘。

【解说】 这是南山（在今安徽）记游之作。上片写冬春之交，作者登山时的所见所感。风斜雨细，晓寒还侵人。
到了午间，雨收日出，轻烟缥缈，河滩疏柳妩媚可爱。洛涧清流，曲曲折折地与淮河汇合，形成浩浩漫漫的长
流。下片写个人的情趣。乳白色的香茶一盏和翡翠般的春蔬一盘，两相映托，便有浓郁的春的气氛和诱人的力
量。作者登山、品茶便有脱俗之感，于是发出了"人间真正有滋味的生活还是素淡、自适的生活"的赞叹。

bǔ suàn zǐ
卜 算 子

lǐ zhī yí
李之仪

wǒ zhù cháng jiāng tóu jūn zhù cháng
我 住 长 江 头, 君 住 长
jiāng wěi rì rì sī jūn bù jiàn jūn gòng yǐn
江 尾。日 日 思 君 不 见 君, 共 饮
cháng jiāng shuǐ cǐ shuǐ jǐ shí xiū cǐ
长 江 水。 此 水 几 时 休, 此
hèn hé shí yǐ zhǐ yuàn jūn xīn sì wǒ xīn
恨 何 时 已? 只 愿 君 心 似 我 心,
dìng bù fù xiāng sī yì
定 不 负 相 思 意。

【注释】 ①已：停止。

【解说】 这首词具有民歌风味，朴实无华，明白如话。我住在长江的上游，你住在长江的下游，我们虽然共饮长江的水，我天天思念你却见不着你。我对你的思念就如这奔腾不息的东流水。这长江水什么时候能枯竭？我什么时候能见到你？只有到那时我的别恨才能消解。但事实上这是不可能的。只愿你的心跟我的心一样坚定，彼此不负相思的心意，也就知足了。女主人把无休止的别恨化为永恒的相爱与期待，使爱情的主题得到升华。词构思巧妙，相思情长，因而广为传唱。

85

jiǎn zì mù lán huā
减字木兰花

jìng dù
竞渡

huáng cháng
黄 裳

hóng qí gāo jǔ fēi chū shēn
红旗高举,飞出深

shēn yáng liǔ zhǔ gǔ jī chūn léi
深杨柳渚。鼓击春雷,

zhí pò yān bō yuǎn yuǎn huí
直破烟波远远回。

huān shēng zhèn dì jīng tuì
欢声震地,惊退

wàn rén zhēng zhàn qì jīn bì lóu
万人争战气。金碧楼

xī xián dé jǐn biāo dì yī guī
西,衔得锦标第一归。

【注释】 ①渚:水中间的小块陆地。 ②争战气:竞争夺标的英雄气概。 金碧:形容建筑物华丽、光彩夺目。 锦标:锦缎制的旗帜,古时用以赠给竞渡的领先者。

【解说】 这首词写龙舟竞渡夺标的场景。上片写竞渡。比赛一开始,多艘红旗高举的龙舟,从柳阴深处的小洲边飞驶而出。各条船上,鼓声如雷,龙舟冲破浩渺的烟波,再从远处回转。龙舟的气势凌厉无比。下片写夺标。一条龙舟先到终点,欢声震地,战斗的气概简直要惊退万人。他们的龙头从金碧的西楼衔得锦标第一名而归。词以红旗、绿柳、烟波、金碧西楼等富有色彩的事物,以鼓击、欢声等声响来渲染热烈的气氛和紧张的行动,再现了当时竞渡的热烈场面。

定风波
dìng fēng bō

次高左藏使君韵
cì gāo zuǒ zàng shǐ jūn yùn

黄庭坚
huáng tíng jiān

万里黔中一漏天，屋居
wàn lǐ qián zhōng yī lòu tiān, wū jū

终日似乘船。及至重阳
zhōng rì sì chéng chuán jí zhì chóng yáng

天也霁，催醉，鬼门关外蜀
tiān yě jì, cuī zuì, guǐ mén guān wài shǔ

江前。莫笑老翁犹气岸，
jiāng qián. mò xiào lǎo wēng yóu qì àn,

君看，几人黄菊上华颠？戏
jūn kàn, jǐ rén huáng jú shàng huá diān? xì

马台南追两谢，驰射，风流犹
mǎ tái nán zhuī liǎng xiè, chí shè, fēng liú yóu

拍古人肩。
pāi gǔ rén jiān.

【注释】 ①黔中：黔州，治所在今重庆彭水。 鬼门关：在今重庆奉节县东，因地势险恶而得名。 ②气岸：气概昂扬。 华颠：白发的头顶。 戏马台：故址在今江苏铜山县南，晋时刘裕曾会将佐群僚于戏马台，当时著名诗人谢瞻、谢灵运各赋诗一首。 两谢：指谢瞻、谢灵运。 拍古人肩：追踪古人。

【解说】 词写于作者被贬的黔州，通过重阳即事抒发了一种老当益壮、穷且益坚的乐观奋发的精神。离家万里，连日下雨，天如漏了似的，屋外积水居室终日似乘在船上一样不得出门。重阳节那天居然天晴了，可以在鬼门关外蜀江前登高痛饮，当然兴奋。此乐不仅"催醉"，老翁还不怕人耻笑，白发上插了菊花，骑马射箭，吟诗填词，其气概直追古时的风流人物。作者虽身经忧患却气度傲岸，读来凛然有生气。

念奴娇 (niàn nú jiāo)

黄庭坚 (huáng tíng jiān)

断虹霁雨，净秋空，山染修眉
新绿。桂影扶疏，谁便道，今夕清辉
不足？万里青天，姮娥何处，驾此一
轮玉。寒光零乱，为谁偏照醽醁？

　年少从我追游，晚凉幽径，绕
张园森木。共倒金荷，家万里，难
得尊前相属。老子平生，江南江
北，最爱临风笛。孙郎微笑，坐来声
喷霜竹。

【注释】　①修眉：以美女的长眉比远山。　桂影扶疏：传说月亮上的桂树枝叶繁茂，意为圆月清晰明亮。姮娥：月中嫦娥。　醽醁：代指美酒。　②金荷：荷叶形金杯。　尊：酒杯。　老子：老夫，自称。　孙郎：客人孙彦立，善吹笛。　声喷霜竹：指乐曲声从竹笛中传出。

【解说】　作者被贬戎州（今四川宜宾），那年八月十七日与一些青年人在张宽夫园饮酒赏月，由客人孙彦立吹笛助兴。词记此事。上片写景。雨洗净了秋空，染绿了远山，天空出现彩虹，景象清新异常。作者对今晚的月色特别感兴趣，接连用三个问句发问：月中桂影依旧很浓，又怎能说今夜的月色不够美满？万里碧空，

嫦娥啊,你从哪里驾着美玉似的月轮而来?月亮啊,你又为谁偏照杯中的美酒而发出皎洁的光辉?作者对月萌发了浓浓的雅兴。下片写宴游。一群青年人跟着我在张园清幽的林中小径上散步。让我们把荷叶形的金杯斟满,离家万里,难得有今宵这样的开怀畅饮。老夫平生漂泊江南江北,最爱听临风吹奏的富有高亢旋律的曲子。最后以孙郎感遇知音,微笑着,坐着吹奏竹笛作结,使人有余响不绝之感。全词写景,景象清远高阔;抒情,豪迈洒脱,表现出作者身处逆境而不颓唐的乐观精神。

清平乐
黄庭坚

春归何处？寂寞无行路。若有人知春去处，唤取归来同住。

春无踪迹谁知？除非问取黄鹂。百啭无人能解，因风飞过蔷薇。

【注释】　①无行路：没有留下行踪。　②因风：趁着风势。

【解说】　这是一首构思奇巧、想象丰富、清新活泼的惜春词。词人因春天的消逝而感到寂寞，由问"春归何处"转而寻春，希望有人知道春天的去处，唤她回来，与她同住。但春天的踪迹又有谁知道呢？也许黄鹂能知道春的去向，因为黄鹂常和春天一同出现。黄鹂宛转的啼声，打破了周围的寂静，但词人却得不到解答，心头的寂寞感更加重了。当看到黄鹂趁着风势飞过夏季开花的蔷薇时，词人终于清醒地意识到春去夏来的现实。词中蕴含着一层深似一层的感情，把作者惜春的心态写活了。

sù zhōng qíng
诉 衷 情

huáng tíng jiān
黄 庭 坚

yī bō cái dòng wàn bō suí suō lì yī gōu sī
一 波 才 动 万 波 随，蓑 笠 一 钩 丝。

jīn lín zhèng zài shēn chù qiān chǐ yě xū chuí tūn
金 鳞 正 在 深 处，千 尺 也 须 垂。 吞

yòu tǔ xìn hái yí shàng gōu chí shuǐ hán jiāng jìng
又 吐，信 还 疑，上 钩 迟。 水 寒 江 静，

mǎn mù qīng shān zài yuè míng guī
满 目 青 山，载 月 明 归。

【注释】 ①金鳞：指鳞光闪闪的鱼。 ②迟：慢。

【解说】 词写渔父的生活。孤舟上一个蓑笠翁，垂钓于寒江上，钩入水动，激起的波纹环环相随。鱼潜水底，为了钓得"金鳞"，渔父不惜垂丝千尺。此时此刻，渔父专注于水下的鱼，仿佛感受到鱼就盘旋在钓钩左右，吞饵又吐饵，迟迟不上钩。水寒江静，满目青山，一船明月，景象澄静淡远。渔父其志不在鱼，而在置身江天、脱落尘滓的逍遥生活。这是作者几遭贬斥，有感于人生的坎坷，在心中幻想出一个逍遥超脱的境界，所谓"渔父家风"，也就是他当时的追求。

91

sù zhōng qíng
诉 衷 情

háng tíng jiān
黄庭坚

xiǎo táo zhuó zhuó liǔ sān
小桃灼灼柳鬖

sān chūn sè mǎn jiāng nán yǔ qíng
鬖，春色满江南。雨晴

fēng nuǎn yān dàn tiān qì zhèng
风暖烟淡，天气正

xūn hān shān pō dài shuǐ ruó
醺酣。　山泼黛，水挼

lán cuì xiāng chān gē lóu jiǔ pèi
蓝，翠相挼。歌楼酒旆

gù gù zhāo rén quán diǎn qīng shān
故故招人，权典青衫。

【注释】　①鬖鬖：本意是形容毛发下垂，这里形容柳条纷披下垂。　醺酣：形容使人陶醉。　②黛：青黑色的颜料。　挼蓝：浸揉蓝草作染料。借指湛蓝色。挼，揉搓。　旆：旗。　故故：特意，故意。　权典：姑且当掉。

【解说】　这是一首写江南春景的小令。桃花盛开红艳艳，杨柳垂拂飘荡，江南遍地春色。宿雨初晴，惠风和畅，烟霭淡淡，春光如醉。雨后山色浓如泼黛，水色湛蓝，青山绿水相映，景色宜人。更诱人的，还是歌楼上的酒旗飘动，好像特意在招惹人，即使是当掉春衫换酒，也是值得的啊！词写江南春天诱人的景象。

92

洞仙歌 dòng xiān gē

李元膺 lǐ yuán yīng

雪云散尽，放晓晴池院。
xuě yún sàn jìn fàng xiǎo qíng chí yuàn

杨柳于人便青眼。更风流
yáng liǔ yú rén biàn qīng yǎn　gèng fēng liú

多处，一点梅心，相映远、约
duō chù yī diǎn méi xīn xiāng yìng yuǎn yuē

略颦轻笑浅。　一年春好
lüè pín qīng xiào qiǎn　　　yī nián chūn hǎo

处，不在浓芳，小艳疏香最
chù bù zài nóng fāng xiǎo yàn shū xiāng zuì

娇软。到清明时候、百紫千
jiāo ruǎn dào qīng míng shí hòu bǎi zǐ qiān

红，花正乱、已失春风一
hóng huā zhèng luàn yǐ shī chūn fēng yī

半。早占取、韶光共追游，
bàn　zǎo zhàn qǔ sháo guāng gòng zhuī yóu

但莫管春寒，醉红自暖。
dàn mò guǎn chūn hán zuì hóng zì nuǎn

【注释】 ①青眼：人在高兴时正眼看，黑眼珠在中间，比喻对人的喜爱或重视。　颦轻：微皱眉头。　②韶光：美好的时光。

【解说】 此词意在劝人及早探春。上片分写早春时的梅和柳。在一个有池塘的宅院里，雪云散尽，才放晓晴，杨柳便绽了新芽，惹人喜爱。更风流的要算梅花，此时在微笑中约略有一丝哀愁。下片写及时赏春。一年中春天最好的不是百紫千红的浓芳，而是早春时小艳疏香娇软不胜的梅花。到了清明，虽然花开得繁盛，却已失去春光一半，开始衰败了。词人提醒人们要及早探春，不要管春寒料峭，这正如一旦饮酒上了脸，通身也就暖和了，因为春寒时若赏梅花得着意趣，也就会意兴盎然了。

鹊桥仙 (què qiáo xiān)

秦观 (qín guān)

纤云弄巧，飞星 (xiān yún nòng qiǎo fēi xīng)
传恨，银汉迢迢暗度。(chuán hèn yín hàn tiáo tiáo àn dù)
金风玉露一相逢，便 (jīn fēng yù lù yī xiāng féng biàn)
胜却人间无数。柔 (shèng què rén jiān wú shù róu)
情似水，佳期如梦，忍 (qíng sì shuǐ jiā qī rú mèng rěn)
顾鹊桥归路。两情若 (gù què qiáo guī lù liǎng qíng ruò)
是久长时，又岂在朝 (shì jiǔ cháng shí yòu qǐ zài zhāo)
朝暮暮。(zhāo mù mù)

【注释】 ①飞星：流星。 银汉：银河。 金风玉露：秋风白露。 ②忍顾：怎么忍心回头看。 鹊桥：传说每年农历七月七日，鹊架长桥，供牛郎织女银河相会。

【解说】 此词借牛郎织女的神话传说，赞美永久不变的爱情，颇具新意。轻柔多姿的云彩着意弄巧，变幻各种美妙的图案，流星也在为牛郎织女传情递恨而奔忙。乌鹊搭好桥，牛郎和织女渡过迢迢的银河，在这美好的秋风白露之夜相会了。这样难得的相会，胜过人间无数次约会，这一片刻的幸福多么来之不易啊！柔情似水，情意绵绵，相见了还恍若梦中，又怎么忍心回头看这鹊桥归路呢？但最终不得不分手，于是彼此发出"两情若是久长时，又岂在朝朝暮暮"的誓言。"两情"二句揭示出爱情的真谛，成为天下有情人共勉的名句。

94

huà táng chūn
画堂春

qín guān
秦观

luò hóng pū jìng shuǐ píng
落红铺径水平

chí nòng qíng xiǎo yǔ fēi fēi xìng
池，弄晴小雨霏霏。杏

yuán qiáo cuì dù juān tí wú nài
园憔悴杜鹃啼，无奈

chūn guī   liǔ wài huà lóu dú
春归。   柳外画楼独

shàng píng lán shǒu niǎn huā zhī
上，凭栏手捻花枝。

fàng huā wú yǔ duì xié huī cǐ hèn
放花无语对斜晖，此恨

shuí zhī
谁知。

【注释】 ①憔悴：形容人瘦弱，面色不好看。这里形容暮春花事将尽的景象。
【解说】 这是一首伤春之词，表达了词人对春天的一种锐敏的柔情。落花铺满小径，池水与岸持平；小雨霏霏，乍雨乍晴。杏园花稀叶青，杜鹃悲啼；无奈春将归去。独上柳外的画楼，凭栏赏春，孤独惆怅，手上无意识地虚捻着花枝。望着夕阳西沉，沉思着，默默地放下手中的花枝。词人对春天归去的感伤，对时光飞逝的怨恨，这种深切的哀感，有谁能理解呢？全词飘悠着一缕深幽的惜春的伤感，显得细腻而深婉。

95

踏莎行
tà suō xíng

秦观
qín guān

雾失楼台，月迷津
wù shī lóu tái, yuè mí jīn

渡，桃源望断无寻
dù táo yuán wàng duàn wú xún

处。可堪孤馆闭春寒，
chù kě kān gū guǎn bì chūn hán

杜鹃声里斜阳暮。
dù juān shēng lǐ xié yáng mù

驿寄梅花，鱼传尺
yì jì méi huā yú chuán chǐ

素，砌成此恨无重
sù qì chéng cǐ hèn wú chóng

数。郴江幸自绕郴
shù chēn jiāng xìng zì rào chēn

山，为谁流下潇湘去？
shān wèi shuí liú xià xiāo xiāng qù

【注释】①桃源：桃花源，在湖南郴州北，自陶渊明《桃花源记》问世后，常视作避世仙境。 可堪：怎么经受得住。 ②"驿寄"二句：意为书信来往。 无重数：无数重。 郴江：发源于郴山。 幸自：本是，原是。

【解说】词人因新旧党争而遭贬到郴州（在今湖南），词写谪居之恨。楼台在茫茫大雾中消失，渡口被蒙胧的月色所隐没，桃源仙境更是云遮雾障无处可寻了。显然是想求精神解脱而不能。更难忍受的是闭居孤馆，斜阳欲暮之时，谛听着杜鹃"不如归去"的鸣声，倍增伤感。与友人的书信来往，更增重重离情别恨。郴江啊，你本生活在自己的故土郴山，究竟因为什么而流下潇湘去呢？最后二句借以慨叹自己的身世，自然的山川经词人的点化，具有了人的感情，情深意曲，堪称千古绝唱。

huàn xī shā
浣溪沙

qín guān
秦观

mò mò qīng hán shàng xiǎo
漠漠轻寒上小
lóu xiǎo yīn wú lài sì qióng qiú
楼，晓阴无赖似穷秋。
dàn yān liú shuǐ huà píng yōu
淡烟流水画屏幽。
zì zài fēi huā qīng sì mèng
自在飞花轻似梦，
wú biān sī yǔ xì rú chóu bǎo lián
无边丝雨细如愁。宝帘
xián guà xiǎo yín gōu
闲挂小银钩。

【注释】 ①无赖：无奈。 穷秋：农历九月。

【解说】 词描绘了一个精妙的艺术境界，让人们神游其中，流连忘返。无边的薄薄的春寒无声无息地侵入了小楼，一大早就见阴霾不开，这无可奈何的暮春天气竟像深秋一般。词人枯坐小楼，只有室内那架画着淡烟流水的屏风给他一丝慰藉。当他注目窗外，只见落花轻飏，细雨如丝。于是他放下了窗帘，让帘钩空闲地挂着。词写惜春的惆怅之情。"飞花"和"梦"、"雨丝"和"愁"都有轻柔飘忽的特点；并且以难以捉摸的"梦"和"愁"去比喻具体的"飞花"和"雨丝"，形成一种似幻似真的凄清、缥缈的境界，耐人寻味。

rú mèng lìng
如 梦 令
qín guān
秦 观

yáo yè chén chén rú shuǐ
遥 夜 沉 沉 如 水,
fēng jǐn yì tíng shēn bì mèng pò
风 紧 驿 亭 深 闭。梦 破
shǔ kuī dēng shuāng sòng xiǎo hán
鼠 窥 灯, 霜 送 晓 寒
qīn bèi wú mèi wú mèi mén wài
侵 被。无 寐,无 寐,门 外
mǎ sī rén qǐ
马 嘶 人 起。

【注释】 ①驿亭:古时设于官道旁供传递公文的使者和来往官员安憩换马的馆舍。 无寐:睡不着。

【解说】 词写词人被贬赴郴州途中夜宿驿亭时的所见、所闻和所感。夜宿驿亭,长夜漫漫,沉静如水。北风紧吹,驿亭深闭。此刻,严霜满地,晓寒侵被,词人从梦中被冻醒,只见一只老鼠对着青光荧荧的油灯偷窥。词人再也睡不着了,烦恼之情溢于言表。正在想睡而不能入睡之时,听到了门外马儿嘶鸣,人声嘈杂,又将催他上路,新的一天的跋涉之苦又将等待着他。词通过环境的描写来表现词人凄苦的心境,极富于情致,令读者如历其境。

98

南歌子 (nán gē zǐ)

秦观 (qín guān)

香墨弯弯画，(xiāng mò wān wān huà)
脂淡淡匀。揉蓝衫子 (yān zhī dàn dàn yún, róu lán shān zǐ)
杏黄裙，独倚玉栏无 (xìng huáng qún, dú yǐ yù lán wú)
语、点檀唇。 人去空 (yǔ, diǎn tán chún。 rén qù kōng)
流水，花飞半掩门。乱 (liú shuǐ, huā fēi bàn yǎn mén。 luàn)
山何处觅行云？又是 (shān hé chù mì xíng yún？ yòu shì)
一钩新月、照黄昏。 (yī gōu xīn yuè、zhào huáng hūn。)

【注释】 ①燕脂：胭脂。 檀唇：赭红色的嘴唇。 ②"乱山"句：冯延巳《鹊踏枝》："君若无定云，妾若不动山。"这里的"行云"比喻薄情郎，"乱山"比喻心烦意乱的女子。

【解说】 词刻画了一个失恋女子的形象。上片写女子精心地打扮。用香墨把眉毛画得弯弯的，用胭脂淡淡地匀脸。穿着蓝色的衫子和杏黄色的裙子，独自倚靠在栏杆上不言不语专心地搽口红。她为什么如此精心打扮呢？下片写她等人的心情。情郎走后如流水长逝。她从早春花开等到落花飘飞，还半掩着房门，希望情郎能突然推门进来。情郎就像飘忽不定的云，她就像心烦意乱的"不动山"，何处去寻找他的踪迹呢？一直等到黄昏，又是一钩新月挂在天边，月不圆人也难团圆，如此情景使她失望。词以人物形象来表现心理，鲜明而生动。

好事近
梦中作

秦观

春路雨添花，花动一山春
色。行到小溪深处，有黄鹂千
百。

飞云当面舞龙蛇，天矫
转空碧。醉卧古藤阴下，了不知
南北。

【注释】　①天矫：屈伸的样子。这里形容龙蛇盘曲而又伸展的动态。　了：全。

【解说】　词写词人屡遭贬谪后寻求精神解脱的奇特的梦境。梦游路上一场春雨，催开了各色花卉。雨润花，花增色，随着春风春雨的不断闪动，更显出满山动人的春色。行到小溪深处，有千百黄鹂在飞翔鸣啭，与流水潺潺声相应和，境界幽静而畅快。仰观天空，飞云如龙蛇舞动，屈伸着，变幻着，一会儿转为万里碧空。在这奇幻的境界里，词人梦见自己醉卧在古藤阴下，完全不知南北东西，陶然而乐，置一切于不顾，超然于人世。词用语和造景都十分奇特，充满着浪漫主义色彩。

xíng xiāng zǐ
行 香 子

秦观 qín guān

shù rào cūn zhuāng shuǐ mǎn
树绕村庄，水满

pí táng yǐ dōng fēng háo xìng
陂塘。倚东风、豪兴

cháng yáng xiǎo yuán jǐ xǔ shōu
徜徉。小园几许，收

jìn chūn guāng yǒu táo huā hóng lǐ
尽春光。有桃花红，李

huā bái cài huā huáng yuǎn
花白，菜花黄。 远

yuǎn wéi qiáng yǐn yǐn máo táng
远围墙，隐隐茅堂。

yáng qīng qí liú shuǐ qiáo páng
飏青旗、流水桥旁。

ǒu rán chéng xìng bù guò dōng
偶然乘兴，步过东

gāng zhèng yīng ér tí yàn ér
冈。正莺儿啼，燕儿

wǔ dié ér máng
舞，蝶儿忙。

【注释】 ①陂塘：池塘。 豪兴：指游兴浓。 徜徉：安闲自在地步行。 几许：多少，差不多。表示估计数量的词。 ②青旗：青布旗，酒旗。

【解说】 词写农村的风光。春景随着词人游春的足迹渐次展开。行近村庄，第一个印象是层层绿树环绕村庄，一泓春水涨满池塘，环境幽美。词人沐着春风，游兴勃勃，信步闲游，只见一个小园，好像收进了全部春光：桃花红，李花白，菜花黄，满园春色绚丽多彩。再移步，见远处一带围墙，隐现出茅草覆盖的小堂。小桥流水近旁，有一酒家高飏着酒帘子。乘兴步过小山冈，又展现出一派春光：莺儿啼，燕儿舞，蝶儿忙。春光满眼，生机勃勃。词人抓住春天农村的典型景物，上片的花，下片的虫鸟，互相映照，春色盎然，令人赏心悦目。

101

望书归
wàng shū guī

hè zhù
贺 铸

biān hòu yuǎn zhì yóu xī fù yǔ
边堠远,置邮稀,附与
zhēng yī chèn tiě yī lián yè bù fáng pín
征衣衬铁衣。连夜不妨频
mèng jiàn guò nián wéi wàng dé shū guī
梦见,过年惟望得书归。

【注释】 ①边堠:边防侦伺敌情用的土堡。 置邮:即驿车、驿马、驿站。古代的邮递设施。 过年:来年。

【解说】 词写思妇与征夫互通音讯之难。边关千里迢远,官家的驿车却配备得很少。难得今天见到了驿使,寄信之外,还附寄自己赶制的战袍,有它作衬里,丈夫披上铁甲就不会再感觉到寒冷。唉,连夜频频与丈夫在梦中相见,而事实上呢?明年能够收到他的回信也就算如愿以偿了。不敢想人归重逢,只希望在梦中多见几面;不敢想快速回信,只求来年能接到回信。在此语的背后,不知有多少个幻想变成泡影,多少次热望化作灰烬! 词写得哀婉曲折,读之令人痛切。

半死桐

bàn sǐ tóng

hè zhù
贺铸

重过阊门万事非，同来何事不同归？梧桐半死清霜后，头白鸳鸯失伴飞。
原上草，露初晞。旧栖新垄两依依。空床卧听南窗雨，谁复挑灯夜补衣！

【注释】 ①阊门：苏州城西门。 梧桐半死：比喻丧偶。 ②晞：蒸发干。 旧栖：指昔日所居。 新垄：指妻子的新坟。

【解说】 这是一首著名的悼亡词。词人重返苏州老家，想到相濡以沫的妻子已长眠地下，悲从中来，觉得一切都不顺心。夫人啊，我们同来世上为什么不一同归去呢？你撇下了我，如今我如霜后枝叶凋零了的半死梧桐，头白的鸳鸯失伴孤飞。荒原的野草露水刚干，你新殁不久，我住旧居，你入新坟，两情依依。我常常长夜不眠，空床卧听南窗外的风雨声，此后再也见不到你夜里挑灯为我补衣服的情景了。全词字字悲切，如泣如诉，尤其是词人对妻子"挑灯夜补衣"的追忆，饱含深情，哀婉凄绝。

chǔ shēng qí
杵 声 齐

hè zhù
贺铸

zhēn miàn yíng chǔ shēng qí
砧 面 莹，杵 声 齐。

dǎo jiù zhēng yī lèi mò tí   jì
捣 就 征 衣 泪墨题。寄

dào yù guān yīng wàn lǐ shù rén
到 玉 关 应 万 里，戍 人

yóu zài yù guān xī
犹 在 玉 关 西。

【注释】 ①杵声齐：作者为《捣练子》调另立的别名。 砧：捣衣时垫在下面的石块。 莹：光洁。 杵：指捣衣的木棒。 泪墨题：以泪研墨题写姓名或写家书。 玉关：玉门关，故址在今甘肃敦煌西北小方盘城。

【解说】 这是一首闺怨词。外有征夫，内有怨女，这是封建兵役制下产生的社会问题。这首词从怨女的角度，按"捣—题—寄—思"的思路来写。年深月久，捣衣用的砧石也被磨得光亮了，杵声齐响，家家都在捣衣。出征丈夫的衣服制成后，思妇要题写包裹上的姓名时，不禁泪如雨下，泪墨难分。征衣寄到玉门关，已是迢迢万里了，可是丈夫还在玉门关的西边呢！思妇掉泪，不只是因为自己孤苦，还因为想到征人远离家乡久难归家，以及戍边生活之苦。

芳心苦
fāng xīn kǔ

贺 铸
hè zhù

杨柳回塘，鸳鸯
yáng liǔ huí táng yuān yāng

别浦，绿萍涨断莲
bié pǔ lù píng zhàng duàn lián

舟路。断无蜂蝶慕幽
zhōu lù duàn wú fēng dié mù yōu

香，红衣脱尽芳心苦。
xiāng hóng yī tuō jìn fāng xīn kǔ

返照迎潮，行云
fǎn zhào yíng cháo xíng yún

带雨，依依似与骚人语。
dài yǔ yī yī sì yǔ sāo rén yǔ

当年不肯嫁春风，无
dāng nián bù kěn jià chūn fēng wú

端却被秋风误。
duān què bèi qiū fēng wù

【注释】　①芳心苦：作者为《踏莎行》调另立的别名。　　回塘：曲折回环的池塘。　　别浦：江河支流的水口。
红衣：荷花。　　②骚人：诗人。　　无端：无缘无故。

【解说】　这是一首咏物词。荷花生长在绿柳环绕、鸳鸯游憩的幽僻池塘，绿萍阻断了采莲小舟来往的水路，
无人欣赏与采摘，甚至连蜂蝶也不接近，荷花只能在回塘中自开自落，凋零后只留下苦涩的莲心。落日返
照，水波荡漾，行云带雨，荷花在晚风中摇曳，似在含情地向文人雅士诉说心里话：当年因为不肯随着春风
与百花争艳斗妍，而今却嫁与秋风被冷落。这里有怨、有悔，又有感叹。词人借荷花的高洁孤苦的品性来寓
写自己怀才不遇的身世和不甘冷落的心情。

105

横塘路

héng táng lù

贺铸 hè zhù

凌波不过横塘路，但目送、芳尘去。锦瑟华年谁与度？月桥花院，琐窗朱户，只有春知处。

飞云冉冉蘅皋暮。彩笔新题断肠句。若问闲愁都几许？一川烟草，满城风絮，梅子黄时雨。

【注释】 ①横塘路：作者为《青玉案》调另立的别名。 凌波：形容女子步态轻盈。 横塘：在苏州西南十余里。芳尘：带芳香的尘土，这里借指美人的行踪。 锦瑟华年：指美好的青春年华。 琐窗：雕刻连琐花纹的窗户。②冉冉：缓慢流动的样子。 蘅皋：生长香草的水边高地。蘅，香草名。 都几许：共有多少。 一川：遍地。

【解说】 词人见一位美丽的女郎轻盈的脚步不向他所住的横塘而来，只能目送她远去。他因此而遐想，她与谁共度青春华年呢？她的住所想必是明月小桥，花丛深院，雕花窗格，朱漆门户，只有春神才知道。伫立天晚，才援笔题写伤感的诗篇。若问闲愁有多少？就像遍地如烟的青草，满城飘飞的柳絮，黄梅时节绵绵不尽的阴雨。词中连下三喻，妙语如珠，后人叹为千古绝唱，也为作者赢得"贺梅子"的雅号。

浣溪沙 huàn xī shā

贺铸 hè zhù

楼角初销一缕霞，
lóu jiǎo chū xiāo yī lǚ xiá

淡黄杨柳暗栖鸦，玉
dàn huáng yáng liǔ àn qī yā yù

人和月摘梅花。笑
rén hé yuè zhāi méi huā xiào

捻粉香归洞户，更
niǎn fěn xiāng guī dòng hù gèng

垂帘幕护窗纱。东
chuí lián mù hù chuāng shā dōng

风寒似夜来些。
fēng hán sì yè lái xiē

【注释】 ①销：消逝。 玉人：美人。 和月：趁着月光。 ②粉香：指梅花。 洞户：指幽深的闺房。 寒似：寒于。 些：一些，少许。

【解说】 楼角一抹晚霞刚刚消退，嫩黄的杨柳丛中已暗栖着乌鸦。在这样清幽的庭院里，月光下，一位少女摘下一枝梅花，含笑捻玩着回到闺房，放下了帘幕遮住窗纱。忽然一阵春风吹来，似乎比夜里还多几分寒意，不禁心头一沉，刚才那种兴致顿然消失，那寂寂的空房使她惆怅。全词以景托情，从室外到室内，写出少女细腻的心理活动；月下美人手捻梅枝的形象写得十分美好。

浣溪沙 (huàn xī shā)

贺铸 (hè zhù)

秋水斜阳演漾金，(qiū shuǐ xié yáng yǎn yàng jīn)
远山隐隐隔平林，几家(yuǎn shān yǐn yǐn gé píng lín jǐ jiā)
村落几声砧。记得西楼(cūn luò jǐ shēng zhēn jì dé xī lóu)
凝醉眼，昔年风物似如(níng zuì yǎn xī nián fēng wù sì rú)
今。只无人与共登临。(jīn zhǐ wú rén yǔ gòng dēng lín)

【注释】　①演漾金：漾起金色的水波。　平林：平原上的树林。

【解说】　这是一首怀念亡妻之作。上片写登临所见。清澈的秋水，映着斜阳，漾起金波。一片平展的树林延伸着，平林那边，隐隐地横着远山。疏疏的村落，散见在平原上，传出断断续续的砧杵声。下片写作者的心绪。记得当年曾在西楼乘醉观赏这片景色，当年的风物与眼前的景象并没有什么不同，只是如今再没有人与我一起登临共赏了。"只无人"三字，倍觉孤独、伤感。词中眼前独自登临所见的实景与昔日"共登临"的虚景构成对比，含蓄地表达了作者对亡妻的深沉思念之情。

陌上郎 (mò shàng láng)

贺铸 (hè zhù)

西津海鹘舟，径度沧江雨。双橹本无情，鸦轧如人语。
(xī jīn hǎi gǔ zhōu jìng dù cāng jiāng yǔ shuāng lǔ běn wú qíng yā yà rú rén yǔ)

挥金陌上郎，化石山头妇。何物系君心?三岁扶床女!
(huī jīn mò shàng láng huà shí shān tóu fù hé wù xì jūn xīn sān suì fú chuáng nǚ)

【注释】 ①西津:西方的渡口,泛指送别的渡口。 海鹘舟:船头画着海鹘鸟的船。 鸦轧:摇橹声。

【解说】 词写"痴情女子负心汉"的爱情悲剧,这在封建社会有一定的代表性。上片写送别丈夫的情景。那艘船头画着鹘鸟的船儿离开渡口,径直渡过沧江,消失在迷茫的烟雨之中。船橹本无情感,见此情景也发出人语似的喟叹。下片表示女子的坚贞。丈夫是挥金如土、拈花惹草的游荡子,一出门就不想回家,妻子却是一片痴心地盼他归家的坚贞主妇。家里还有什么能系住你的心呢?刚刚扶床学步的三岁女儿,你也该为她想想吧! 这女子的痴情和诚挚,令人感慨。

109

【注释】 ①五都：泛指各大都市。 一诺千金重：一句诺言有千金价值，形容守信用。 斗城：京城。这里指北宋京城开封。 狡穴：狡兔三窟，此指兽穴。 ②丹凤：喻指京都。 冗从：指低级的侍卫武官。 倥偬：(事情)急迫匆忙。 鹖弁：代指武官。 渔阳弄：军乐曲。 思悲翁：乐曲名，这里"悲翁"又是自指。 天骄种：称北方少数民族。 七弦桐：七弦琴。

【解说】 这是一首闪耀着爱国主义光辉的词。上片是作者对早年豪侠生活的追忆。少年侠气，交结了各大都市的豪雄。彼此肝胆相照，极富正义感，一听到不平之事，便怒发冲冠；一交谈，便结为生死之交；相互讲信用，一诺重于千金；推崇的是出众的勇敢者；自夸的是豪放不羁。这是他们的品性。大家轻车簇拥，联镳飞

110

六 州 歌 头

hè zhù
贺 铸

shào nián xiá qì jiāo jié wǔ dū xióng gān dǎn dòng máo fà sǒng lì tán zhōng sǐ

少 年 侠 气，交 结 五 都 雄。肝 胆 洞，毛 发 耸。立 谈 中，死

shēng tóng yī nuò qiān jīn zhòng tuī qiáo yǒng jīn háo zòng qīng gài yōng lián fēi kòng dǒu

生 同。一 诺 千 金 重。推 翘 勇，矜 豪 纵。轻 盖 拥，联 飞 鞚，斗

chéng dōng hōng yǐn jiǔ lú chūn sè fú hán wèng xī hǎi chuí hóng jiàn hū yīng sǒu quǎn

城 东。轰 饮 酒 垆，春 色 浮 寒 瓮，吸 海 垂 虹。间 呼 鹰 嗾 犬，

bái yǔ zhāi diāo gōng jiǎo xué é kōng lè cōng cōng   sì huáng liáng mèng cí dān fèng

白 羽 摘 雕 弓，狡 穴 俄 空。乐 匆 匆。   似 黄 粱 梦。辞 丹 凤，

míng yuè gòng yàng gū péng guān rǒng cóng huái kǒng zǒng luò chén lóng bù shū cóng hé

明 月 共，漾 孤 篷。官 冗 从，怀 倥 偬，落 尘 笼。簿 书 丛，鹖

biàn rú yún zhòng gōng cū yòng hū qí gōng jiā gǔ dòng yú yáng nòng sī bēi wēng bù

弁 如 云 众，供 粗 用，忽 奇 功。笳 鼓 动，渔 阳 弄，思 悲 翁。不

qǐng cháng yīng xì qǔ tiān jiāo zhǒng jiàn hǒu xī fēng hèn dēng shān lín shuǐ shǒu jì qī

请 长 缨，系 取 天 骄 种，剑 吼 西 风。恨 登 山 临 水，手 寄 七

xián tóng mù sòng guī hóng

弦 桐，目 送 归 鸿。

驰，出游京郊，喧闹着在酒店里豪饮，似乎能把大海喝干。有时带着鹰犬到野外射猎，一会儿便荡平了狡兔的巢穴。这段生活虽然痛快，可惜匆匆而过。下片写作者离京后的经历。辞别京城到外地供职，乘坐一叶孤舟，只有明月作伴。我官级卑微，情怀愁苦，落入官场如飞鸟在笼，不得自由。朝廷重文轻武，像我这样的武官多如浮云，只能劳碌于案牍，不能杀敌疆场，建功立业。军乐吹奏起来了，异族扰边，我这悲愤的老兵啊，却无路请缨，不能重擒敌酋，就连随身的宝剑，也在秋风中发出怒吼。我只好愤然登山临水，抚琴送客。词表现了作者戎马报国的心愿和壮志难酬的愤郁不平之情。

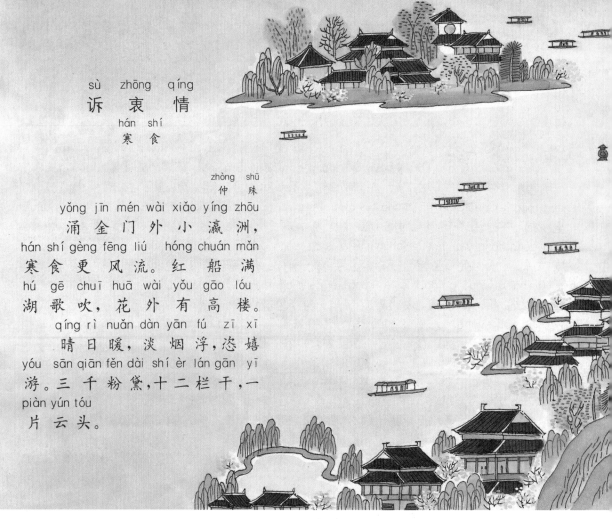

诉衷情
寒食

仲殊

涌金门外小瀛洲，
寒食更风流。红船满
湖歌吹，花外有高楼。
晴日暖，淡烟浮，恣嬉
游。三千粉黛，十二栏干，一
片云头。

【注释】 ①涌金门：杭州城门名。 小瀛洲：西湖中的一个岛。 ②恣：放纵，无拘束。 粉黛：代指美人。

【解说】 词写杭州西湖寒食节的风光。上片写湖山。美丽的西湖在涌金门外，湖中的小瀛洲春天的景色更美艳。满湖漂着游船，到处飘传着歌声乐声。湖畔花丛中隐现着酒楼茶馆。下片写游人。日暖风和，淡烟轻笼，正是纵情游春的好时光。美女如云，亭台无数，使人恍如置身天上。全词描绘出当年西湖寒食节游春的盛况，是别具风格的妙品。

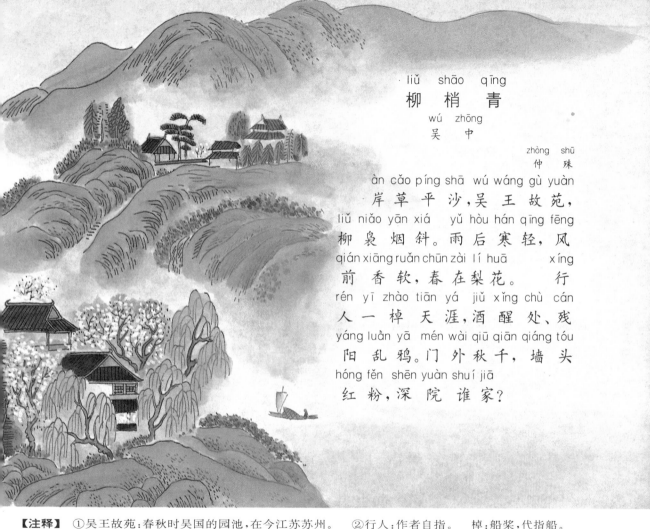

柳梢青
吴中
仲殊

岸草平沙,吴王故苑,柳袅烟斜。雨后寒轻,风前香软,春在梨花。

行人一棹天涯,酒醒处、残阳乱鸦。门外秋千,墙头红粉,深院谁家?

【注释】 ①吴王故苑:春秋时吴国的园池,在今江苏苏州。 ②行人:作者自指。 棹:船桨,代指船。

【解说】 词写江南吴中的春景。雨后,作者驾舟沿吴江而下,沿途所见,为读者展现了一幅幅秀美的图画。上片写景。吴江两岸草青沙平,吴王故都苏州的园池里,柳丝轻袅,淡烟斜抹。雨后春风柔和,花香幽雅,满眼梨花如雪,这春色似乎全在梨花枝头。下片写人。词人乘坐小船,任其漂荡,一面陶醉于山光水色中,一面开怀畅饮,醉后醒来已是残阳西下,乱鸦归巢的时候。忽见一家门外立着秋千,墙头不时闪过荡秋千姑娘的倩影,词人不禁为之一振:这是谁家深院的姑娘呢? 这才是最美的春色啊!

113

浣溪沙
huàn xī shā

周邦彦
zhōu bāng yàn

楼上晴天碧四垂，楼前芳
lóu shàng qíng tiān bì sì chuí lóu qián fāng
草接天涯。劝君莫上最高梯。
cǎo jiē tiān yá quàn jūn mò shàng zuì gāo tī
新笋已成堂下竹，落花都
xīn sǔn yǐ chéng táng xià zhú luò huā dōu
上燕巢泥。忍听林表杜鹃啼？
shàng yàn cháo ní rěn tīng lín biǎo dù juān tí

【注释】　①林表：林梢。
【解说】　词写思乡之情。词人登楼极目，只见晴空万里，碧云四垂；楼前的芳草绿遍，远接天际。这难免使人联想起"王孙游兮不归，春草生兮萋萋"的离情，故劝君不要登上最高梯，以免勾起无法排遣的乡思。上片从大处落墨，下片转从小处着笔。堂下新笋已长成竹子，落花都成了燕子筑巢的泥。光阴似箭，华年易逝，此时听到林梢传来杜鹃的"不如归去"的啼鸣却归不得家，当然不忍听了。此词上下片的前两句都选取暮春景物来烘染，第三句借景抒情，所表达的思乡之情强烈而感人。

114

苏幕遮

周邦彦

燎沉香，消溽暑。鸟雀呼晴，侵晓窥檐语。叶上初阳干宿雨，水面清圆，一一风荷举。故乡遥，何日去？家住吴门，久作长安旅。五月渔郎相忆否？小楫轻舟，梦入芙蓉浦。

【注释】 ①燎：燃烧。 沉香：一种香料。 溽暑：夏天潮湿而闷热的天气。 侵晓：破晓，天刚亮。 ②吴门：苏州别称，此指作者故乡钱塘（原属三吴之地）。长安：今西安市，借指北宋京城开封。芙蓉浦：荷花塘。

【解说】 作者出生在江南，旅居京城多年，词写夏日思乡。焚香消暑，鸟雀在清晨窥见天晴而不住地鸣叫。池中荷叶上的宿雨，在初阳的照射下很快就干了，水面上青翠肥圆的荷叶，在微风中婷婷袅袅，景致十分优美。看到眼前的景象，使人想起了江南的老家。故乡那么遥远，什么时候能回去看看呢？我家住钱塘，久在京城客居。五月新荷出水，荡桨在荷花塘里的渔人还记得我吗？我的梦魂可常常飞归故乡的荷花塘呢！词写风荷十分传神；写乡情，深切而自然。

115

诉衷情

周邦彦

出林杏子落金盘，齿软怕尝酸。可惜半残青紫，犹印小唇丹。 南陌上，落花闲，雨斑斑。不言不语，一段伤春，都在眉间。

【注释】 ①伤春：因春天的景物而引起的伤感。

【解说】 词写少女因尝青杏而引发的一种感伤。暮春时刻，一位少女从金色的盘子里拈了一枚青紫的杏儿，只咬了半口，就觉得齿软口酸，蹙起了眉头，杏儿上面还留有口唇胭脂的红印。林间小径上，落花经雨后，狼籍满地。她心有感触，不言不语，一种伤春的惆怅浮现在眉头。词人将少女尝酸杏的偶然情事与伤春的酸楚之情相勾连，构思巧妙。

116

玉楼春 yù lóu chūn

周邦彦 zhōu bāng yàn

桃溪不作从容住，秋藕绝来无续处。
táo xī bù zuò cóng róng zhù qiū ǒu jué lái wú xù chù

当时相候赤栏桥，今日独寻黄叶路。
dāng shí xiāng hòu chì lán qiáo jīn rì dú xún huáng yè lù

烟中列岫青无数，雁背夕阳红欲暮。
yān zhōng liè xiù qīng wú shù yàn bèi xī yáng hóng yù

人如风后入江云，情似雨馀粘地絮。
mù rén rú fēng hòu rù jiāng yún qíng sì yǔ yú zhān dì xù

【注释】 ①桃溪：相传东汉刘晨、阮肇在天台山桃溪遇两仙女，此指所思恋女子居住的地方。 绝：断。 赤栏桥：有红色栏杆的桥。 ②列岫：排列的山峰。

【解说】 词写作者与情人轻别后，重游旧地，不胜惆怅之情。既与仙女般的佳人相恋，却不能从容地长久留住，如今一别断绝了联系，就像秋藕折断丝后虽连而体难续。当年相约在红桥上，今日独自一人在黄叶落满的路上徘徊，寻找当年的旧迹，孤独悲凉。面对着暮霭缭绕的无数青山，望着在夕阳余晖中远去的大雁，不禁思念起别后的情人。她就如随风飘散并没入江中的云彩般消失了，而我思恋她的感情却如雨后粘在地上的柳絮那样牢固胶着。最后二句，即景作比喻，自然天成，突出地表现作者执着的思恋感情，为人称道。

117

guān hé lìng
关 河 令

zhōu bāng yàn
周邦彦

qiū yīn shí qíng jiàn xiàng
秋 阴 时 晴 渐 向

míng biàn yī tíng qī lěng zhù
暝，变 一 庭 凄 冷。伫

tīng hán shēng yún shēn wú yàn
听 寒 声，云 深 无 雁

yǐng   gēng shēn rén qù jì
影。   更 深 人 去 寂

jìng dàn zhào bì gū dēng xiāng
静，但 照 壁 孤 灯 相

yìng jiǔ yǐ dōu xǐng rú hé xiāo
映。酒 已 都 醒，如 何 消

yè yǒng
夜 永！

【注释】　①暝：暮。　寒声：秋声。　无雁影：暗喻没有消息。　②消：消磨，挨过。　夜永：永夜，长夜。
【解说】　词写旅途中孤独的情景。阴雨连绵，偶尔放晴，但暮色渐渐降临，使整个庭院变得清冷。默立客舍庭院中听秋声——旅雁的哀鸣，勾起了归思，想念亲朋，但是雁影被云层遮隔——毫无音讯。夜更深了，酒阑人散，只有一盏孤灯摇曳的微光把自己的影子投射在粉壁上。只愿人酣醉，偏偏酒已全醒，旅思乡愁一齐袭来，再也睡不着，夜长难挨的孤苦情味跃然纸上。

^{pú sà mán}
菩萨蛮

méi xuě
梅 雪

zhōu bāng yàn
周邦彦

yín hé wǎn zhuǎn sān qiān qū
银河宛转三千曲，
yù fú fēi lù chéng bō lù　hé chù
浴凫飞鹭澄波绿。何处
shì guī zhōu　xī yáng jiāng shàng
是归舟？夕阳江上
lóu　　　tiān zēng méi làng fā gù
楼。　天憎梅浪发，故
xià fēng zhī xuě　shēn yuàn juǎn lián
下封枝雪。深院卷帘
kàn　yīng lián jiāng shàng hán
看，应怜江上寒。

【注释】 ①银河:借指人间的江河。　凫:野鸭。　②浪发:滥开。　封枝:盖满枝头。

【解说】 词写思妇想念远行丈夫的深情厚意。上片写登临观赏早春景色的感受。澄澈的绿波上野鸭在戏水,白鹭在飞翔,好不自由自在。当年丈夫乘船从这里离去,如今却不见船儿归来,夕阳西沉,唯见孤独的女子还在妆楼痴望。下片写思妇对丈夫的体贴关心,却以痴想来表现。老天大概讨厌梅花开得太滥了吧,所以特意下了一场春雪来封住枝桠惩罚它。雪大了,思妇卷起窗帘久久注视着江面,正在为天寒飘泊在外的丈夫担忧,心中充满怜惜的深情。思妇恨梅花,无理有情,情痴而妙。

<ruby>眼<rt>yǎn</rt></ruby> <ruby>儿<rt>ér</rt></ruby> <ruby>媚<rt>mèi</rt></ruby>

<ruby>阮<rt>ruǎn</rt></ruby> <ruby>阅<rt>yuè</rt></ruby>

<ruby>楼<rt>lóu</rt></ruby> <ruby>上<rt>shàng</rt></ruby> <ruby>黄<rt>huáng</rt></ruby> <ruby>昏<rt>hūn</rt></ruby> <ruby>杏<rt>xìng</rt></ruby> <ruby>花<rt>huā</rt></ruby> <ruby>寒<rt>hán</rt></ruby>，<ruby>斜<rt>xié</rt></ruby> <ruby>月<rt>yuè</rt></ruby> <ruby>小<rt>xiǎo</rt></ruby> <ruby>栏<rt>lán</rt></ruby> <ruby>杆<rt>gān</rt></ruby>。<ruby>一<rt>yī</rt></ruby> <ruby>双<rt>shuāng</rt></ruby> <ruby>燕<rt>yàn</rt></ruby> <ruby>子<rt>zǐ</rt></ruby>，<ruby>两<rt>liǎng</rt></ruby> <ruby>行<rt>háng</rt></ruby> <ruby>征<rt>zhēng</rt></ruby> <ruby>雁<rt>yàn</rt></ruby>，<ruby>画<rt>huà</rt></ruby> <ruby>角<rt>jiǎo</rt></ruby> <ruby>声<rt>shēng</rt></ruby> <ruby>残<rt>cán</rt></ruby>。<ruby>绮<rt>qǐ</rt></ruby> <ruby>窗<rt>chuāng</rt></ruby> <ruby>人<rt>rén</rt></ruby> <ruby>在<rt>zài</rt></ruby> <ruby>东<rt>dōng</rt></ruby> <ruby>风<rt>fēng</rt></ruby> <ruby>里<rt>lǐ</rt></ruby>，<ruby>无<rt>wú</rt></ruby> <ruby>语<rt>yǔ</rt></ruby> <ruby>对<rt>duì</rt></ruby> <ruby>春<rt>chūn</rt></ruby> <ruby>闲<rt>xián</rt></ruby>。<ruby>也<rt>yě</rt></ruby> <ruby>应<rt>yīng</rt></ruby> <ruby>似<rt>sì</rt></ruby> <ruby>旧<rt>jiù</rt></ruby>，<ruby>盈<rt>yíng</rt></ruby> <ruby>盈<rt>yíng</rt></ruby> <ruby>秋<rt>qiū</rt></ruby> <ruby>水<rt>shuǐ</rt></ruby>，<ruby>淡<rt>dàn</rt></ruby> <ruby>淡<rt>dàn</rt></ruby> <ruby>春<rt>chūn</rt></ruby> <ruby>山<rt>shān</rt></ruby>。

【注释】 ①绮窗：雕饰华美的窗棂。 春闲：春天的闲愁。 盈盈：水清浅的样子。 秋水：这里比喻女子的眼睛。 春山：这里比喻女子的双眉。

【解说】 杏花开时，春寒料峭；黄昏时分，斜月映照小楼的栏杆。一双燕子归来，两行鸿雁北飞。主人公独上层楼，触景生情，耳边又传来断断续续的画角声，心情更是凄楚。下片悬想绮窗前佳人在春风中悄然无语，对着春景凝思。她应如往日一样：眼如秋水般清澈明亮，眉似春天远山般秀美。上片以景写情；下片以怀想对方的情景来表达自己的深情，写得有特色。

烛影摇红 (zhú yǐng yáo hóng)

毛滂 (máo páng)

一亩清阴，半天潇洒松窗午。床头秋色小屏山，碧帐垂烟缕。 枕畔风摇绿户，唤人醒、不教梦去。可怜恰到，瘦石寒泉，冷云幽处。

【注释】 ①潇洒：清丽。 碧帐：绿色帐子。 ②可怜：可惜。

【解说】 词题为"松窗午梦初觉"。上片写梦醒时所见。从窗口外望，松阴一亩之大，遮挡炎炎夏日，清凉半天，直到午梦醒来。床头的屏风上画着秋景，床上的碧纱帐子像是一缕缕绿烟，这些都透出一种清凉的氛围。下片写留连梦境。窗外风摇绿阴，把词人唤醒，朦胧中还记得梦境，不愿让梦离去。梦中来到了一个地方，那里有瘦石、寒泉、冷云，清幽极了。词人把松窗凉意带入梦境，又升华为幽静恬美、富于诗意的境界，使真境如梦，梦境似真，互相映照，形成一个似梦非梦、清凉可人的意境。

汉宫春
梅

晁冲之

潇洒江梅，向竹梢稀处，横两三枝。东君也不爱惜，雪压风欺。无情燕子，怕春寒、轻失花期。惟是有、南来归雁，年年长见开时。　　清浅小溪如练，问玉堂何似，茅舍疏篱？伤心故人去后，冷落新诗。微云淡月，对孤芳、分付他谁？空自倚、清香未减，风流不在人知。

【注释】　①东君：指春神。　②练：白绢。　玉堂何似：白玉堂前的梅花比不上。唐人咏梅诗有"白玉堂前一树梅"的诗句。　"伤心故人"句：指有"梅妻鹤子"之称的诗人林逋逝世后，梅就失去了知音。

【解说】　词写梅花所处冷落的环境和孤高的品性。江边的野梅，与修竹为伍，竹枝稀疏的地方，横斜出两三枝。春神也不爱惜梅花，对它雪压风欺。无情的燕子怕春寒，轻易地错过了花期，只有这南来的归雁，年年长见花开时，真是遗憾。上片写江梅凌寒孤洁。下片写江梅不怕冷落，保持高洁的品性。清浅小溪如练，仍以"疏影横斜"自成风景，虽处在茅舍疏篱旁，却胜似白玉堂前的梅花。自从"故人"林逋逝世后，就少有知音能

122

写咏梅新诗了。即使有薄云淡月照临，也不过是孤芳自赏，空自倚修竹。但是江梅清香未减，表示风流不在于人知还是不知，任何时候都保持高洁，而不在于人们怎么看待。甘于寂寞，这是对梅花品性的高度赞扬。词借梅品的清高孤独以写人品，构思新颖，笔力甚奇。

shuǐ diào gē tóu
水调歌头

yè mèng dé
叶梦得

qiū sè jiàn jiāng wǎn shuāng xìn bào
秋色渐将晚，霜信报

huáng huā xiǎo chuāng dī hù shēn yìng
黄花。小窗低户深映，

wēi lù rào qī xiá wéi wèn shān wēng
微路绕敧斜。为问山翁

hé shì zuò kàn liú nián qīng dù pàn què
何事，坐看流年轻度，拚却

bìn shuāng huá xǐ yǐ wàng cāng hǎi
鬓双华？徙倚望沧海，

tiān jìng shuǐ míng xiá   niàn píng
天净水明霞。   念平

xī kōng piāo dàng biàn tiān yá guī lái
昔，空飘荡，遍天涯。归来

sān jìng chóng sǎo sōng zhú běn wú jiā
三径重扫，松竹本吾家。

què hèn bēi fēng shí qǐ rǎn rǎn yún jiān
却恨悲风时起，冉冉云间

xīn yàn biān mǎ yuàn hú jiā shuí sì
新雁，边马怨胡笳。谁似

dōng shān lǎo tán xiào jìng hú shā
东山老，谈笑静胡沙！

【注释】①敧斜：倾斜。　山翁：作者自指。　拚却：不顾。　徙倚：徘徊留恋。　沧海：借指太湖。　②三径：泛指隐士家园。　胡笳：指敌军中的号角。　东山老：东晋谢安曾在东山隐居。"谈笑"句：谢安在前秦苻坚率百万大军到来时，一面部署军事，一面谈笑自若，终于以少胜多，前方传来了捷报。胡沙，指北方异族侵扰。

【解说】　时近晚秋，寒霜将临，黄菊盛开。小窗低户的陋室，深深地掩映在黄花丛中，屋外一条小径盘曲斜伸。"山翁"为何乐此闲居生活，坐看岁月轻易流逝，任凭两鬓日益花白？想到国事艰危，不免感伤。词人留连徜徉在湖畔遥望太湖，被霞光水色所陶醉。念往昔曾希望为国分忧，辗转各地，足迹遍天下，却一事无成，到晚年只能幽居自娱。秋风已起，北雁南飞，可恨敌人进犯边境的号角又吹响了，有谁能像谢安在笑谈中消灭敌人？

124

diǎn jiàng chún

点 绛 唇

shào xīng yǐ mǎo dēng jié dǐng xiǎo tíng

绍 兴 乙 卯 登 绝 顶 小 亭

yè mèng dé

叶 梦 得

piāo miǎo wēi tíng xiào tán dú zài qiān fēng shàng yǔ

缥 缈 危 亭，笑 谈 独 在 千 峰 上。与

shuí tóng shǎng wàn lǐ héng yān làng　　lǎo qù qíng huái

谁 同 赏，万 里 横 烟 浪。 老 去 情 怀，

yóu zuò tiān yá xiǎng kōng chóu chàng shào nián háo fàng mò

犹 作 天 涯 想。空 惆 怅。少 年 豪 放，莫

xué shuāi wēng yàng

学 衰 翁 样。

【注释】 ①缥缈：隐隐约约。 危：高、陡。 ②天涯想：指恢复中原万里河山的想望。 衰翁：年迈体衰的老头儿。

【解说】 这是作者退居吴兴时登临绝顶小亭的抒怀之作。绝顶亭建在吴兴弁山的南山之巅。因其亭高，故望之隐隐约约。词人登上危亭，与儿辈们笑谈在千峰之上。北望中原，烟雾迷茫，此时有谁与我同赏？无人能了解我此时的心情啊！我虽年老了，而壮心未泯，还有志恢复中原。又想到此身闲居弁山，复出无望，纵有豪情，也只能空惆怅。但愿儿辈少年豪放，莫学衰翁之样，不要空自惆怅，要有所作为。

点绛唇
diǎn jiàng chún

汪藻
wāng zǎo

新月娟娟，夜寒江静
xīn yuè juān juān，yè hán jiāng jìng

山衔斗。起来搔首，梅影
shān xián dǒu。qǐ lái sāo shǒu，méi yǐng

横窗瘦。好个霜
héng chuāng shòu。hǎo gè shuāng

天，闲却传杯手。君知否？
tiān，xián què chuán bēi shǒu。jūn zhī fǒu

乱鸦啼后，归兴浓于酒。
luàn yā tí hòu，guī xìng nóng yú jiǔ

【注释】 ①娟娟：明媚美好的样子。 斗：指北斗星座。

【解说】 此词表达作者对于官场倾轧的疾恨，以及向往归隐的心情。一钩新月高悬，皎洁明媚。寒冷的冬夜，江水沉静，夜深斗斜，与山顶相连。词人心事重重难以成眠，披衣起来搔首不安，忽然窗前的一枝梅花的影子映入眼帘。梅花凌寒独放，正是词人孤芳拔俗、傲岸不屈的写照。在这样美妙的夜晚，本该饮酒助兴，可是却没有饮酒的兴致，你知道这是怎么一回事呢？因为一群乌鸦聒噪，使他辞官归隐的念头压倒了酒兴。作者以"乱鸦啼"来斥责政敌的攻击；以景物的刻画委婉地道出心里的苦闷，写得含蓄。

126

rú mèng lìng
如 梦 令

cáo zǔ
曹组

mén wài lǜ yīn qiān qǐng
门 外 绿 阴 千 顷，

liǎng liǎng huáng lí xiāng yìng shuì
两 两 黄 鹂 相 应。睡

qǐ bù shèng qíng xíng dào bì wú
起 不 胜 情，行 到 碧 梧

jīn jǐng rén jìng rén jìng fēng dòng
金 井。人 静，人 静，风 动

yī tíng huā yǐng
一 庭 花 影。

【注释】 ①碧梧：梧桐。　金井：雕饰华丽的井栏。

【解说】 这是一首咏春词。全词的关目在"睡起"二字。睡起前写所闻所见，睡起后写所感所行。词人在睡梦中仿佛听见两两相应的黄鹂的鸣声，睁开睡眼望门外，只见绿阴千顷，幽静之极。睡起后寂寞之感令人承受不了，便走到梧桐绿阴下的井栏旁。这是往日家人们汲水的地方，而今只身独处，整个庭院只感到"人静"，"人静"，寂寞难耐。盼有人来，唯见风儿吹动满庭的花影。最后一句以景结情，含蓄有味。词以动衬静、以声衬静，又以环境的沉寂来反衬内心怀人的不平静。

bǔ suàn zǐ
卜 算 子

cáo zǔ
曹 组

sōng zhú cuì luó hán chí
松 竹 翠 萝 寒，迟

rì jiāng shān mù　yōu jìng wú
日 江 山 暮。幽 径 无

rén dú zì fāng　cǐ hèn píng shuí
人 独 自 芳，此 恨 凭 谁

sù　　　sì gòng méi huā yǔ
诉？ 似 共 梅 花 语，

shàng yǒu xún fāng lǚ　zhuó yì
尚 有 寻 芳 侣。着 意

wén shí bù kěn xiāng xiāng zài
闻 时 不 肯 香，香 在

wú xīn chù
无 心 处。

【注释】 ①翠萝：绿色地衣类植物，附着在松树等树皮上。 迟日：春日。 凭：靠。

【解说】 这是一首咏空谷幽兰的词。兰花幽处深谷，在春日空山的暮霭中，与松竹翠萝为伴。但在这幽径上只能孤芳自赏，心中的幽恨能跟谁诉说？幽兰知音难觅，似乎只有梅花才值得共语了。不过还是希望有寻芳求贤的志同道合的人能赏识。但是兰花的幽香可以被人不经意地领略，却不可有意强求，这是幽兰的品格。词反映了坎坷不遇的词人渴望得到赏识而又要不失自己身份的心情，这也是词人托花明志的自我写照。

品令 (pǐn lìng)

曹组 (cáo zǔ)

乍寂寞。帘栊静，夜久寒生罗幕。窗儿外有个梧桐树，早一叶两叶落。 独倚屏山欲寐，月转惊飞乌鹊。促织儿声响虽不大，敢教贤睡不着。

【注释】 ①乍:正。 帘栊:窗帘。 罗幕:丝织品做的帐幕。 ②屏山:屏风。 促织:蟋蟀。 敢:会,可。贤:第二人称的敬语,相当于"您"。

【解说】 词写独处难眠的感受。"乍寂寞",这是全词的基调。一人独居,正感到寂寞,窗帘静垂,夜深寒气袭人;窗外有一棵梧桐树,早就听到落下一叶两叶的声音。梧桐落叶之声触动了不眠之人岁月不居的感慨。独自辇在屏风上,正欲睡,又被月移乌惊之声拂去睡意。窗外墙根的蟋蟀鸣叫,声音虽不大,更使您睡不着。叶落、鹊惊、虫鸣,都是在静夜中的听闻,也只有孤寂不眠之人才能敏感地觉察得到。

诉衷情

sù zhōng qíng

万俟咏
mò qí yǒng

一鞭清晓喜还家,宿醉困流霞。夜来小雨新霁,双燕舞风斜。山不尽,水无涯,望中赊。送春滋味,念远情怀,分付杨花。

【注释】 ①流霞:指美酒。 新霁:雨刚放晴。 ②赊:这里是空阔的意思。 分付:委托。

【解说】 这是一支还乡曲。清脆的一声鞭响,打破了拂晓的沉寂,喜滋滋地起程回家去。昨晚因为就要还家,把盏痛饮,一夜沉醉,所以今朝登程,马上还带微醺。夜雨晓晴,天朗气清,更有双燕在晨风中翻飞,似乎在为词人起舞助兴。回望归程,山数不尽,水无际涯,望去竟那样浩渺无边,但其间又有多少跋涉的艰难!所幸的是这一切都已过去,年年在客地送春的感伤,思亲怀远的凄苦情怀,还是统统交托给总是报告暮春消息的杨花吧,我回家去了。全词围绕"喜"字落笔,轻松诙谐,别有情韵。

cháng xiāng sī
长 相 思
yǔ
雨

mò qí yǒng
万 俟 咏

yī shēng shēng yī gēng gēng
一 声 声，一 更 更。

chuāng wài bā jiāo chuāng lǐ dēng
窗 外 芭 蕉 窗 里 灯，

cǐ shí wú xiàn qíng　　mèng nán
此 时 无 限 情。　 梦 难

chéng hèn nán píng bù dào chóu rén
成，恨 难 平。不 道 愁 人

bù xǐ tīng kōng jiē dī dào míng
不 喜 听，空 阶 滴 到 明。

【注释】　①更：夜里记时单位，一夜分为五更，每更约两小时。

【解说】　这首词虽然没有一个"雨"字，但全是夜雨之声，词人借听雨来写不眠之愁。一声声稠密的雨声，一更接一更下个不停。窗里的人点着灯、睡不着，只听得窗外雨打在芭蕉上的噼哩啪啦的响声，百感交集，无法平静，好梦难成，怨恨不已。雨是不管愁人喜欢听还是不喜欢听，只是不停地下，窗前的台阶上檐水滴到天亮，可见愁人一夜没有合眼。人已为情所困扰，偏又逢夜雨声声，这滋味和感受自然不好受，更何况雨整整下了一个晚上，可见他精神上的煎熬是何等的难受。

131

长相思
山驿
万俟咏

短长亭，古今情。
楼外凉蟾一晕生，雨
馀秋更清。 暮云平，
暮山横。几叶秋声和
雁声，行人不要听。

【注释】 ①短长亭：十里一长亭，五里一短亭，古时设在路旁的亭舍，常作饯别之所。 凉蟾：月。传说月中有蟾蜍。 雨馀：雨后。 ②和：应和。

【解说】 这是一首写山中驿亭所见所感的小令。长亭，短亭，送别，停宿，古今行人经此都有一种离愁别绪。楼外新月生晕，秋风瑟瑟；秋雨之后，暮云横空，远山平卧，四周显得空阔寂寥，景象凄清。远行人停宿在这里已感孤苦，又加上秋叶瑟瑟应和着北雁南飞的哀鸣，更引发行人思归情急。"不要听"，是不忍听，但又不得不听，行人内心的负荷可以想见了。全词以山驿周围典型的秋天景物构成一种凄清的意境，来映现行人寂寞思归的心境。

132

谒金门 (yè jīn mén)

陈克 (chén kè)

愁脉脉，目断江南江北。烟树重重芳信隔，小楼山几尺。

细草孤云斜日，一向弄晴天色。帘外落花飞不得，东风无气力。

【注释】 ①脉脉：含情相视的样子。 ②一向：霎时，片刻。向，通作"晌"。 弄晴：欲晴而又不定。

【解说】 词中的主人公愁中登楼，本想凭高眺望，不料眼前只有"几尺"的山峰已经遮断视线，何况远处又是烟树重重呢！无法望尽江南江北，也得不到意中人的信息，胸中的愁绪越来越浓。再看眼前风物，细草无际，孤云浮空，斜日依山，又遇上雨后片刻转晴的天气，东风已有气没力，连落花都吹飞不起了。春光将尽，更使人增添了流年虚度的感触。全词除首句外，作者的情绪全凭景物传达出来。"目断江南江北"，"东风无气力"，又似寄寓着山河破碎、恢复无力的感喟。

133

pú sà mán
菩萨蛮

chén kè
陈 克

chì lán qiáo jìn xiāng jiē zhí lóng jiē xì liǔ jiāo wú lì
赤栏桥尽香街直,笼街细柳娇无力。

jīn bì shàng qīng kōng huā qíng lián yǐng hóng huáng
金碧上青空,花晴帘影红。 黄

shān fēi bái mǎ rì rì qīng lóu xià zuì yǎn bù féng rén wǔ
衫飞白马,日日青楼下。醉眼不逢人,午

xiāng chuī àn chén
香吹暗尘。

【注释】①赤栏桥:朱红栏杆的桥梁。 香街:街两旁花儿飘香。 金碧:指楼房建筑华丽,光彩夺目。
②黄衫:指衣饰华丽的少年公子。 青楼:妓院。

【解说】 词写富贵少年骄奢淫逸的生活。朱红栏杆横跨水面,桥的尽头是一条直街,街的两旁飘着花香。嫩柳繁茂,柔条轻飏。华丽的高楼光彩夺目,耸立青空,阳光照着窗帘里映出的红红花影。上片由远而近描写都市的豪华。下片写贵族少年穿着华贵的服装,飞骑着白马,日日去寻花问柳。他们醉眼蒙眬地骑在马上横冲直撞,旁若无人。马蹄过后,扬起了带着花香的尘土。全词以华丽的词藻,表现公子哥儿骄奢淫逸的生活,并反衬其精神的空虚。

临江仙
lín jiāng xiān

朱敦儒
zhū dūn rú

直自凤凰城破后，
zhí zì fèng huáng chéng pò hòu

擘钗破镜分飞。天涯海角
bò chāi pò jìng fēn fēi   tiān yá hǎi jiǎo

信音稀。梦回辽海北，魂
xìn yīn xī   mèng huí liáo hǎi běi   hún

断玉关西。　　月解重
duàn yù guān xī   yuè jiě chóng

圆星解聚，如何不见人
yuán xīng jiě jù　rú hé bù jiàn rén

归？今春还听杜鹃啼。年
guī　jīn chūn hái tīng dù juān tí   nián

年看塞雁，一十四番回。
nián kàn sài yàn　yī shí sì fān huí

【注释】 ①凤凰城：汉唐对长安的美称，这里借指北宋都城汴京。　擘钗破镜：借指夫妻离散。擘，分开。
分飞：劳燕分飞。比喻夫妻分离。　辽海：泛指辽河流域以东地区。　玉关：玉门关。

【解说】 自从金兵攻破都城汴京，夫妻离散，妻子避兵到天涯海角，至今音信全无。常常梦魂追寻到边关，真担心你被掳掠到敌营为奴。残月知道团圆，牛郎织女星懂得团聚，为何亲人不见归来？今春还在听杜鹃鸟"不如归去"的悲啼。年年春分看鸿雁按时北归，至今已有十四回了，雁回而人不归这种悲剧还要多久呢？上片写分离的原因和思念之苦，下片写对重逢的向往。词把盼归之情与爱国之情融合在一起，以小见大，写出国破家亡的时代悲哀。

135

鹧鸪天
西都作

朱敦儒

我是清都山水郎，天教分付与疏狂。曾批给雨支风券，累上留云借月章。　诗万首，酒千觞，几曾着眼看侯王？玉楼金阙慵归去，且插梅花醉洛阳。

【注释】　①清都：传说中天帝的宫阙。　累：多次。　章：奏章。　②觞：酒器。　玉楼金阙：神仙、天帝所居。　慵：懒。

【解说】　词表现作者放任不羁的性格和生活态度。上片作者自称是天帝宫中主管名山大川的侍从官，天帝赋予自己狂放不羁的个性，曾批过支配风雨的手令，还多次呈上留云借月的奏章，要求徜徉山水之间，享用自然界的一切美景。下片着重表现作者的生活态度。诗万首，酒千觞，诗境醉乡是自己所向往的，天国的玉楼金阙都懒得去，又怎能拿正眼去看那尘世间的王侯权贵？且让我头插梅花狂醉洛阳城吧！梅花是"淡然独傲霜雪"之花，所以作者以插梅花来表现自己品性的高洁，不愿与世俗社会同流合污。

136

好事近
hǎo shì jìn

渔父词
yú fù cí

朱敦儒
zhū dūn rú

摇首出红尘，醒醉
yáo shǒu chū hóng chén xǐng zuì

更无时节。活计绿蓑青笠，
gèng wú shí jié huó jì lù suō qīng lì

惯披霜冲雪。　　晚
guàn pī shuāng chōng xuě　　wǎn

来风定钓丝闲，上下是
lái fēng dìng diào sī xián shàng xià shì

新月。千里水天一色，看孤
xīn yuè qiān lǐ shuǐ tiān yī sè kàn gū

鸿明灭。
hóng míng miè

【注释】　①红尘：尘世，这里指官场。　②风定：风住。　闲：静。

【解说】　这是写词人离开朝廷退居江南过着渔父生活的小令。上片写自己的志趣和生活概貌。摇头离开官场，作了个烟波钓徒，酒醉酒醒不再受时间的束缚。渔人的活计，春天披绿蓑，戴青笠，固然欣悦，寒冬披霜冲雪，独钓寒江，也很习惯，一年四季都感到恬淡自适。下片进一步写渔钓的诗意。晚上风停钓丝不动，水平如镜，一弯新月倒映水中，千里水天一色，空阔澄明，只见一只鸿雁在水天之间忽隐忽现地自由飞翔。这风平浪静的江景，当是词人"澄怀"的反映；那缥渺的孤鸿，也不妨视作词人自由出没江湖的自我写照。

bǔ suàn zǐ
卜 算 子

zhū dūn rú
朱敦儒

lǚ yàn xiàng nán fēi　fēng yǔ qún xiāng
旅 雁 向 南 飞，风 雨 群 相

shī　jī kě xīn qín liǎng chì chuí dú xià hán
失。饥 渴 辛 勤 两 翅 垂，独 下 寒

tīng lì　　　ōu lù kǔ nán qīn zēng zhuó
汀 立。　鸥 鹭 苦 难 亲，矰 缴

yōu xiāng bī　yún hǎi máng máng wú chù guī
忧 相 逼。云 海 茫 茫 无 处 归，

shuí tīng āi míng jí
谁 听 哀 鸣 急！

【注释】　①旅雁：指冬天由北向南迁徙的鸿雁，这里比喻金兵进逼洛阳时，人们纷纷南逃。　汀：水边平地。
②矰：射鸟的短箭。　缴：系在短箭上的丝绳。

【解说】　靖康元年（1126年）十一月，金兵进逼洛阳，作者不得不离开家乡加入逃难的队伍南下。词以南飞
失群的孤雁来比喻靖康之变中人民流离失所的景况。失群孤雁饥渴辛苦，两翅因无力而下垂，独宿寒汀，孤
立无依。同宿在沙洲上的鸟类，鸿雁与鸥鹭苦于难以亲近，因为时时提心吊胆，怕有人拿弓箭射杀。云海茫
茫，无处可安身，孤雁发出不断的哀鸣，有谁能怜顾？词处处写雁，但又处处写自己的处境和心绪，词中所反
映的内容具有较浓的时代色彩。

xiāng jiàn huān
相 见 欢

zhū dūn rú
朱 敦 儒

jīn líng chéng shàng xī lóu
金 陵 城 上 西 楼,
yǐ qīng qiū　wàn lǐ xī yáng chuí
倚 清 秋。万 里 夕 阳 垂
dì dà jiāng liú　　zhōng yuán
地,大 江 流。　中 原
luàn zān yīng sǎn　jǐ shí shōu shì
乱,簪 缨 散,几 时 收?试
qiàn bēi fēng chuī lèi guò yáng zhōu
倩 悲 风 吹 泪,过 扬 州。

【注释】 ①金陵:今江苏南京。宋室南渡后,这里成为宋金隔江对峙的前沿。　②中原:指黄河流域一带。
簪缨散:贵族显要纷纷逃散。簪缨,达官贵人的帽饰,代指北宋旧臣。　倩:托请。　悲风:凄厉的风。
【解说】 在一个清秋的傍晚,词人登上金陵城西的高楼,纵目远眺,只见夕阳万里,余晖垂地,滚滚大江在
暮色中默默流淌。面对如此壮阔、深远的景色,不禁思如潮涌,悲从中来。他想到被金兵铁蹄践踏的中原,想
到溃散纷逃的北宋旧臣,更想到了大宋江山就此分崩离析、收复无期……对此,词人只能请求凄厉的秋风
把他的满眶热泪,吹过扬州,洒向那片备受异族蹂躏的故土。全词景象阔大,寄慨深远,表达了词人强烈的
爱国思想和亡国之痛。

踏莎行

周紫芝

情似游丝，人如飞絮。泪珠阁定空相觑。一溪烟柳万丝垂，无因系得兰舟住。

雁过斜阳，草迷烟渚。如今已是愁无数。明朝且做莫思量，如何过得今宵去？

【注释】 ①游丝：蜘蛛等吐出的飘在空中的长丝。 阁：通"搁"，放置，此指停留。 无因：无由，没办法。兰舟：船的美称。 ②渚：水中小块陆地。

【解说】 词抒写别情。上片写离别时。飘荡在空中的游丝纤细绵长，如别情缠绵。人如飞絮，随风飘散，相见无期。离别在即，心情沉重，连一句话也说不出，唯有泪眼相看。两岸垂柳拖着千万条碧丝，却无法系住一叶小舟。送行的人凄楚无奈，依依难舍。下片写分别后。斜阳中一群大雁匆匆飞过，薄雾笼罩的小洲上绿草凄迷。面对如此苍凉的暮色，心中更感无限悲愁。如今已是愁情无数，明天又该如何自然更不敢去想，就是今晚，漫漫长夜怎样才能挨过呢？凄怆的别情表现得哀婉悱恻，催人泪下。词中情与景的结合自然、紧密。

140

lín jiāng xiān
临 江 仙

zhōu zǐ zhī
周紫芝

jì dé wǔ líng xiāng jiàn
记得 武 陵 相 见
rì liù nián wǎng shì kān jīng
日，六 年 往 事 堪 惊。
huí tóu shuāng bìn yǐ xīng xīng
回头 双 鬓 已 星 星。
shuí zhī jiāng shàng jiǔ hái yǔ
谁 知 江 上 酒，还 与
gù rén qīng   tiě mǎ hóng qí
故人 倾。   铁 马 红 旗
hán rì mù shǐ jūn yóu jì biān
寒 日 暮，使 君 犹 寄 边
chéng zhǐ chóu fēi zhào xià qīng
城。只 愁 飞 诏 下 青
míng bù yīng shuāng sài wǎn
冥。不 应 霜 塞 晚，
héng shuò kàn shī chéng
横 槊 看 诗 成。

【注释】 ①武陵：今湖南常德。 星星：形容毛发花白。 ②使君：称州郡长官。 青冥：青色的天空。这里指边塞。 不应：不顾。 横槊：曹操往往横槊赋诗。后引以赞扬人的文才武略。槊，长矛。
【解说】 词题为"送光州曾使君"。南宋时光州是接近金国的边防重镇，作者送别友人去赴任。记得六年前在武陵相聚，分别以来往事不堪回首。如今我们两鬓都已花白了，谁知又要匆匆作别，江头别宴上的酒，还要给老朋友倾倒。寒日的傍晚，秋风萧瑟的边塞上，铁骑奔驰，红旗飘扬，士气高昂，你是那里的长官，只担心皇帝下诏书命令你回京，因为你不顾边塞艰难日久，正有杀敌、赋诗的豪情。这首送别词的真正用意在于勉励友人在边塞上施展文武才干、为国立功。

好事近

夕景

廖世美

落日水熔金，天淡暮烟凝碧。楼上谁家红袖？靠栏干无力。　　鸳鸯相对浴红衣，短棹弄长笛。惊起一双飞去，听波声拍拍。

【注释】 ①熔：销熔，指金属熔化。　②短棹：代指小船。　拍拍：象声词，形容拍击声。

【解说】 本篇题为《夕景》，实写闺情。夕阳映水，金光流溢，就像黄金熔化了似的。天色渐渐暗淡下来，林间的暮霭显得分外凝重。女主人公身着红裳，正有气无力地倚着栏杆。那慵懒的情态已透出心境的烦乱。她看着鸳鸯对浴，鸳鸯被舟人所吹的笛声惊动，双双飞起；听着翅膀击水，发出"啪啪"的响声。这景象含蓄地透露出女子"靠栏干无力"的根本原因。显然，她是在思念远别的情人或丈夫。鸳鸯双双，从不分离，而人却要不断受到离愁别苦的煎熬，怎不令人神伤？下片虽未着一字写人，而女主人公内心的活动和感受全由景象来传示。

点绛唇
diǎn jiàng chún

李清照

蹴罢秋千，起来慵整
cù bà qiū qiān qǐ lái yōng zhěng

纤纤手。露浓花瘦，薄汗
xiān xiān shǒu lù nóng huā shòu bó hàn

轻衣透。 见客入来，袜
qīng yī tòu jiàn kè rù lái wà

划金钗溜。和羞走。倚门回
chǎn jīn chāi liū hé xiū zǒu yǐ mén huí

首，却把青梅嗅。
shǒu què bǎ qīng méi xiù

【注释】 ①蹴：踢、踩。这里指荡秋千的动作。 纤纤手：形容女子细嫩柔美的手。 花瘦：这里形容娇小的花苞未绽放时的情状。 轻衣：指薄罗裳。 ②袜划：即划袜，只着袜而行。

【解说】 词写少女的一个生活情景。少女尽情地玩罢秋千感到浑身无力，这双纤纤小手都懒得动一下，穿着薄罗裳也微微出汗，此时苗条的身材，慵懒的情态就像沾露含苞待放的花枝。荡完秋千正要歇息，花园里突然闯进一个陌生人，慌张中急忙回避，头发松散，金钗坠地，来不及穿鞋，含羞光着袜子跑了，却倚门回头偷偷地看几眼，再以嗅青梅来掩饰自己。上片写出少女形态之美，下片把少女惊诧、恐慌、含羞、好奇的内心活动栩栩如生地刻画出来。

143

rú mèng lìng
如 梦 令

lǐ qīng zhào
李清照

cháng jì xī tíng rì mù
常 记 溪 亭 日 暮,
chén zuì bù zhī guī lù   xìng jìn
沉 醉 不 知 归 路。兴 尽
wǎn huí zhōu wù rù ǒu huā shēn
晚 回 舟,误 入 藕 花 深
chù   zhēng dù zhēng dù jīng qǐ
处。争 渡, 争 渡, 惊 起
yī tān ōu lù
一 滩 鸥 鹭。

【注释】 ①藕花:荷花。

【解说】 这首小令写词人青年时代悠闲、风雅生活的一个片断,饶有情趣。红日西沉,晚霞映照着溪亭,女词人一时兴起,开怀畅饮,不觉沉醉。在乘舟回家时,竟一时迷失方向,误入到荷花深处。急于把小船撑出,争渡,争渡,使栖息在河滩上的鸥鹭纷纷惊起飞去。绿水、红荷、白鹭,画面的色彩明丽;幽深静谧的荷花丛中,突然闯入小舟,惊飞水鸟,又化静为动,使画面很有生气。

rú mèng lìng
如 梦 令

lǐ qīng zhào
李清照

zuó yè yǔ shū fēng zhòu
昨夜雨疏风骤，

nóng shuì bù xiāo cán jiǔ shì
浓睡不消残酒。试

wèn juǎn lián rén què dào hǎi
问卷帘人，却道海

táng yī jiù zhī fǒu zhī fǒu yīng
棠依旧。知否？知否？应

shì lǜ féi hóng shòu
是绿肥红瘦！

【注释】　①疏：粗，大。　浓睡：指酒后酣睡。　卷帘人：指正在卷帘的侍女。　绿肥红瘦：指肥硕的绿叶和凋残的红花。

【解说】　这是一首为当时文人所称赏的惜春小令。词人原来希望以沉醉、浓睡来排遣自己伤春的情怀，然而酣睡醒来，酒意还未全消，天已亮了。昨夜一场狂风骤雨，不知花事如何，试问正在卷帘的侍女，侍女却漫不经心地答道："海棠依旧。"词人听了凭着自己的经验便道："知道吗？知道吗？一定是绿叶肥大，红花稀少！"纯用口语表现了词人惋惜而不满的心情。主仆的对话，鲜明地表现了不同的个性和心情。"绿肥红瘦"用语新鲜，既鲜明、形象地表现出暮春海棠的特点，又透露出作者感伤怜惜的情怀。

145

渔家傲

李清照 (lǐ qīng zhào)

天接云涛连晓雾,星河欲
转千帆舞。仿佛梦魂归帝
所。闻天语,殷勤问我归何处?

我报路长嗟日暮,学诗
谩有惊人句。九万里风鹏
正举。风休住,蓬舟吹取三
山去!

【注释】 ①星河:银河。 帝所:天帝的住所。 殷勤:情意恳切深厚。 ②谩:空有。 举:此指高飞。 蓬舟:形容小舟轻如蓬草。 三山:传说海中的三座仙山,即蓬莱、方丈、瀛洲。

【解说】 作者通过舟行大海的奇幻梦境来抒发自己的志向。晓雾弥漫,怒涛接天,与银河相连。千帆逐浪颠簸,我乘船沿银河而上。我的梦魂仿佛回到天宫,听到了天帝在说话,他殷勤关切地询问我到底要回到何处。我回答说,在这漫漫的人生路上追求探索,可是日暮路长,空有过人的才华,写出惊人的诗句。我要像背负青天、搏击长空的大鹏一样乘风高飞。飓风呀,不要停止,把我的轻如蓬草的小船吹到仙境里去吧!全词既表现了作者在现实生活中不能实现理想的郁闷情怀,更表现出她壮思、奇志和精神追求。

jiǎn zì mù lán huā

减字木兰花

李清照
lǐ qīng zhào

mài huā dàn shàng mǎi dé
卖花担上，买得

yī zhī chūn yù fàng lèi rǎn qīng
一枝春欲放。泪染轻

yún yóu dài tóng xiá xiǎo lù
匀，犹带彤霞晓露

hén pà láng cāi dào nú
痕。 怕郎猜道，奴

miàn bù rú huā miàn hǎo yún
面不如花面好。云

bìn xié zān tú yào jiào láng bǐ
鬓斜簪，徒要教郎比

bìng kàn
并看。

【注释】 ①一枝春：指一枝鲜花。 ②郎：指丈夫。 奴：妇女卑称自己。 徒要：只是要。 比并看：放在一起比较。

【解说】 词写少女新婚生活的一个侧面。上片写买花、赏花。从卖花人的花担上买得一枝含苞欲放的鲜花，花儿如披着红霞那样鲜艳，花上还带着朝露，如泪光点点的少女，楚楚动人。下片写戴花、比花，侧重刻画新娘的心理。她担心丈夫说她的面容不如花儿漂亮，特意把花儿斜插在鬓发上，只是要夫君比比看，到底花美，还是她更美。词写得生动活泼，富有浓郁的生活情趣。

147

yī jiǎn méi
一剪梅

lǐ qīng zhào
李清照

hóng ǒu xiāng cán yù diàn
红藕香残玉簟

qiū qīng jiě luó cháng dú shàng
秋。轻解罗裳，独上

lán zhōu yún zhōng shuí jì jǐn
兰舟。云中谁寄锦

shū lái yàn zì huí shí yuè mǎn
书来？雁字回时，月满

xī lóu huā zì piāo líng
西楼。 花自飘零

shuǐ zì liú yī zhǒng xiāng sī
水自流。一种相思，

liǎng chù xián chóu cǐ qíng wú
两处闲愁。此情无

jì kě xiāo chú cái xià méi tóu
计可消除，才下眉头，

què shàng xīn tóu
却上心头。

【注释】①红藕：红荷花。 玉簟：竹席的美称。 罗裳：用质地轻柔的丝织品做成的衣裙。 兰舟：木兰舟，船的美称。 锦书：书信的美称。 雁字：雁群。雁群飞行时排成"一"字或"人"字。 ②却：反倒。

【解说】李清照新婚不久，丈夫因事出门在外，她将满腹的思念倾注在这首词中。初秋天气，荷花已经香消花残，竹席已觉冰凉；换了单薄的罗裳，独上兰舟。翘首巴望云中会飘下书信来，可是只见雁群列队而过，圆月把皎洁的月光洒满西楼，倍觉孤寂惆怅。落花随水飘流，怎能让美好的青春时光白白消逝？丈夫不在身边，彼此共同的思念，却分作两地的烦恼。这种愁情无法排遣，刚从紧蹙的眉头上消除，反倒又袭上心头。最后三句写愁情，历来为人所称道。

醉花阴

李清照

薄雾浓云愁永昼，瑞脑消金兽。佳节又重阳，玉枕纱厨，半夜凉初透。

东篱把酒黄昏后，有暗香盈袖。莫道不消魂，帘卷西风，人比黄花瘦。

【注释】　①永昼：漫长的白天。　瑞脑：香料。　金兽：兽形铜香炉。　重阳：重阳节，在农历九月初九。　玉枕：光洁如玉的瓷枕。　纱厨：蒙有薄纱的木制屏帐。　②东篱：指植有菊花的地方。　消魂：指不胜感伤。　黄花：菊花。

【解说】　节前一天，薄雾浓云，天气阴沉，使人愁闷难挨。独自对着香炉里瑞脑香的袅袅青烟，百无聊赖，觉得日子特别长。又到重阳佳节了，丈夫远在他乡，玉枕孤眠，纱厨独寝，半夜里更觉秋凉透心。重阳节那天，闷坐到黄昏，才强打精神，在东篱边摆酒赏菊，满袖幽香，可惜亲人不能同赏。不要说不感伤，当秋风掀起窗帘时，定会发现我这憔悴的人儿比秋菊还消瘦了。最后三句写作者的思恋之苦，历来为人所传诵。

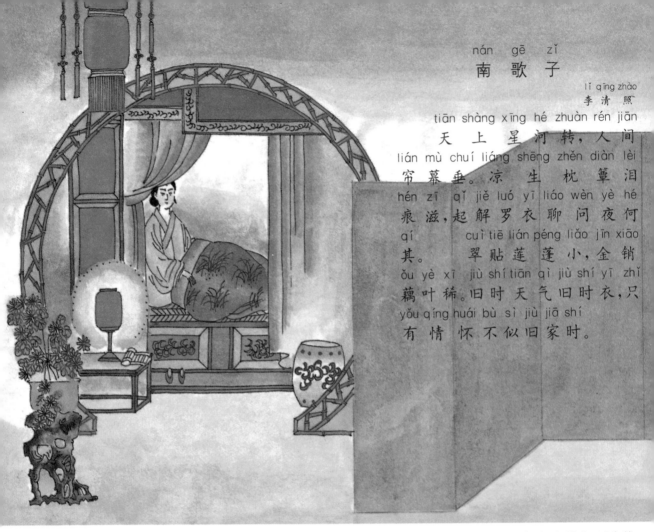

南歌子

李清照

天上星河转，人间帘幕垂。凉生枕簟泪痕滋，起解罗衣聊问夜何其。翠贴莲蓬小，金销藕叶稀。旧时天气旧时衣，只有情怀不似旧家时。

【注释】 ①簟：竹席。 何其：如何。其，语助词。 ②翠贴：即贴翠，以翠羽贴饰。 金销：即销金，以金线嵌绣。 旧家时：从前在家乡时。

【解说】 作者自丈夫病亡，流落江南，所作词都是愁苦之音，此词也属于这一类。天上的星河转动，时间流逝，人间的闺房帘幕垂挂。枕席生凉，秋夜孤寂凄苦，被泪水沾湿。起来解衣欲睡，心下估量，夜已深了。解衣时看到衣服上翠羽贴成的莲蓬图样和以金线嵌绣成的莲叶纹，不禁想起悠悠的往事。秋凉的天气如旧，金翠罗衣如旧，穿这罗衣的人也如旧，只是自己的情怀不似当年了。作者沉痛的叹息，令人心酸。

150

pú sà mán
菩萨蛮

lǐ qīng zhào
李清照

fēng róu rì bó chūn yóu zǎo   jiá shān
风柔日薄春犹早，夹衫

zhà zhuó xīn qíng hǎo   shuì qǐ jué wēi hán
乍着心情好。睡起觉微寒，

méi huā bìn shàng cán   gù xiāng hé shù
梅花鬓上残。　　故乡何处

shì wàng liǎo chú fēi zuì   chén shuǐ wò shí
是，忘了除非醉。沉水卧时

shāo xiāng xiāo jiǔ wèi xiāo
烧，香消酒未消。

【注释】　①日薄：太阳光柔弱。　春犹早：春刚到。　②沉水：沉香。

【解说】　词写对故乡的深沉怀念。上片回忆故乡早春的景况。春天刚到，虽然阳光还较柔弱，但风已变得柔和；刚脱去笨重的冬装，穿上轻便的夹衫，心情很愉快。毕竟是早春，睡起还感到微寒，梅花插在鬓发上已经残落。下片写思乡之情。此地春光虽好毕竟不是故乡，要忘却对故乡的思恋，除非喝醉酒后沉入睡乡。晚上点上沉香入睡，沉香燃尽了，醉还未醒。醉深说明愁重，愁重表明乡思强烈，也就是不忘被金国侵占的失地。词表达了对山河破碎有家难归的深切恨意。

151

【注释】 ①将息：调养，休息。 ②堪摘：能够采摘。 怎生：怎么。 次第：情形、光景。 了得：包含得了，概括得了。

【解说】 词写作者一整天愁苦的心情。她渴望寻觅已失去的美好生活，而四周一片冷冷清清，使其心境更陷入凄惨悲戚的深渊中。经受了多年来悲伤的折磨，体力日衰，又遇到忽暖忽寒的时候，最难适应了。天气使人难受，本想借酒浇愁，无奈酒淡不敌萧萧秋风给人引起的悲伤。北雁南飞，自己也是从北方沦陷区南逃而来的，这大雁原是旧时相识。睹物生乡思，新愁未消，旧恨又起。菊花满地堆积，而自己因忧伤而憔悴瘦

152

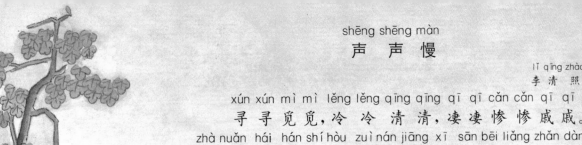

声声慢

shēng shēng màn

李清照
lǐ qīng zhào

寻寻觅觅，冷冷清清，凄凄惨惨戚戚。
xún xún mì mì lěng lěng qīng qīng qī qī cǎn cǎn qī qī

乍暖还寒时候，最难将息。三杯两盏淡
zhà nuǎn hái hán shí hòu zuì nán jiāng xī sān bēi liǎng zhǎn dàn

酒，怎敌他、晚来风急？雁过也，正伤心，却
jiǔ zěn dí tā wǎn lái fēng jí yàn guò yě zhèng shāng xīn què

是旧时相识。满地黄花堆积，憔悴
shì jiù shí xiāng shí mǎn dì huáng huā duī jī qiáo cuì

损，如今有谁堪摘？守着窗儿，独自怎
sǔn rú jīn yǒu shuí kān zhāi shǒu zhuó chuāng ér dú zì zěn

生得黑！梧桐更兼细雨，到黄昏、点点
shēng dé hēi wú tóng gèng jiān xì yǔ dào huáng hūn diǎn diǎn

滴滴。这次第，怎一个、愁字了得！
dī dī zhè cì dì zěn yī gè chóu zì liǎo dé

损，没有赏花的情趣，如今还有谁忍心摘花来赏它？对景伤情，久坐窗前，度日如年，不知怎样才能挨到天黑。到了黄昏，偏又下起小雨，那打在梧桐叶上的滴滴嗒嗒的雨声，更增添心头的寂寞。这种日子，这种情景，使人百感交集，怎么能以一个"愁"字包容得了的呢！全词满纸呜咽，愁情复叠，不胜其哀。词中多用叠词，更增加了哀婉缠绵的情韵。

武陵春

wǔ líng chūn

春晚

chūn wǎn

李清照

lǐ qīng zhào

风住尘香花已尽，
fēng zhù chén xiāng huā yǐ jìn

日晚倦梳头。物是人非事事
rì wǎn juàn shū tóu wù shì rén fēi shì shì

休。欲语泪先流。　　闻说
xiū yù yǔ lèi xiān liú wén shuō

双溪春尚好，也拟泛
shuāng xī chūn shàng hǎo yě nǐ fàn

轻舟。只恐双溪舴艋
qīng zhōu zhǐ kǒng shuāng xī zé měng

舟，载不动，许多愁。
zhōu zài bù dòng xǔ duō chóu

【注释】　①尘香：尘土里散发出落花的香气。　②双溪：在今浙江金华市东南。　舴艋舟：形似蚱蜢的小船。

【解说】　这首词是作者晚年避难金华时所作。暮春之时，风停而落花成泥，花已凋尽。词人触景生情，无限伤感，直到天色晚了还懒得梳头。尽管春去花落年年如此，而今却人事皆非，国破家亡，异乡漂泊，其中的况味使她千头万绪无从说起，因为还未等开口，已经泪如泉涌了。听说双溪春色还未凋残，也打算泛舟去游赏散心，可是只怕双溪的小船载不动许多愁。满腹的忧愁不仅使作者无心梳妆打扮，也无意于山水之游。这里把愁看成有重量的东西，化无形为有形，富于形象性，耐人寻味。

cǎi sāng zǐ
采 桑 子

lǚ běn zhōng
吕 本 中

hèn jūn bù sì jiāng lóu yuè nán
恨 君 不 似 江 楼 月，南

běi dōng xī　nán běi dōng xī　zhǐ yǒu
北 东 西。南 北 东 西，只 有

xiāng suí wú bié lí　　hèn jūn què
相 随 无 别 离。　恨 君 却

sì jiāng lóu yuè　zàn mǎn hái kuī　zàn
似 江 楼 月，暂 满 还 亏。暂

mǎn hái kuī dài dé tuán yuán shì jǐ shí
满 还 亏，待 得 团 圆 是 几 时？

【注释】　①亏：缺。

【解说】　此词表现女子的刻骨相思，具有民歌风味。女主人公独倚楼头，面对临江的明月，发出感叹。她先以普照南北东西的明月设喻，抱怨恋人不能像随人不离的月光那样始终陪伴她。接着又以暂满还亏的月形设喻，怨恨恋人太像易变的月形，月圆时少，缺时多，难得团圆。作者通过"不似""却似"的比喻变化，把借月以抒相思之情的传统主题表现得新颖别致，且出语通俗自然，饶有民歌风味，在文人词中别具一格。

秦楼月 (qín lóu yuè)

向子諲 (xiàng zǐ yīn)

芳菲歇，故园目断 (fāng fēi xiē, gù yuán mù duàn)

伤心切。伤心切。无边烟 (shāng xīn qiè. shāng xīn qiè. wú biān yān)

水，无穷山色。可堪 (shuǐ, wú qióng shān sè. kě kān)

更近乾龙节，眼中泪尽 (gèng jìn qián lóng jié, yǎn zhōng lèi jìn)

空啼血。空啼血，子规声 (kōng tí xuè. kōng tí xuè, zǐ guī shēng)

外，晓风残月。 (wài, xiǎo fēng cán yuè)

【注释】 ①芳菲：指花草。 故园：这里指故国，沦陷的国土。 ②乾龙节：指农历四月十三日，北宋钦宗皇帝的生日。 子规：即杜鹃鸟。

【解说】 1127年"靖康之变"，徽、钦二帝被金兵掳去，中原尽失。词抒写故国沧桑之悲。暮春之时，百花凋残。登高遥望已沦陷于敌手的故国，使人十分伤心，其痛苦如"无边烟水，无穷山色"。更使人伤心的是已近"乾龙节"，想当年群臣向皇帝祝寿，多么热闹，而今徽、钦二帝却被囚在敌国。这是国家的耻辱，想到此，怎能不悲愤欲绝，"眼中泪尽空啼血"？在料峭的晓风中，天边一钩残月，杜鹃鸟悲切的啼鸣声传来，令人心碎。

阮郎归
ruǎn láng guī

向子諲
xiàng zǐ yīn

江南江北雪漫漫，遥知
jiāng nán jiāng běi xuě mán mán，yáo zhī

易水寒。彤云深处望三关，
yì shuǐ hán。tóng yún shēn chù wàng sān guān

断肠山又山。　天可老，
duàn cháng shān yòu shān　tiān kě lǎo

海能翻，消除此恨难。频闻
hǎi néng fān，xiāo chú cǐ hèn nán　pín wén

遣使问平安，几时鸾辂还？
qiǎn shǐ wèn píng ān　jǐ shí luán lù huán

【注释】　①易水寒：战国时，荆轲在易水（在今河北易县）边告别燕太子丹赴秦报仇，分手时歌曰："风萧萧兮易水寒，壮士一去兮不复还。"　　彤云：阴云。　　三关：指宋金交界处的平清关、武胜关、黄岘关。　　②"频闻"句：南宋朝廷曾多次遣使金国问候被拘留的徽、钦二帝。　　鸾辂：皇帝的车驾，代指徽、钦二帝。

【解说】　绍兴五年（1135年），作者在江西鄱阳道中，面对漫漫风雪，联想到战国时燕丹为壮士荆轲在易水边饯别，荆轲一去不复返的情景，而今徽、钦二帝被掳北去，至今未还。北望三关，阴云密布，关山重重，遮断望眼，令人肝肠寸断。"天可老，海能翻"，要消除二帝被掳之耻、山河被碎之恨真难啊！频频听说朝廷派使者去探问二帝，他们几时能平安回国呢？词写得慷慨悲壮，感情强烈，其忠君爱国之心显露无遗。

rén yuè yuán
人 月 圆

lǐ chí zhèng
李持正

xiǎo táo zhī shàng chūn fēng
小 桃 枝 上 春 风

zǎo chū shì bó luó yī nián nián
早,初 试 薄 罗 衣。年 年

lè shì huá dēng jìng chù rén
乐 事,华 灯 竞 处,人

yuè yuán shí jìn jiē xiāo
月 圆 时。 禁 街 箫

gǔ hán qīng yè yǒng xiān shǒu
鼓,寒 轻 夜 永,纤 手

chóng xié gēng lán rén sàn qiān
重 携。更 阑 人 散,千

mén xiào yǔ shēng zài lián wéi
门 笑 语,声 在 帘 帏。

【注释】 ①罗衣:用丝织品制的春衫。 ②禁街:都城的街道。 更阑:夜深。

【解说】 词写北宋首都汴京元宵节的欢乐。在春风催开小桃的时刻,人们脱去冬衣,新着春衫。年年的欢乐集中在这华灯竞放之处,人们团聚在月亮盈圆之时,天上人间都十分美满。元宵的都城街巷,箫鼓沸腾,不绝于耳,整夜热烈的节日气氛,融化了料峭的春寒。与所爱的人重逢,携手游乐。直到夜深人散,笑声散入千家万户,兴犹未尽。词把一己的的幸福融入人间的欢乐之中,点面结合,以元宵盛况反映出历史上一度存在的北宋盛世。

158

jiǎn zì mù lán huā
减字木兰花

jiǎng xīng zǔ nǚ
蒋 兴 祖 女

zhāo yún héng dù   lù lù chē shēng rú
朝 云 横 度, 辘 辘 车 声 如

shuǐ qù   bái cǎo huáng shā   yuè zhào gū cūn
水 去。白 草 黄 沙,月 照 孤 村

sān liǎng jiā   fēi hóng guò yě bǎi jié
三 两 家。   飞 鸿 过 也,百 结

chóu cháng wú zhòu yè   jiàn jìn yān shān huí
愁 肠 无 昼 夜。渐 近 燕 山, 回

shǒu xiāng guān guī lù nán
首 乡 关 归 路 难。

【注释】 ①辘辘:车轮滚动声。   白草:北方一种牧草,秋天变白。   ②燕山:即燕山府(今北京),代指金国都城。   乡关:家乡。

【解说】   作者十五六岁时,其父母在金人占领汴京后为国殉难,自己被金兵掠往他乡。在途经雄州驿站时她写下了这首词。每当清晨"朝云横度"的时候,押解她们的车队就上路了。车队如流水不停而去。一路上只见莽莽黄沙一片白草,月儿照着大平原上残存的只有三两人家的孤村,愈见荒凉。见大雁南飞,想到国破家亡,日夜备受痛苦的煎熬。将到燕山,更怀着对未来生活的恐惧,而回乡的希望也更加渺茫了。全词寥寥数十字,写出步步留恋,步步凄恻,表达了当时受难人民尤其是被俘妇女的心声。

^{cháng xiāng sī}
长 相 思

^{cài shēn}
蔡 伸

^{cūn gū ér hóng xiù yī chū fā}
村姑儿，红袖衣，初发
^{huáng méi chā dào shí shuāng shuāng}
黄梅插稻时，双 双
^{nǚ bàn suí}　　^{cháng gē shī duǎn gē}
女伴随。　　长 歌 诗，短 歌
^{shī gē lǐ zhēn qíng hèn bié lí xiū yán}
诗，歌 里 真 情 恨 别 离，休 言
^{yī bù zhī}
伊 不 知。

【注释】　①黄梅：梅子黄时。

【解说】　此词颇具乡村风味和泥土气息。农村姑娘，穿着大红的衣裳，显现出她们的美丽。在四月梅子黄熟的插秧季节里，女伴跟着男人们双双来到田头。长歌唱，短歌唱，不要说对方听不懂，姑娘们相信自己所爱的小伙子心里一定会明白的。词写村姑在田间劳动的情景和对爱情的率直、大胆的追求。

柳梢青
liǔ shāo qīng

cài shēn
蔡伸

shù shēng tí jué kě lián
数声 鹈鴂，可怜

yòu shì chūn guī shí jié mǎn
又是、春归时节。满

yuàn dōng fēng hǎi táng pū xiù
院东风，海棠铺绣，

lí huā piāo xuě dīng
梨花飘雪。 丁

xiāng lù qì cán zhī suàn wèi
香露泣残枝，算未

bǐ chóu cháng cùn jié zì shì
比、愁肠寸结。自是

xiū wén duō qíng duō gǎn bù
休文，多情多感，不

gān fēng yuè
干风月。

【注释】 ①鹈鴂：即杜鹃鸟。 可怜：可惜。 铺绣、飘雪：都比喻落花。 ②未比：比不上。 自是：从此。
休文：沈约字休文，历仕宋、齐、梁三代。后因不得大用，郁郁成病，消瘦异常。 不干风月：跟风月不相干。
【解说】 词因暮春而感。杜鹃数声鸣叫，转眼又到了春归时节。"可怜"、"又是"，谓深恨时光的流逝。满院
的海棠花铺地如绣锦，梨花因风吹如飘雪，丁香花也凋零得只剩残枝，但这些残春景物，还比不上自己的满
腹愁情。伤心人别有怀抱，正如多情善感的沈约，其消瘦愁苦实在与景物无关。

cāng wú yáo
苍 梧 谣

cài shēn
蔡 伸

tiān xiū shǐ yuán chán zhào
天! 休 使 圆 蟾 照
kè mián rén hé zài guì yǐng zì
客 眠。人 何 在? 桂 影 自
chán juān
婵 娟。

【注释】 ①圆蟾:指圆月。 桂影:传说月宫中植有桂树。 婵娟:(姿态)美好。
【解说】 这首词富有民歌的色彩,表达离人月下的怀思。这位客子本来就满怀离愁别绪,月圆之夜,本是亲人团聚之时,可现在却是月圆人不圆呀!难怪他终于经受不住,不得不仰天而呼了。他凝视月轮,那嫦娥般美丽的身影何在呢?只见桂影扶疏,空自婆娑罢了,不胜惆怅。

162

忆王孙
春词
李重元

萋萋芳草忆王孙，柳外楼高空断魂。杜宇声声不忍闻。欲黄昏，雨打梨花深闭门。

【注释】 ①"萋萋"句：用淮南小山《招隐士》句意："王孙游兮不归，春草生兮萋萋。" 杜宇：即杜鹃鸟，鸣于春末，鸣声如"不如归去"，其声悲苦。

【解说】 连天芳草，千里萋萋，极目所望，古道晴翠，而所思念的人更在天涯芳草外。陌头杨柳，柳外高楼上有一女子正在眺望，对远人的思念到了伤心"断魂"的地步。又听得杜宇声声悲鸣，"不忍闻"。将到黄昏，小院里，雨打梨花，暮雨催春老。暝色入庭院，女主人公转入闺房紧闭房门。词的结构，由大而小，由外而内，由景而情，总体上表现为收敛的特征，确切地表现了古代妇女那种内向型的心态。

163

bǔ suàn zǐ
卜 算 子

dá shī
答 施

yuè wǎn
乐 婉

xiāng sī sì hǎi shēn jiù shì rú
相 思 似 海 深，旧 事 如

tiān yuǎn lèi dī qiān qiān wàn wàn háng
天 远。泪 滴 千 千 万 万 行，

gèng shǐ rén chóu cháng duàn yào
更 使 人、愁 肠 断。 要

jiàn wú yīn jiàn pàn liǎo zhōng nán pàn
见 无 因 见，拚 了 终 难 拚。

ruò shì qián shēng wèi yǒu yuán dài
若 是 前 生 未 有 缘，待

chóng jié lái shēng yuàn
重 结、来 生 愿。

【注释】 ①拚了：指绝了（念头），死了心。

【解说】 杭妓乐婉曾与施酒监相爱，施在临别时有词相赠，这是一首答词。想到别后，痛苦的相思将如沧海一样深而无际，美好的往事则像云天一样遥远，便伤心得流了千千万万行的泪。即使泪尽，还是留不住从此远别的你，反使我愁肠寸寸断。要重见，又无法重见，与其仍抱着无指望的爱，真不如死了这条心，可是真要死了这条心，又哪里能下得了这个决心呢？有情人成不了眷属，莫非真是前生无缘？果真是前生无缘，则今生作罢。可是今生即使作罢，还有来生，待我俩来生来世再结为夫妻吧！这是绝望中发的一个大愿。此词明白如话，直抒胸臆，抒写出一位风尘女子对爱情生死不渝的品格。

164

临江仙
lín jiāng xiān

夜登小阁，忆洛中旧游
yè dēng xiǎo gé，yì luò zhōng jiù yóu

陈与义
chén yǔ yì

忆昔午桥桥
yì xī wǔ qiáo qiáo

上饮，坐中多是
shàng yǐn，zuò zhōng duō shì

豪英。长沟流月
háo yīng。cháng gōu liú yuè

去无声。杏花疏
qù wú shēng。xìng huā shū

影里，吹笛到天
yǐng lǐ，chuī dí dào tiān

明。　二十余年如
míng。　èr shí yú nián rú

一梦，此身虽在堪
yī mèng，cǐ shēn suī zài kān

惊。闲登小阁看
jīng。xián dēng xiǎo gé kàn

新晴。古今多少
xīn qíng。gǔ jīn duō shǎo

事，渔唱起三更。
shì，yú chàng qǐ sān gēng。

【注释】　①午桥：即午桥庄，在今河南洛阳南。　　豪英：此指文人雅士，作者的友人。　　长沟流月：月光随波流去，也比喻时光流逝。　　②堪惊：可惊。　　渔唱：渔歌。　　三更：午夜。

【解说】　词为抚今追昔之作。作者是洛阳人，上片追忆二十多年前在洛阳的往事。月夜在午桥庄的桥上聚会，坐中多是文人雅士。桥下流水无声地映着明月，杏花树下疏影清朗。在这样清幽的月夜里，笛声悠悠，欢饮直到天明。盛会如此畅快，怎不令词人记忆犹新？对当年盛会的回忆，也是对眼前洛阳仍陷于故手的伤痛。二十多年了，国事沧桑，朋友星散，这一切都恍如一场梦。而今劫后余生，"此身虽在"，想起这段经历还令人心惊。还是闲来登上小阁看看雨后的月色，午夜起来听听渔歌吧！其情凄楚深沉，令人感慨。

【注释】 ①胡邦衡:胡铨,字邦衡。　神州路:此指中原沦陷区。　故宫:指原北宋都城汴京。　离黍:《诗·
王风》有《黍离》篇,写周平王东迁后,西周故都荒芜,宫殿旧址长满野生的谷黍。后世以此表示对故国的思
念。　底事:何事。　九地:九州,这里指沦陷区。　狐兔:借指金兵。　南浦:泛指送别的地方。　②耿:明
亮。　肯:岂肯。　儿曹:儿女辈。　大白:酒杯名。　《金缕》:即《金缕曲》,词调《贺新郎》的别名。

【解说】 这是一首送别词。胡铨因上书请斩卖国奸贼秦桧等三人而触怒了当权的投降派,被贬福州,再流
放新州(今广东新兴)。作者不顾个人安危,为之送行,并作此词。上片写送别的背景。梦中见中原沦陷,令
人不快的秋风,送来了连营扎寨的金兵的号角声。故宫已是一片荒凉,遍地蓬蒿。为什么北宋王朝像昆仑山

166

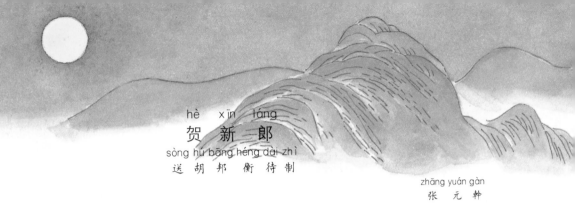

贺新郎
送胡邦衡待制
张元幹

梦绕神州路。怅秋风、连营画角，故宫离黍。底事
昆仑倾砥柱，九地黄流乱注？聚万落千村狐兔。天意
从来高难问，况人情、老易悲难诉！更南浦，送君去。

凉生岸柳催残暑。耿斜河、疏星淡月，断云微度。
万里江山知何处？回首对床夜语。雁不到、书成谁
与？目尽青天怀今古，肯儿曹、恩怨相尔汝？举大白，听
《金缕》。

的天柱倒塌一样，金兵的猖狂进犯像黄河泛滥一样，人民流离失所，金兵如狐兔一样侵占万落千村？皇帝的
主张令人不解，更何况人易老，悲难诉！割地议和招致灭亡，主战人士反遭迫害，爱国有罪，这都令人悲愤。
而今胡君又遭迫害，再在南浦送别。下片写送别。凉风吹岸柳，仿佛在赶走残暑，耿耿银河转斜，疏星淡月，
白云片片。凝望星空，遥想别后。当年我们曾对床谈心论政，而今将相隔万水千山，书信也难寄达，令人痛
心。但我们心怀的是国家的命运，岂能像小儿女辈，彼此之间只念个人的恩怨？让我们举起酒杯，听唱此曲，
为你送行吧！全词至此，豪迈悲壮，把不肯屈服、坚持斗争的精神推向高潮。

【注释】　①追和：若干年后和他人的旧作。　　钓鳌：借指隐居。鳌，传说中海里的大鱼。　　种瓜侯：指亡国后以种瓜为生的王侯。　　吴会：今江苏吴县。　　旄头：星名。古人以为旄头跳跃主胡兵大起。　　孤负：辜负。
②"元龙"句：东汉陈登，字元龙，曾怠慢许汜。许后来对刘备说："陈元龙湖海之士，豪气不除。"豪、粗豪。
"短发"句：形容年老发秃两鬓斑白。

【解说】　作者壮年从李纲抗金，后因送胡铨，并写《贺新郎》词支持胡铨，得罪秦桧，被削除官职回乡。上片写回乡过隐逸生活时的心境。如今我招手钓大鳌，匿迹种瓜，过着隐逸生活。浪迹江湖，重游吴会，三伏天行

水调歌头

追和

张元幹

举手钓鳌客，削迹种瓜侯。重来吴会，三伏行见五湖秋。耳畔风波摇荡，身外功名飘忽，何路射旄头？孤负男儿志，怅望故园愁。　梦中原，挥老泪，遍南州。元龙湖海豪气，百尺卧高楼。短发霜粘两鬓，清夜盆倾一雨，喜听瓦鸣沟。犹有壮心在，付与百川流。

于太湖如感秋天的凉快。耳畔听到的是风波摇荡之声，我想为国建立功名之身也如此飘忽不定。要想抗金报国无门路，辜负了男儿收复河山之志，只得怅望中原，愁绪满怀。下片写想望中原百感交集的心情。梦及中原沦陷之地，悲痛得老泪纵横，洒遍南州。我虽然年老头秃两鬓苍苍，湖海闲游，但豪气未除。夜卧百尺高楼之上，遇大雨倾盆，喜听急雨鸣瓦沟，犹如戈鸣马嘶，使人激动不已。我壮心犹在，愿与百川汇流，奔腾归入大海。词把屋外的风狂雨骤与内心的热血奔涌交织成一曲激越雄壮的交响乐。词人那种壮志难酬而壮心不已的悲愤激昂的情感，也犹如怒涛，汹涌而来，滔滔而去。

169

huàn xī shā
浣 溪 沙

zhāng yuán gàn
张 元 幹

shān rào píng hú bō hàn chéng hú
山绕平湖波撼城，湖

guāng dào yǐng jìn shān qīng shuǐ jīng
光 倒 影 浸 山 青，水 晶

lóu xià yù sān gēng   wù liǔ àn shí
楼 下 欲 三 更。 雾 柳 暗 时

yún dù yuè lù hé fān chù shuǐ liú yíng
云 度 月，露 荷 翻 处 水 流 萤。

xiāo xiāo sàn fà dào tiān míng
萧 萧 散 发 到 天 明。

【注释】　①水晶楼：形容月光下水边的楼阁。一说在浙江湖州苕水边。　②萧萧：指头发稀疏。
【解说】　词写作者月夜欣赏江南水乡景色的闲适心情。上片以写湖水为中心。四山环绕平湖，激波荡漾，湖州城倒映其中，显出湖面的壮阔。青翠的山影沉浸在湖水里，又显出湖水的平静。月光下，坐在湖边的"水晶楼下"观赏夜景，已到三更。下片写在"水晶楼"里观赏的夏夜景象。当浮云遮住月亮时，夜雾中的柳树顿时显得暗淡，而水中含露的荷叶，随风轻摇，水珠闪烁，就好像无数的流萤在不断闪光。词人披散着头发，独坐观赏到天明。词既写湖光山色之美，又写出词人沉浸在自然风光中的流连神态，流露出一种闲适、潇洒的超脱情怀。

渔家傲 (yú jiā ào)

题玄真子图 (tí xuán zhēn zǐ tú)

张元幹 (zhāng yuán gàn)

钓笠披云青嶂绕，绿蓑细雨春江渺。白鸟飞来风满棹。收纶了，渔童拍手樵青笑。

明月太虚同一照，浮家泛宅忘昏晓。醉眼冷看城市闹。烟波老，谁能惹得闲烦恼。

【注释】 ①嶂：高险如屏障的山峰。 渺：水势辽远。 棹：指船。 纶：钓鱼线。 渔童、樵青：唐朝张志和自号"烟波钓徒"，皇帝赐奴婢"渔童"、"樵青"，使配为夫妻。 ②太虚：天空，天光。 浮家泛宅：指以船为家。

【解说】 此词题为"题玄真子图"，即描写"烟波钓徒"张志和的形象。春江在烟雨中迷迷茫茫，远山环抱，张志和头顶竹笠如披着一片云，身穿绿蓑衣，在专心垂钓。一群白鹭从远处飞来，他慢慢地收拢钓丝，一条泼刺刺跳动的大鱼被钓上来了，在一旁的渔童和樵青都高兴得拍手欢笑，渔家生活乐趣无穷。天光月色映照小船，以船为家，竟忘了天黑还是天晓。以"醉眼冷看"城市的繁华和热闹，愿意一生过着渔人生活，谁还会自寻世俗的烦恼？作者描绘了一位不求功名利禄、流连山水的隐者形象，借以表达自己的志趣。

pú sà mán

菩萨蛮

zhāng yuán gàn

张 元 幹

chūn lái chūn qù cuī rén lǎo　lǎo

春来春去催人老，老

fū zhēng kěn shū nián shào zuì hòu shào

夫争肯输年少？醉后少

nián kuáng　bái zī shū wèi fáng　　　chā

年狂，白髭殊未妨。　插

huā hái qǐ wǔ guǎn lǐng fēng guāng

花还起舞，管领风光

chù　　bǎ jiǔ gòng liú chūn mò jiào huā

处。把酒共留春，莫教花

xiào rén

笑人。

【注释】　①争肯：怎么肯。　髭：嘴上边的胡子，此泛指胡须。　②管领风光：指尽情占有和享受春光。

【解说】　词紧扣住送春留春的主旨，直抒情怀。"春来春去"，时光流逝，催人老去，而我怎么肯轻易输给年轻人？借着酒醉像年轻人一样狂放不羁，胡子白了根本没有关系。"插花还起舞"，要尽情享受春光，不使它轻易溜走。举杯痛饮，让我们一起来留住春光，不要让花儿笑我们不会珍惜这美好的春光。词表现了作者不服老的洒脱襟怀。

172

点绛唇 diǎn jiàng chún

朱翌 zhū yì

流水泠泠，断桥
liú shuǐ líng líng duàn qiáo

横路梅枝亚。雪花飞
héng lù méi zhī yà　xuě huā fēi

下，浑似江南画。白
xià hún sì jiāng nán huà　bái

璧青钱，欲买春无
bì qīng qián yù mǎi chūn wú

价。归来也，风吹平
jià　guī lái yě fēng chuī píng

野，一点香随马。
yě　yī diǎn xiāng suí mǎ

【注释】　①泠泠：形容声音清越。　断桥：又名段家桥，在杭州西湖上。　亚：低垂。　浑：全。　②白璧：贵重的玉器。　青钱：当时通用的货币。

【解释】　此词一题为"雪中看西湖梅花作"。西湖断桥下，流水泠泠，带来了春的信息；断桥边，梅花横伸路上，花枝低亚，雪花飘飞，浑似一幅江南傲雪寒梅图。下片写作者感受的春意。刚刚经历过隆冬的人，会特别觉得春日的可爱，那真是用"白璧青钱"都是买不到的。春天归来了，风吹平野，马蹄过处，带来一缕幽幽的梅花香气，令人心醉。

173

饮马歌 yìn mǎ gē

曹勋 cáo xūn

边头春未 biān tóu chūn wèi
到，雪满交河道。 dào xuě mǎn jiāo hé dào
暮沙明残照，塞 mù shā míng cán zhào sài
烽云间小。断鸿 fēng yún jiān xiǎo duàn hóng
悲，陇月低，泪湿 bēi lǒng yuè dī lèi shī
征衣悄。岁华老。 zhēng yī qiǎo suì huá lǎo

【注释】 ①边头：边塞，边境。 交河：汉代的车师国属地，河水分流绕城下，在今新疆维吾尔自治区。 烽：在高处筑土台，举烟火以传报警信。 陇：陇山，在今陕西、甘肃两省界上。

【解说】 词写守边将士的生活。内地早已是春天了，而西北边境上春天还未到，积雪覆盖着交河城外的大道。黄昏将临，白茫茫的沙漠笼罩在落月的残照里，烽火台远在白云间。陇月低斜，失群的孤雁北飞，发出一声声的悲鸣，引发了守边将士对家乡的思念。家乡遥远，音信久隔，年老了也回不了家。眼泪只能悄悄地流淌，沾湿了身上的战袍。词中边塞的景象写得壮阔悲凉，既有对守边将士的赞美，又有对他们戍边之苦的同情。

清平乐
qīng píng yuè

曹勋
cáo xūn

qiū liáng pò shǔ shǔ qì chí

秋凉破暑,暑气迟

chí qù zuì xǐ lián rì fēng hé

迟去。最喜连日风和

yǔ duàn sòng liáng shēng tíng

雨,断送凉生庭

hù wǎn lái dēng huǒ huí

户。 晚来灯火回

láng yǒu rén xīn jiǔ chū cháng qiě

廊,有人新酒初尝。且

xǐ bó qīn wéi nuǎn què chóu qiū

喜薄衾围暖,却愁秋

yuè rú shuāng

月如霜。

【注释】 ①断送:推送。 ②新酒:在八九月间刚打开的新酒。 衾:被子。

【解说】 词写秋天的感受。秋凉冲破了暑热,使暑气慢慢地消退。最使人高兴的是连日的秋风秋雨给庭院带来了凉气。中秋前的晚上,回廊下灯火通明,新酒开缸,有人忍不住已在品尝。使人高兴的是晚上睡觉时可用薄被子保暖,十分舒服。怕的是中秋的圆月会勾起乡愁,令人难受。此词语言明白晓畅,"最喜"、"且喜"、"却愁",直言其情。词前面部分都是写秋凉之"喜",最后一句突然一转,"秋月如霜",令人顿生寒意,留下不可磨灭的印象。

<ruby>好<rt>hǎo</rt></ruby> <ruby>事<rt>shì</rt></ruby> <ruby>近<rt>jìn</rt></ruby>

<ruby>胡<rt>hú</rt></ruby> <ruby>铨<rt>quán</rt></ruby>

<ruby>富<rt>fù</rt></ruby> <ruby>贵<rt>guì</rt></ruby> <ruby>本<rt>běn</rt></ruby> <ruby>无<rt>wú</rt></ruby> <ruby>心<rt>xīn</rt></ruby>，<ruby>何<rt>hé</rt></ruby> <ruby>事<rt>shì</rt></ruby> <ruby>故<rt>gù</rt></ruby> <ruby>乡<rt>xiāng</rt></ruby>

<ruby>轻<rt>qīng</rt></ruby> <ruby>别<rt>bié</rt></ruby>？<ruby>空<rt>kōng</rt></ruby> <ruby>使<rt>shǐ</rt></ruby> <ruby>猿<rt>yuán</rt></ruby> <ruby>惊<rt>jīng</rt></ruby> <ruby>鹤<rt>hè</rt></ruby> <ruby>怨<rt>yuàn</rt></ruby>，<ruby>误<rt>wù</rt></ruby> <ruby>薜<rt>bì</rt></ruby>

<ruby>萝<rt>luó</rt></ruby> <ruby>秋<rt>qiū</rt></ruby> <ruby>月<rt>yuè</rt></ruby>。 <ruby>囊<rt>náng</rt></ruby> <ruby>锥<rt>zhuī</rt></ruby> <ruby>刚<rt>gāng</rt></ruby> <ruby>要<rt>yào</rt></ruby> <ruby>出<rt>chū</rt></ruby> <ruby>头<rt>tóu</rt></ruby>

<ruby>来<rt>lái</rt></ruby>，<ruby>不<rt>bù</rt></ruby> <ruby>道<rt>dào</rt></ruby> <ruby>甚<rt>shèn</rt></ruby> <ruby>时<rt>shí</rt></ruby> <ruby>节<rt>jié</rt></ruby>！<ruby>欲<rt>yù</rt></ruby> <ruby>驾<rt>jià</rt></ruby> <ruby>巾<rt>jīn</rt></ruby> <ruby>车<rt>chē</rt></ruby> <ruby>归<rt>guī</rt></ruby>

<ruby>去<rt>qù</rt></ruby>，<ruby>有<rt>yǒu</rt></ruby> <ruby>豺<rt>chái</rt></ruby> <ruby>狼<rt>láng</rt></ruby> <ruby>当<rt>dāng</rt></ruby> <ruby>辙<rt>zhé</rt></ruby>！

【注释】 ①猿惊鹤怨：指原本隐居山林，却出来做官，使原来一起生活过的猿猴都感到惊奇，使仙鹤怨恨。薜萝秋月：借指隐者徜徉自适的生活。 ②"囊锥"句：硬要"脱颖而出"。刚，硬。 不道：不想想。 巾车：有披盖的车子。 辙：指车道。

【解说】 作者因上书乞斩卖国奸贼秦桧等而触怒了当权者，被除名押配新州。词人在逆境中不改操守，自言本无心于做官发财，是什么原因竟使自己轻率地离开家乡？真悔恨自己轻弃了山中佳景，而招致鹤怨猿惊。这就如锥处布袋中硬要顶出头来，也不想想这是什么世道！现在被流放受看管，即使想学古人驾巾车归隐田园，可是有豺狼当道，想回也回不了。词一气呵成，怒斥豺狼当道的现实，表现了一种无畏的斗争精神。

小重山 (xiǎo chóng shān)

岳飞 (yuè fēi)

昨夜寒蛩不住鸣，惊回千里梦，已三更。起来独自绕阶行，人悄悄，帘外月胧明。白首为功名，旧山松竹老，阻归程。欲将心事付瑶琴，知音少，弦断有谁听？

【注释】 ①寒蛩：蟋蟀。 ②功名：此指为驱逐金兵的入侵，收复失地而建功立业。 瑶琴：饰以美玉的琴。

【解说】 岳飞的抗金斗争，不仅受到皇帝和奸相秦桧等的忌恨迫害，同时还受到其他投降派的阻挠，所以有知音难觅的慨叹。此词就是抒写这种心情。昨晚梦见千里之外的中原失地，突然惊醒，天已三更。只听得窗外的蟋蟀不住地鸣叫，再也睡不着了，索性起来独自在阶前踱步沉思。四周已悄无人声，帘外只见一片朦胧的月色，心里充满忧思和怅惘。我白了头发全为杀敌立功，收复中原的河山，如今壮志难酬，多么想隐居家乡山林，却路阻道长回不了。我正想把自己的心事通过琴声来表达，然而"弦断"难续，即使表述出来又有谁会听呢？全词表现了壮志难酬、知音难遇的孤愤。

满江红

写怀

岳飞

怒发冲冠，凭栏处、潇潇雨歇。抬望眼、仰天长啸，壮怀激烈。三十功名尘与土，八千里路云和月。莫等闲、白了少年头，空悲切。

靖康耻，犹未雪。臣子恨，何时灭。驾长车，踏破贺兰山缺。壮志饥餐胡虏肉，笑谈渴饮匈奴血。待从头、收拾旧山河，朝天阙。

【注释】　①怒发冲冠：形容愤怒得头发根根竖起，把帽子都顶了起来。　处：时。　三十：三十岁，此为约数。尘与土：比喻微不足道。　云和月：形容日夜、阴晴的变换。　等闲：轻易，随便。　②靖康耻：北宋靖康元年（1126年），金兵攻破汴京（今河南开封），次年将徽宗、钦宗二帝和皇室成员、文武百官掳往东北，北宋灭亡。　贺兰山：在今河北磁县境内，当时为抗金的前线。　胡虏：对金兵的蔑称。　匈奴：此借指女真族统治集团。　朝：朝见。　天阙：宫殿，代指皇帝。

【解说】　这是一首慷慨激昂、充满爱国热情的词。词人想到金兵侵扰，朝廷只求偏安，不图恢复，感情激荡，怒发冲冠。在潇潇急雨中，来到江边，倚栏北眺，仰天长叹，扫平胡虏的激情如怒涛汹涌。想到年已三十多

岁，正是建功立业的时候，多年来不分昼夜，栉风沐雨，纵横驰骋，而复国大业至今仍建功不多，如尘土般微不足道，于是词人告诫自己：要抓紧时机，奋勇杀敌，报效祖国，不要虚度年华，遗恨终生。靖康之变的国耻还未洗雪，作为人臣要为国为民报仇雪恨，但何时能尽责！我要驾战车，挥师北伐，直捣金人巢穴。我恨透了敌人抢掠财物、屠戮人民的暴行，我要以血还血，把他们彻底消灭，重新恢复大宋的疆土，去朝见皇上。词人一腔忠愤，碧血丹心，可昭日月。此词为后世传颂，也成了国家危急存亡之时激励人们战斗意志、号召人们奋起杀敌的响亮号角。

mǎn jiāng hóng

满江红

dēng huáng hè lóu yǒu gǎn

登黄鹤楼有感

yuè fēi

岳飞

yáo wàng zhōng yuán huāng yān wài xǔ duō chéng guō xiǎng dāng nián huā zhē

遥望中原，荒烟外、许多城郭。想当年，花遮

liǔ hù fèng lóu lóng gé wàn suì shān qián zhū cuì rào péng hú diàn lǐ shēng gē

柳护，凤楼龙阁。万岁山前珠翠绕，蓬壶殿里笙歌

zuò dào ér jīn tiě qí mǎn jiāo jī fēng chén è bīng ān zài gāo fēng è

作。到而今、铁骑满郊畿，风尘恶。兵安在？膏锋锷。

mín ān zài tián gōu hè tàn jiāng shān rú gù qiān cūn liáo luò hé rì qǐng yīng tí

民安在？填沟壑。叹江山如故，千村寥落。何日请缨提

ruì lǚ yī biān zhí dù qīng hé luò què guī lái zài xù hàn yáng yóu qí huáng hè

锐旅，一鞭直渡清河洛？却归来、再续汉阳游，骑黄鹤。

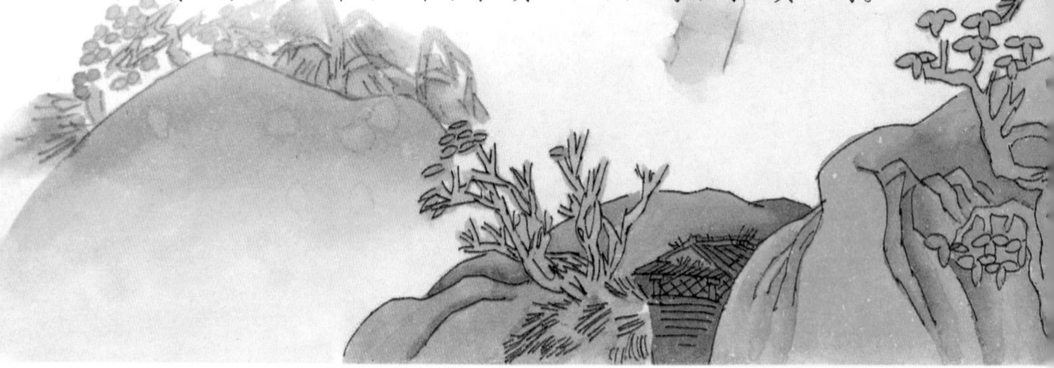

【注释】 ①黄鹤楼：传说仙人王子安乘黄鹤仙游于此而得名。故址在今武汉长江大桥武昌蛇山黄鹤矶桥头。 凤楼龙阁：指皇宫内雕饰华美的宫殿楼阁。 万岁山：徽宗时所建的大型宫廷园林。 珠翠：代指后宫嫔妃。 蓬壶殿：万岁山中的一座宫殿。 郊畿：京城的郊区。这里泛指以汴京为中心的千里中原地区。 风尘：借指战乱。 ②膏锋锷：以血肉滋润刀锋箭刃，指士兵死于刀箭。 沟壑：溪谷沟渠。 寥落：形容人烟稀少，荒凉冷落。 请缨：请战。 提锐旅：率领精锐部队。 河洛：黄河洛水流域，指中原地区。 却：返。

【解说】 词写作者登黄鹤楼抒发以天下为己任的浩然胸襟。登楼遥望中原，只见许多城郭隐约在荒烟之

外。想当年,宫殿楼阁处在"花遮楼护"之中。宫廷园林中的万岁山前,后宫的嫔妃结队绕山游赏;蓬壶殿里,笙歌不绝。而今,敌人的铁骑充斥中原,战乱给人们带来了深重的灾难。我们的抗敌将士在哪里?都纷纷血染刀锋,战死沙场。老百姓到哪里去了?十室九户抛尸荒野,填了沟壑。啊,可叹的是江山依旧在,却是满目荒凉,千村凋零。哪一天能请战率领精锐部队,直渡黄河洛水,一举肃清异族的入侵者呢?到那时,退归故里,再如仙人骑着黄鹤重游汉阳。词集中表达了一个抗金将领爱国忧民的情怀。

长 相 思
cháng xiāng sī

游 西 湖
yóu xī hú

康 与 之
kāng yǔ zhī

南 高峰，北 高峰，一 片
nán gāo fēng běi gāo fēng yī piàn

湖 光 烟 霭 中，春 来 愁
hú guāng yān ǎi zhōng chūn lái chóu

杀 侬。 郎 意 浓，妾 意 浓，
shā nóng láng yì nóng qiè yì nóng

油 壁 车 轻 郎 马 骢，相 逢
yóu bì chē qīng láng mǎ cōng xiāng féng

九 里 松。
jiǔ lǐ sōng

【注释】 ①南高峰：与北高峰遥相对峙，望之如插云天，是杭州西湖的胜景。 侬：我。 ②郎：对男方的称呼。 妾：女子自称。 "油壁车轻"二句：用南齐钱塘名妓苏小小的故事。苏小小常乘油壁(用油涂饰车壁)车，游赏西湖。一日在九里松外遇一骑青骢马(青白色马)的少年，于是吟诗一首："妾乘油壁车，郎骑青骢马。何处结同心？西陵松柏下。"九里松，在南、北高峰之间，钱塘八景之一。

【解说】 登上北高峰和南高峰，西湖美景尽收眼底。春光触发往事的回忆，"春来愁杀侬"。愁什么呢？想起了犹如苏小小"油壁车轻郎马骢，相逢九里松"，在游西湖时的偶然相会，"郎意浓，妾意浓"，而今郎在何处？怎能不"愁杀侬"？ 美丽的西湖春景，美丽的爱情故事，使西湖的胜景更加诱人。

阮郎归 (ruǎn láng guī)

曾觌 (zēng dí)

柳阴庭院占风光，(liǔ yīn tíng yuàn zhàn fēng guāng)
呢喃清昼长。碧波新涨 (ní nán qīng zhòu cháng bì bō xīn zhǎng)
小池塘，双双蹴水 (xiǎo chí táng shuāng shuāng cù shuǐ)
忙。 萍散漫，絮飘飏，(máng píng sǎn màn xù piāo yáng)
轻盈体态狂。为怜流去 (qīng yíng tǐ tài kuáng wèi lián liú qù)
落红香，衔将归画梁。(luò hóng xiāng xián jiāng guī huà liáng)

【注释】 ①呢喃:形容燕子的叫声。 蹴:踏。 ②散漫:零散分布的样子。 怜:爱惜。 落红:落花。

【解说】 这是一首咏燕词,写燕而不着一燕字。庭院深深,杨柳阴浓,在这寂静的环境里,双双紫燕终日呢喃,独占风光。一池春水,雨后新涨,碧波荡漾,燕子一只接着一只点水飞过,一"忙"字,写出燕子点水嬉春的欢快热闹景象。燕子凌空飞舞,如池中点点绿萍星散,如风中飘飏的柳絮那样轻盈。燕子见落花随水流去,好像非常怜惜,便把一片片的落花衔到梁上的巢里。作者借燕子惜花,表现自己怜惜美好事物的心情。

小重山
xiǎo chóng shān

吴淑姬
wú shū jī

谢了荼蘼春事休。无多花片子，缀
枝头。庭槐影碎被风揉。莺虽老，声
尚带娇羞。　独自倚妆楼。一川烟
草浪，衬云浮。不如归去下帘钩。心儿小，
难着许多愁。

【注释】　①荼蘼：一种供观赏用的落叶小灌木，春天开白色花，有香气。　②一川：整个平野。
【解说】　词写独守空房的女子对远方情人的思念。荼蘼花谢了，春天也就结束了。"无多花片子，缀枝头"，
说明荼蘼将谢未谢，春事将了未了。"莺虽老"，但"声尚带娇羞"。正如自己的青春将逝未逝，而见槐影被
风揉碎，芳心也似有被揉碎的隐痛。独自倚妆楼远眺，只见连天烟草，衬着浮动的白云，犹如浪涛滚滚。思妇
的愁思也恰如连天草浪，滚滚袭来。"不如归去下帘钩"，想挡住愁潮，可惜"心儿小，难着许多愁"。以"心儿
小"难容这如"一川烟草浪"的愁浪作对比，表现思妇的愁苦之大，给人以深刻的印象。

184

渔家傲引

yú jiā ào yǐn

洪适
hóng kuò

子月水寒风又烈,巨鱼漏网成虚设,
围围从它归丙穴。谋自拙,空归不管旁
人说。　昨夜醉眠西浦月,今宵独钓南溪
雪,妻子一船衣百结。长欢悦,不知人世
多离别。

【注释】　①子月:农历十一月。　围围:形容鱼漏网时身体还未舒展时的样子。　从:任从。　丙穴:地名。
这里借指巨鱼所生活的深渊。　②西浦:西面水边。　妻子:妻子和子女。　衣百结:形容衣服十分破碎。
【解说】　词写渔家生活状况。农历十一月的气候"水寒风又烈",渔人仍须下水捕鱼。可叹的是"巨鱼漏网",
围围而去,渔人任从它游回深渊。鱼网成了虚设。空手而归,只好自认倒霉了,至于旁人怎么说,那就由他去
吧。昨夜醉眠在西面水边的月下,今晚独钓在南溪的雪里,渔人的生活旷放不拘。渔人一家老少以船为家,
衣衫褴褛,生活虽然贫苦却有天伦之乐,不知人世间的那种离别之苦。渔人的"不知"正是作者的"深知",词
从侧面揭示出"人世多离别"的社会现实。

185

yǎn ér mèi

眼 儿 媚

朱淑真

chí chí chūn rì nòng qīng

迟迟春日弄轻

róu huā jìng àn xiāng liú qīng

柔，花径暗香流。清

míng guò liǎo bù kān huí shǒu

明过了，不堪回首，

yún suǒ zhū lóu wǔ chuāng

云锁朱楼。 午窗

shuì qǐ yīng shēng qiǎo hé chù

睡起莺声巧，何处

huàn chūn chóu lǜ yáng yǐng

唤春愁？绿杨影

lǐ hǎi táng tíng pàn hóng xìng

里，海棠亭畔，红杏

shāo tóu

梢头。

【注释】 ①迟迟：日长而暖。 轻柔：指杨柳的柔枝嫩条。

【解说】 词写女词人对春天的感受。和煦的阳光在抚弄着杨柳的柔枝嫩条，词人漫步在花间小径上，一股幽香扑鼻而来，令人心醉。但好景不长，清明过后，不堪回首，云雾笼罩着朱阁绣户，使人心头犹如罩上了一层愁雾。午睡醒来，听到窗外莺声婉转，唤起了她对春光易逝的愁思。黄莺在什么地方啼叫呢？是在绿杨影里，还是在海棠亭畔，抑或是红杏梢头呢？词中通过不断变化的画面，表现了女词人细腻的感情波澜。尤其是下片的自问自答，使读者仿佛听到莺啼声不断地从一个地方流动到另一个地方，而词人的春愁也像飞鸣的流莺，忽儿东，忽儿西，飘忽不定。

dié liàn huā
蝶恋花

sòng chūn
送春

zhū shū zhēn
朱淑真

lóu wài chuí yáng qiān wàn lǚ　yù xì qīng chūn shǎo
楼外垂杨千万缕,欲系青春,少

zhù chūn hái qù　yóu zì fēng qián piāo liǔ xù suí chūn qiě
住春还去。犹自风前飘柳絮,随春且

kàn guī hé chù　　lǜ mǎn shān chuān wén dù yǔ biàn
看归何处。　　绿满山川闻杜宇,便

zuò wú qíng mò yě chóu rén kǔ　bǎ jiǔ sòng chūn chūn bù
做无情,莫也愁人苦。把酒送春春不

yǔ huáng hūn què xià xiāo xiāo yǔ
语,黄昏却下潇潇雨。

【注释】 ①系:拴住。 青春:春天。 少住:暂留。 犹自:仍然。 ②杜宇:杜鹃鸟。鸣声像"不如归去"。
莫也:不要如此。

【解说】 词人想象楼外的垂杨千万缕,似乎要用长长的枝条拴住春天,让春光永驻人间,可是春天只稍稍
停留了一阵子,仍然匆匆归去。既然系不住,便让柳絮无声地尾随春天而去,去探看春天的归处。上片写留
春不住的心绪,下片写送春不语的愁怨。漫山遍野草木葱茏,山中不时传来杜鹃鸟的悲鸣,催春归去。杜鹃
即使无情,也不该这样故意扰人愁思啊!春去无情,人却有意,"把酒送春",春天全然不理会,"黄昏却下潇
潇雨"。这雨,是春归的脚步声呢,还是春不得不去而洒下的惜别之泪呢?全词写送春,想象丰富,细腻动人。

菩萨蛮

pú sà mán

朱淑真

zhū-shū zhēn

山亭水榭秋方
shān tíng shuǐ xiè qiū fāng

半，凤帏寂寞无人伴。
bàn, fèng wéi jì mò wú rén bàn

愁闷一番新，双蛾
chóu mèn yī fān xīn, shuāng é

只旧颦。　起来临绣
zhǐ jiù pín　qǐ lái lín xiù

户，时有疏萤度。多谢
hù, shí yǒu shū yíng dù　duō xiè

月相怜，今宵不忍圆。
yuè xiāng lián, jīn xiāo bù rěn yuán

【注释】　①水榭：筑于水旁或水上的亭台。　　凤帏：绣着鸾凤的帐幔。　　双蛾：双眉。　　颦：皱眉头。

【解说】　词写闺阁女子孤寂之苦。"山亭水榭"惹起她的游思，想出去散散心，直到仲秋还未去成。在"凤帏"闺房中寂寞无人相伴，足不出户，孤独无聊，新愁日日增添，双眉如往日紧锁。夜里失眠，起来紧靠窗沿向外望，所见到的只是有时有几只萤火虫在飞舞，使人更觉冷清，心里烦乱。此时该感谢的是，未圆的缺月，高挂中天，默默地陪伴她。月亮同情她的孤栖，不忍独圆，以免因清亮圆满的月华引起"无人伴"的弱女子的伤感。词结尾不说自己如何愁闷孤苦，反从月落笔，另创新意：越是写月的多情，就越能见出女子心境的孤寂和不平静。

188

水调歌头

定王台

袁去华

雄跨洞庭野,楚望古湘州。何王台殿,危基百尺自西刘。尚想霓旌千骑,依约入云歌吹,屈指几经秋。叹息繁华地,兴废两悠悠。 登临处,乔木老,大江流。书生报国无地,空白九分头。一夜寒生关塞,万里云埋陵阙,耿耿恨难休。徙倚霜风里,落日伴人愁。

【注释】 ①定王台:在今湖南长沙市东。 楚望:指湘州为楚地中等规模的州郡。 西刘:西汉刘发。 ②徙倚:徘徊。

【解说】 定王台雄踞洞庭湖之滨,处楚地的郡望古湘州的地界。是哪个王的台殿?那残存的台基高耸百尺,原来是西汉定王刘发建造。当年定王来此时,旌旗招展如虹霓当空,千骑万骑前呼后拥,那响彻云霄的急管高歌仍依稀在耳边回响。繁华消歇,屈指一算已几度春秋了。当年如此繁华之地,如今"兴废两悠悠",都成了历史。如今登台远望,老树枯枝在秋风中瑟瑟,浩浩大江向东奔流。眼前的衰败,令人感叹。身为一介书生,报国无门,"空白了九分头"。金兵南下,破关绝塞,犹如一夜寒侵大地,万里河山彤云密布,皇家陵阙黯然失色,北宋君王陵墓都沦于敌手,对此,词人悲愤难休,徘徊在萧瑟的秋风里,对着落日发愁。

189

rú mèng lìng
如 梦 令

xiàng hào
向 滴

shuí bàn míng chuāng dú
谁 伴 明 窗 独
zuò hé wǒ yǐng ér liǎng gè dēng
坐?和 我 影 儿 两 个。灯
jìn yù mián shí yǐng yě bǎ rén
烬 欲 眠 时,影 也 把 人
pāo duǒ wú nuò wú nuò hǎo gè
抛 躲。无 那,无 那,好 个
xī huáng dì wǒ
恓 惶 的 我!

【注释】 ①无那:无奈。 恓惶:形容惊慌烦恼。

【解说】 这是一首构思新颖的小令,写词人的孤独和苦闷。谁伴我明窗下独坐?只有"影儿"和我相伴。可是,就是这无言的影儿,也并不能"伴"得持久;灯烬将睡时,影儿也抛开我躲藏起来了。这更显得自己的孤单,于是便喊出:无奈,无奈,我好孤独恐慌啊!词中以"影儿"相伴来衬托词人的孤独之苦。

凤栖梧

兰溪

曹冠

桂棹悠悠分浪稳,烟幂层峦,绿水连天远。赢得锦囊诗句满,兴来豪饮挥金碗。 飞絮撩人花照眼。天阔风微,燕外晴丝卷。翠竹谁家门可款?舣舟闲上斜阳岸。

【注释】 ①桂棹:船桨的美称。 锦囊:唐诗人李贺出游时,携一锦囊,当想到好诗句时,即刻写好投入囊中。 挥金碗:形容豪饮的狂态。 ②款:叩,敲。 舣舟:停船靠岸。

【解说】 词写泛舟兰溪的闲情逸兴,表现了作者对故乡山川风物的热爱。悠然地划着船桨,分浪稳稳前行,欣赏着眼前的景色。只见轻烟笼罩着两岸重重叠叠的山峦,绿水一直流向遥远的天边。游赏中想到许多好诗句,投满了锦囊;兴致高的时候,持碗豪饮。春日里,柳絮蒙蒙扑向游人身上;两岸繁花,在丽日的映照下,更是光艳夺目。天阔风微,燕子掠水翻飞,悠飏的游丝轻盈舒卷,风和日丽十分舒适。沿溪缓行,看到岸上翠竹林里有户人家,便停船上岸叩门相访,已是日斜的时候了。

好事近
hǎo shì jìn

陆 游
lù yóu

秋 晓 上 莲 峰, 高
qiū xiǎo shàng lián fēng gāo

蹑 倚 天 青 壁。谁 与 放
niè yǐ tiān qīng bì shuí yǔ fàng

翁 为 伴? 有 天 坛 轻
wēng wéi bàn yǒu tiān tán qīng

策。 铿 然 忽 变 赤
cè kēng rán hū biàn chì

龙 飞, 雷 雨 四 山 黑。谈
lóng fēi léi yǔ sì shān hēi tán

笑 做 成 丰 岁, 笑
xiào zuò chéng fēng suì xiào

禅 龛 榔 栗。
chán kān jí lì

【注释】 ①莲峰:指天台华顶山。 放翁:陆游的号。 天坛:这里指天台山。以产藤杖著名。 策:指拐杖。
②禅龛:原指供设佛像的小阁子,这里泛指禅房。 榔栗:印度语的译音,即禅杖。

【解说】 这是一首神游天台华顶山,抒写为人民造福之信念的词。词人想象自己在清爽的秋晨登上莲(花)峰顶,踏在倚天峭立的悬崖上。"谁与放翁为伴?"有天台藤杖。突然铿的一声,天坛藤杖化成赤龙腾飞,雷声大作,四边山峰黑成一片。谈笑间一阵及时雨,使田禾都有了好收成。我笑禅房里只握着禅杖不能关心别人生活的僧徒(实指一般逃避现实的人),掌握着同样的学问或才能,作用却不一样。这首词,想象奇特,表现了积极的人生态度。

钗头凤

chāi tóu fèng

陆 游
lù yóu

红酥手，黄縢酒。
hóng sū shǒu huáng téng jiǔ

满城春色宫墙柳。
mǎn chéng chūn sè gōng qiáng liǔ

东风恶，欢情薄。一
dōng fēng è huān qíng bó yī

怀愁绪，几年离索。错，
huái chóu xù jǐ nián lí suǒ cuò

错，错！　　春如旧，人
cuò cuò chūn rú jiù rén

空瘦。泪痕红浥鲛绡
kōng shòu lèi hén hóng yì jiāo xiāo

透。桃花落，闲池阁。山
tòu táo huā luò xián chí gé shān

盟虽在，锦书难托。莫，
méng suī zài jǐn shū nán tuō mò

莫，莫！
mò mò

【注释】　①黄縢酒：宋时一种官家酿的酒。　离索：离群索居。索，散。　②浥：湿润。　鲛绡：此指纱帕。

【解说】　词写陆游自己的爱情悲剧。他与唐琬是一对恩爱夫妻，因母亲不喜欢唐琬，被迫离异。一次游沈园无意中相遇，受唐琬酒馔款待，陆游感而题写此词。回想当年，满城春色杨柳依依，我们同来赏春，你那双白嫩红润的手端起黄封酒与我同饮，多么欢快。可是"东风"冷酷无情，我们美满姻缘被拆散，只留满怀愁怨，几年离散。"错，错，错"，令人沉痛之极。这次重逢，春色依旧，可是你比以前憔悴，你伤心得眼泪湿透了手帕。眼前的沈园，桃花零落，池塘亭阁冷落。当初的山盟海誓虽然仍在心中，而今却连书信都无法相通。事已到此，算了，算了，算了！再也无话可说、无法可想了。这是悔恨，也是对封建婚姻制度的控诉。

193

秋波媚 (qiū bō mèi)

陆游 (lù yóu)

秋到边城角声哀，烽火照高台。悲歌击筑，凭高醉酒，此兴悠哉！多情谁似南山月，特地暮云开。灞桥烟柳，曲江池馆，应待人来。

【注释】 ①边城：指南郑（今陕西境内），当时是抗金的前线。 高台：指高兴亭，在南郑内城西北。 击筑：弹奏筑。筑，古代弦乐器，像琴，有十三根弦。 酹：把酒洒在地上，表示祭奠。 ②南山：指终南山，秦岭主峰。 灞桥烟柳、曲江池馆：长安的风景区，当时在金兵占领区内。

【解说】 当时陆游在陕西抗金前线，登临高兴亭望长安终南山，写下了这首对收复关中失地充满乐观精神的词。秋日，边城宋军号角悲壮，高兴亭映照着长安的烽火。高歌击筑，凭高祭酒，兴致高昂。多情的南山月，为了使人能看清长安南山的面目，把层层云幕都推开了。灞桥烟柳、曲江池馆这些美丽的长安风景区，肯定会多情地等待收复关中的宋军的到来。作者以大胆的想象、拟人化的手法来暗示抗金斗争的胜利前景。

卜算子
bǔ suàn zǐ

咏梅
yǒng méi

陆游
lù yóu

驿外断桥边,寂寞开
yì wài duàn qiáo biān jì mò kāi

无主。已是黄昏独自愁,
wú zhǔ yǐ shì huáng hūn dú zì chóu

更著风和雨。 无意苦
gèng zhuó fēng hé yǔ wú yì kǔ

争春,一任群芳妒。零落
zhēng chūn yī rèn qún fāng dù líng luò

成泥碾作尘,只有香如故。
chéng ní niǎn zuò chén zhǐ yǒu xiāng rú gù

【注释】 ①驿:驿站,古代官道上的交通站。 更著:再加上。 ②碾:压碎。
【解说】 词借梅花自喻,咏赞坚贞品质和高尚情操。这株梅花生长在驿站外的断桥旁边,无人护持,无人观赏,自开自落。黄昏已是独自愁苦,再加上风雨的袭击,其处境就更艰苦、悲惨了。这正是词人抗金复国政治主张无人理睬,却遭受无数次打击的凄苦境况的写照。下片写词人在此险恶环境中洁身自好的精神。梅花经霜历雪,迎着风雨开放,并非为了争春献宠,只是为了向人间传递春的信息,因此任凭群芳妒嫉,甚至零落成泥碾成了粉尘,也不改变本质,仍将幽香永留人间。词通过对梅花的咏赞,表达了作者与险恶环境和邪恶势力不屈斗争的决心和抗金救国的坚定立场。

195

夜游宫

记梦寄师伯浑
jì mèng jì shī bó hún

陆游
lù yóu

雪晓清笳乱起，梦游处、不知何地。铁骑无声
xuě xiǎo qīng jiā luàn qǐ　mèng yóu chù　bù zhī hé dì　tiě qí wú shēng

望似水。想关河，雁门西，青海际。　睡觉寒灯
wàng sì shuǐ xiǎng guān hé　yàn mén xī　qīng hǎi jì　　shuì jué hán dēng

里，漏声断、月斜窗纸。自许封侯在万里。有谁知，
lǐ lòu shēng duàn yuè xié chuāng zhǐ　zì xǔ fēng hóu zài wàn lǐ　yǒu shuí zhī

鬓虽残，心未死。
bìn suī cán xīn wèi sǐ

【注释】　①笳：我国北方民族的一种乐器。　雁门：雁门关，在今山西代县西北。　青海：青海湖。　②睡觉：睡醒。　漏声：古代计时用的漏壶滴水声。　断：断绝。　自许：自负而又自信。　封侯：封给爵位。

【解说】　这是作者赠给好友师伯浑的记梦词。上片写梦境。拂晓，茫茫的雪原，清笳声声，铁骑如流水无声而驰。"梦游处，不知何地"，但这景象是北国边陲的特色，于是猜想，这样的"关河"，必然是雁门、青海一带了。而今这关河还落在异族手里！下片转入写梦醒后的感想。一灯荧荧，斜月在窗，漏滴声断，周围一片死寂。作者内心却不能平静：当年自许封侯万里之外的愿望，如今人虽老而心不死。但此志"有谁知"？这是对朝廷排斥爱国者的行径的怒责。全词表达了作者对收复失地梦寐以求的爱国情怀。

诉衷情
sù zhōng qíng

陆游
lù yóu

当年万里觅封侯,匹马
dāng nián wàn lǐ mì fēng hóu　pǐ mǎ

戍梁州。关河梦断何处?
shù liáng zhōu guān hé mèng duàn hé chù

尘暗旧貂裘。　胡未灭,鬓
chén àn jiù diāo qiú　　　hú wèi miè bìn

先秋,泪空流。此生谁料,心
xiān qiū lèi kōng liú　cǐ shēng shuí liào xīn

在天山,身老沧洲。
zài tiān shān shēn lǎo cāng zhōu

【注释】 ①万里觅封侯:东汉名将班超,投笔从戎,出使西域立了大功,被封为定远侯。 梁州:今陕西南郑一带。 关河:关塞、河防,指边疆。 ②胡:这里指南犯的金兵。 鬓先秋:鬓发如秋霜般斑白。 天山:在新疆,这里借指抗金前沿。 沧洲:水边,泛指隐士居住的地方。

【解说】 词写作者屡遭投降派打击后闲居绍兴镜湖,不能施展抱负而仍壮志未衰的愤慨苦闷的心情。回想当年,远离家乡,奔赴前线,如班超"万里觅封侯",单枪匹马戍守边城。那段令人自豪的生活,现在只能在梦中重温,一但梦醒又在何处?如今闲居山阴,当年军中穿过的貂皮征衣早已积满了灰尘。金兵还没有讨平,自己的鬓发早已斑白,年老体衰,只有"泪空流"了。此生谁料,心系前线,身老水乡的境地!

sù zhōng qíng
诉衷情

lù yóu
陆游

qīng shān chū rù jiǔ chóng
青衫初入九重

chéng jié yǒu jìn háo yīng là
城，结友尽豪英。蜡

fēng yè bàn chuán xí chí qí
封夜半传檄，驰骑

yù yōu bīng   shí yì shī zhì
谕幽并。 时易失，志

nán chéng bìn sī shēng píng
难成，鬓丝生。平

zhāng fēng yuè tán yā jiāng shān
章风月，弹压江山，

bié shì gōng míng
别是功名。

【注释】 ①青衫：低级官吏的服色。 九重城：指京城。 豪英：才能出众的人。 蜡封：用蜡封固便于保密的文书。 传檄：传送文书。 谕：传告。 幽并：幽州、并州，此指北方金国占领的地区。 ②平章风月：写评品风月的文字。 弹压江山：指点山川。

【解说】 词上片忆旧。当年我以低级官吏的身份入朝，结交的都是才智出众的"豪英"。我受命起草檄文，连夜"蜡封"驰送，晓谕中原人士，归命宋廷。我不分昼夜地投入抗金斗争。下片抒愤。好景不长，朝廷错失了收复中原的大好机会，我壮志未酬而鬓生白发，终生遗恨。如今只能写点品评风月的文字，做个指点山川的闲人，这就是我另建的一种"功名"吧。词通过今昔对比，反映出作者晚年闲居山阴，壮志未酬的不平心境。

198

táo yuán yì gù rén
桃源忆故人

lù yóu
陆游

yī tán zhǐ qǐng fú shēng guò
一弹指顷浮生过，

duò zèng yuán zhī dāng pò qù qù zuì
堕甑元知当破。去去醉

yín gāo wò dú chàng hé xū hè
吟高卧，独唱何须和？

cán nián huán wǒ cóng lái wǒ
残年还我从来我，

wàn lǐ jiāng hú yān gě tuō jìn lì
万里江湖烟舸。脱尽利

míng jiāng suǒ shì jiè yuán lái dà
名缰锁，世界元来大。

【注释】①一弹指：形容时间短。 顷：顷刻。 浮生：人生。 "堕甑"句：瓦器跌落地上本来就知道会破。比喻事情本来就如此，既然过去了，惋惜也没有用。元：同"原"。 ②缰锁：束缚。

【解说】作者想建功立业的愿望落空后，被迫退居山阴镜湖畔。词写作者的一种自我排解。世事浮沉不定，人生短暂，弹指间就完结。原来就知道人生如此，无需惋惜。自去饮酒吟唱高卧，"独唱何须和"？走自己的路吧！已到晚年了，还给我一个年轻时的"我"，泛舟"万里江湖"的烟波上，做个"烟波钓徒"。脱尽了名利的束缚，只觉心胸开阔，无忧无虑，到头来发现世界原来就是这样的呀。最后两句是词人饱经人世沧桑之后的人生感悟，给人有警示作用。

长 相 思
cháng xiāng sī

陆 游
lù yóu

桥 如 虹，水 如 空，一
qiáo rú hóng shuǐ rú kōng yī

叶 飘 然 烟 雨 中。天 教
yè piāo rán yān yǔ zhōng tiān jiào

称 放 翁。 侧 船 篷，
chēng fàng wēng cè chuán péng

使 江 风，蟹 舍 参 差 渔 市
shǐ jiāng fēng xiè shè cēn cī yú shì

东。到 时 闻 暮 钟。
dōng dào shí wén mù zhōng

【注释】 ①蟹舍：形容狭小的渔舍。

【解说】 词写作者在江南水乡绍兴所过的隐居生活。水乡的桥如虹，水面开阔，水天相映。一叶扁舟在烟雨中自由出没，是"天"让我称"放翁"，放纵于山水之中。让江风吹着船篷，跟渔人们在一起，直到天暮，听着晚钟悠悠。水乡的景色如画，渔父的生活恬然。

长相思

陆游

面苍然，鬓皤然，满腹诗书不直钱。官闲常昼眠。画凌烟，上甘泉，自古功名属少年。知心惟杜鹃。

【注释】 ①苍然：灰白色的样子。 皤然：白色的样子。 ②画凌烟：唐太宗曾把开国功臣二十四人的肖像画于长安的凌烟阁。 甘泉：宫名，在甘泉山，距长安二百里，可望见长安城。

【解说】 词写作者晚年不受重用的感慨。上片自述近况。现在老了，面色憔悴，鬓发雪白，满腹的学问也用不着了，"官闲"无事，常常白天睡大觉。下片抒发感慨。要想成为国家的功臣，得到朝廷的赏识，得趁年青的时候，"自古功名属少年"。如今老朽无用了，内心的悲哀，只有啼叫着"不如归去"的杜鹃知道。

201

谢池春

陆游

壮岁从戎，曾是气吞残虏。阵云高、狼烟夜举。

朱颜青鬓，拥雕戈西戍。笑儒冠、自来多误。功

名梦断，却泛扁舟吴楚。漫悲歌、伤怀吊古。烟

波无际，望秦关何处？叹流年、又成虚度。

【注释】　①狼烟：古代边防报警时烧狼粪生起的烟。　儒冠：书生。　②漫：空，徒。　秦关：指中原。

【解说】　这是作者老年退居山阴时为回忆在南郑的军旅生活而作。壮年时从军，意气风发。边境上，战云四起，夜里报警的狼烟突然升起。当时我正当壮年，手握长戈，戍守西疆。然而自笑历来书生不能成大事，渴望建功立业的梦想已落空。而今退居吴楚，泛舟镜湖，空自悲歌，吊古抒怀。向北望，只见烟波无际，目阻道长，中原在何方？可叹收复无望，虚度时光！

蝶恋花
dié liàn huā

陆游
lù yóu

禹庙兰亭今古路，一夜清
yǔ miào lán tíng jīn gǔ lù　yī yè qīng

霜，染尽湖边树。鹦鹉杯深君
shuāng rǎn jìn hú biān shù　yīng wǔ bēi shēn jūn

莫诉，他时相遇知何处？　　冉冉
mò sù　tā shí xiāng yù zhī hé chù　　rǎn rǎn

年华留不住，镜里朱颜，毕竟消
nián huá liú bù zhù jìng lǐ zhū yán　bì jìng xiāo

磨去。一句丁宁君记取，神仙须
mó qù　　yī jù dīng níng jūn jì qǔ　shén xiān xū

是闲人做。
shì xián rén zuò

【注释】 ①禹庙：为纪念大禹而建的庙宇，在浙江绍兴会稽山下。　兰亭：在绍兴城西南，因东晋大书法家王羲之所写的《兰亭集序》而闻名。　鹦鹉杯：酒杯名。 ②冉冉：慢慢地（流逝）。　丁宁：反复嘱咐。

【解说】 词人与友人一起游览名胜古迹禹庙和兰亭，秋霜染红树叶，因秋叶而引起感慨。你不要推说鹦鹉酒杯太深，痛痛快快地喝吧，以后我们不知在什么地方再能相会。流逝的年岁是留不住的，镜里的"朱颜""毕竟消磨"光了，我只有一句话吩咐你，请你好好地记住："神仙须是闲人做。"不做官了，倒可以自由自在地做"神仙"呢。这实际上是作者退居家乡无法再为国效力的一种自我安慰。

恋绣衾
lián xiù qīn

陆 游
lù yóu

不惜貂裘换钓篷，
bù xī diāo qiú huàn diào péng

嗟时人、谁识放翁。归
jiē shí rén　shuí shí fàng wēng guī

棹借、樵风稳，数声
zhào jiè　qiáo fēng wěn　shù shēng

闻、林外暮钟。　幽栖莫
wén lín wài mù zhōng　　yōu qī mò

笑蜗庐小，有云山、烟水
xiào wō lú xiǎo yǒu yún shān yān shuǐ

万重。半世向、丹青
wàn chóng bàn shì xiàng dān qīng

看，喜如今、身在画中。
kàn xǐ rú jīn shēn zài huà zhōng

【注释】　①钓篷：指钓船。　②丹青：图画。
【解说】　词写作者放浪山水的感受。不惜用贵重的貂皮袍子换来钓船，只可叹时人不理解我这纵情山水的老头儿的情怀，我驾小船借山风稳稳地回家去，一路上听着林外传来山寺悠扬的晚钟声。不要嘲笑我隐居的草庐像蜗牛壳一样小，这里有白云缭绕的青山万重，还有缥缈的烟水。我前半生都是从图画里看山水风景，可喜的是如今我身在这如画的山水之中。

204

蝶恋花
dié liàn huā

范成大
fàn chéng dà

春涨一篙添水面，芳草鹅儿，绿
chūn zhǎng yī gāo tiān shuǐ miàn fāng cǎo é ér lù

满微风岸。画舫夷犹湾百转，横塘
mǎn wēi fēng àn huà fǎng yí yóu wān bǎi zhuàn héng táng

塔近依前远。 江国多寒农事晚，村
tǎ jìn yī qián yuǎn jiāng guó duō hán nóng shì wǎn cūn

北村南，谷雨才耕遍。秀麦连冈桑叶
běi cūn nán gǔ yǔ cái gēng biàn xiù mài lián gāng sāng yè

贱，看看尝面收新茧。
jiàn kàn kàn cháng miàn shōu xīn jiǎn

【注释】 ①夷犹：从容的样子。 横塘：在苏州胥门外。 塔：指虎丘云岩寺塔。 ②江国：水乡。 谷雨：
二十四节气之一。 看看：转眼。形容时间短。
【解说】 这是作者晚年退居故乡苏州石湖所写的一首反映江南水乡生活情景的词。上片写春游苏州郊外
名胜。江中春水满涨，芳草绿满两岸，鹅儿戏水，春风微微，画舫顺着蜿蜒的江流缓缓行驶，远远就看见了虎
丘高高的寺塔。下片写农村景象。水乡春寒农事晚，村北村南，直到谷雨才把水田耕完。青黄的小麦连着小
山冈，桑树叶多价贱，眼看就可以收麦尝面收新茧了，丰收在望。这首田园词，描绘了一幅清新、明净的水乡
春景图，洋溢出浓郁、恬美的农家生活气息。

205

鹊桥仙（què qiáo xiān）
七夕（qī xī）

范成大（fàn chéng dà）

双星良夜，耕慵织懒，应
被群仙相妒。娟娟月姊满眉
颦，更无奈、风姨吹雨。　相逢
草草，争如休见，重搅别离心
绪。新欢不抵旧愁多，倒添了、新
愁归去。

【注释】 ①双星：指牛郎星和织女星。　慵：懒。　娟娟：秀美。　颦：皱眉。　②争如休见：怎如不见。

【解说】　词写的是牛郎和织女七夕相会的故事。七夕是牛郎和织女相会的日子，佳期将至，牛郎早已无心思耕种，织女亦无心思纺绩，就连天上的群仙也为之羡妒了。你看这娟秀的嫦娥蹙紧了蛾眉，风姨竟然兴风吹雨。这些仙女都妒忌着织女呢！而事实上牛郎织女的爱情生活如何呢？七夕相会，只匆匆见了一面，马上又得分离，怎如不见，因为见了只是重新撩乱万千离愁别绪罢了！新欢抵不上旧愁多，旧愁未销，反倒又添了新愁归去。牛郎织女的爱情悲剧，也是现实生活中恩爱夫妻被迫分离的反映。

忆秦娥

_{fàn chéng dà}
范成大

楼阴缺，栏干影卧东厢月。东厢月，一天风露，杏花如雪。　隔烟催漏金虬咽，罗帏黯淡灯花结。灯花结，片时春梦，江南天阔。

【注释】　①东厢：东边厢房。　②金虬咽：更漏声呜咽。金虬，铜制的漏壶龙头。　灯花结：灯烛结花，表示有喜讯。

【解说】　词写闺中少妇春夜怀人的情景。上片写环境。楼阴之间，素月悬空，栏干的疏影静卧于东厢的月光之下。天清如水，风淡露浓，月光下杏花如雪。这环境清幽空寂。下片表现思妇的心情。她独卧罗帏之中，心怀远人，久不能寐，只听得漏壶的铜龙透过室外的烟雾传来滴漏声。室内暗淡的灯光，灯芯结花，夜色朦胧之中，少妇进入梦乡，梦魂飞到离人所去的江南，境界顿觉开阔，而所思的人又在何处呢？词的环境写得清幽美妙；少妇的思念写得含蓄，耐人寻味。

207

鹧鸪天
zhè gū tiān

范成大
fàn chéng dà

嫩绿重重看得成，
nèn lù chóng chóng kàn dé chéng

曲栏幽槛小红英。酴醾架
qū lán yōu jiàn xiǎo hóng yīng tú mí jià

上蜂儿闹，杨柳行间
shàng fēng ér nào yáng liǔ háng jiān

燕子轻。春婉娩，客飘
yàn zǐ qīng chūn wǎn miǎn kè piāo

零，残花残酒片时清。一杯
líng cán huā cán jiǔ piàn shí qīng yī bēi

且买明朝事，送了斜阳
qiě mǎi míng zhāo shì sòng liǎo xié yáng

月又生。
yuè yòu shēng

【注释】 ①栏、槛：栏杆，栅栏。 英：花。 酴醾：一种观赏植物，攀缘茎，花白色，有香气。 ②婉娩：天气温和。

【解说】 这是一首写晚春的词。晚春时节，树上的嫩叶重重叠叠，已有绿叶成阴的气象。曲折、幽深的花木护栏中，露出了小红花。酴醾卧在花架上，白色花儿盛开，香气阵阵，蜂儿争着来采新蜜；燕子在成行的杨柳间轻盈地穿飞。天气温和，但是已近暮春，作者在客地深有飘泊之感，面对落花，借酒消愁，只赢得一时的排解。他为了忘却今宵这恼人的春景，迎接新的一天，便又继续饮酒，直到日斜月又生。词中的春景如画，动静相映，构图设色，很有特色。

霜天晓角
shuāng tiān xiǎo jiǎo

梅
méi

范成大
fàn chéng dà

晚晴风歇,一夜
wǎn qíng fēng xiē yī yè

春威折。脉脉花疏天
chūn wēi zhé mò mò huā shū tiān

淡,云来去、数枝雪。
dàn yún lái qù shù zhī xuě

胜绝,愁亦绝,
shèng jué chóu yì jué

此情谁共说?惟有
cǐ qíng shuí gòng shuō wéi yǒu

两行低雁,知人倚、
liǎng háng dī yàn zhī rén yǐ

画楼月。
huà lóu yuè

【注释】 ①胜绝:优美到了极点。 谁共说:与谁说。

【解说】 词以梅为题,写怀人的愁情。上片写梅花形象之美。傍晚,天晴了,风停了,春寒的威力已经受到了很大的挫折。淡远的天空,云在来去飘移,数枝梅枝上,疏疏地点缀着如雪的白梅,正含情脉脉地开放着。下片写人的愁情。寒梅的景致美极了,而人的哀愁也到了难以忍受的地步。这种内心的痛苦没有人可以诉说,只有两行低飞的鸿雁知道有一个人倚在月下的画楼上。雁群飞,人独倚,又在深夜的月光下,可知其孤独寂寞,显然是在思念离别之人。

yǎn ér mèi

眼儿媚

fàn chéng dà
范成大

hān hān rì jiǎo zǐ yān
酣酣日脚紫烟
fú yán nuǎn pò qīng qiú kùn
浮，妍暖破轻裘。困
rén tiān sè zuì rén huā qì wǔ
人天色，醉人花气，午
mèng fú tóu chūn yōng qià
梦扶头。 春慵恰
sì chūn táng shuǐ yī piàn hú
似春塘水，一片縠
wén chóu róng róng yì yì dōng
纹愁。溶溶泄泄，东
fēng wú lì yù zhòu hái xiū
风无力，欲皱还休。

【注释】 ①酣酣：浓、盛，形容日光。 日脚：从云缝中射向地面的阳光。 妍暖：轻暖。 破：解开。 轻裘：薄皮袄。 ②慵：懒。 縠纹：形容水波如绉纱的细纹。 溶溶泄泄：水波荡漾的样子。

【解说】 词写春天困人的懒洋洋的感受。上片写困人的天气。春天，雨后初晴，太阳光从云缝里斜射到地面形成一片光亮，水气升腾。天气暖烘烘的，解开了薄皮袄。这暖融融的天气容易使人困乏，加上沁人心脾的花香，更使人精神恍惚，昏昏欲睡。下片形容这种春天的懒洋洋的感受。春慵正如春天池塘里细小的波纹，软软搭搭，好像带着淡淡的愁绪；又如塘水微微晃动，皱了还平，平了还皱。词把春天的那种不可捉摸，恍恍惚惚的困乏感受，通过比喻写得具体、形象、细腻。

好事近

杨万里

月未到诚斋，先到万花川谷。不是诚斋无月，隔一林修竹。

如今才是十三夜，月色已如玉。未是秋光奇绝，看十五十六。

【注释】 ①诚斋：作者的书斋名。 万花川谷：作者的花园名。 修竹：长长的竹子。

【解说】 这是一首较为别致的咏月词。月光没有照到作者的书斋，而先照到"万花川谷"，花影山水在月光的朗照下展现了一番景致。不是诚斋无月，只因为隔着竹林。原来书斋外是一片修竹，又展现出一番景致。如今才是十三夜，月色已如玉盘那样莹洁美妙。这还不是"秋光奇绝"的时候，如果到了十五十六的夜晚则又如何？虽未直接写出，却逗人遐想。全词写月色，无任何雕琢，意境极美极清丽。

昭君怨

咏荷上雨

杨万里

午梦扁舟花底，香满西湖烟水。急雨打篷声，梦初惊。 却是池荷跳雨，散了真珠还聚 聚作水银窝，泛清波。

【注释】 ①篷：指船篷。 ②真珠：珍珠。

【解说】 午睡时梦见自己荡舟在西湖的荷花丛里，西湖烟水迷濛，荷香飘溢。仿佛听到急雨打在船篷上"哗哗卟卟"地响个不停，梦被惊醒了。却见窗外池塘中急雨敲打着荷叶，雨点如跳动的珍珠，随着荷叶的晃动，忽聚忽散，最后聚在叶心，就像一窝流转的水银。词的上片写梦境，以西湖的荷花与下片庭院里的池荷相映照，虚虚实实，似幻似真，给人以无尽的美感意趣。

昭君怨
赋松上鸥

杨万里

偶听松梢扑鹿，知是沙鸥来宿。稚子莫喧哗，恐惊他。 俄顷忽然飞去，飞去不知何处。我已乞归休，报沙鸥。

【注释】①扑鹿：象声词。 稚子：小孩子。 ②俄顷：一会儿。 乞归休：要求退休回家。

【解说】 此词题为"赋松上鸥"。一天晚上作者在书斋里饮酒，忽见一只沙鸥停栖松树上，一会儿又飞去了，有感而作。词意如下：偶尔听到松树枝梢上"扑鹿"的一声，一看，原来是一只沙鸥来停宿。孩子们，不要喧哗，我怕惊动了它。不一会儿这只沙鸥忽然飞走了，不知飞到哪里去了。告诉沙鸥，我已经向朝廷提出要求回家隐居了。古人以为沙鸥栖息江湖，是隐者的伴侣，所以词人借沙鸥来寄托自己的志向。

213

【注释】　①虏：对敌人的蔑称。　湖海平生豪气：《三国志》载："陈元龙湖海之士，豪气不除。"词中以陈元龙的豪气作比。　吴钩：指刀。　剩喜：甚喜，非常喜。　然犀处：指采石矶。然，通燃。晋人温峤平乱到采石矶，传说其下多怪物，点燃犀角照之，见水族奇形怪状。这里的怪物指金兵。　②周与谢：周瑜与谢玄。　小乔初嫁：乔玄有二女，其中小乔嫁给周瑜，此指周瑜年轻时。　香囊：谢玄少年时好佩香囊。　"击楫"句：晋祖逖北伐渡江，中流击楫而誓：如果不能扫清中原的敌人，就像大江一样一去不回。

【解说】　1161 年 11 月虞允文在东采石（今安徽马鞍山）督宋军临江迎敌，大败金兵。作者听到这一消息，激动地写下此词。此词原题为《和庞佑父闻采石战胜》。采石一战，雪洗了敌虏扬起的战尘，使楚天风云留

水调歌头

闻采石战胜

张孝祥

雪洗虏尘静，风约楚云留。何人为写悲壮，吹角古城楼？湖海平生豪气，关塞如今风景，剪烛看吴钩。剩喜然犀处，骇浪与天浮。　忆当年，周与谢，富春秋。小乔初嫁，香囊未解，勋业故优游。赤壁矶头落照，肥水桥边衰草，渺渺唤人愁。我欲乘风去，击楫誓中流。

驻，暂得安宁。何人在古郡宣城率先赋词祝捷？庞君素有元龙豪气，目睹关塞依旧，山河异变，剪烛添亮看吴钩，急欲奔赴前线杀敌。令人欣喜的是这次采石大战，宋军的战船激起的惊涛骇浪冲天，真是惊心动魄。想起三国周瑜，东晋谢玄，当年大败敌军，正是年富力强的时候。虞允文正如周瑜、谢玄那样，从容不迫、悠闲自得地建立了不朽功业。可是周郎火烧曹军的赤壁矶头，如今已是一片落日残照；谢玄杀敌的肥水桥边，也已变得荒芜不堪。历史上的胜迹已成过去，斜阳和衰草茫茫无边，仿佛要唤起人们的愁思。我要乘长风，破万里浪，像当年的祖逖，击楫中流，誓死扫清中原敌虏。这是一首洋溢着胜利的喜悦，抒发爱国之情的壮词。

念奴娇

过洞庭

张孝祥

洞庭青草，近中秋、更无一点风色。玉鉴琼田三万顷，着我扁舟一叶。素月分辉，明河共影，表里俱澄澈。悠然心会，妙处难与君说。　　应念岭海经年，孤光自照，肝胆皆冰雪。短发萧骚襟袖冷，稳泛沧溟空阔。尽吸西江，细斟北斗，万象为宾客。扣舷独啸，不知今夕何夕。

【注释】　①青草：湖名，与洞庭湖相通。　②岭海：指两广地区。　萧骚：稀疏。　沧溟：广阔的水面。

【解说】　作者从广西被谗落职北归，途经洞庭湖，写下此词。时近中秋，洞庭湖上风平浪静，湖面就像一面巨大的镜子，又如美玉一片。我的一叶扁舟，就如点缀在琉璃世界。洁白的月亮照着我，我与月亮、银河倒映在水中，天光水色，整个世界都晶莹透彻，连我也通体透亮了。我陶醉在圣洁高妙的境界里，其妙处真是难以言传。回想我在岭南任职的那一年，借月光自照，我的肝胆如冰雪般洁白透亮，问心无愧。今天，尽管头发已经稀疏，但两袖清风，且安心地泛舟洞庭之上。我要啜尽长江之水，把天上的北斗七星作为酒勺，邀天地万物作为陪客，细细品尝大自然赐予的美酒佳酿。叩舷击节独自歌啸，宠辱皆忘，也忘了今天是什么日子。

huàn xī shā
浣 溪 沙

dòng tíng
洞 庭

zhāng xiào xiáng
张孝祥

xíng jìn xiāo xiāng dào dòng
行尽潇湘到洞

tíng chǔ tiān kuò chù shù fēng qīng qí
庭，楚天阔处数峰青。旗

shāo bù dòng wǎn bō píng hóng
梢不动晚波平。红

liǎo yī wān wén xié luàn bái yú
蓼一湾纹缬乱，白鱼

shuāng wěi yù dāo míng yè liáng
双尾玉刀明。夜凉

chuán yǐng jìn shū xīng
船影浸疏星。

【注释】 ①旗梢：船头所插的旗帜上的飘带。 ②红蓼：生长在水边的一种草本植物，花浅红色。 缬：有花纹的丝织品。

【解说】 词写洞庭湖傍晚的景色。船沿着潇水、湘江进入洞庭湖，眼前豁然开阔。泊舟湖中，天阔水远，天际有数座青峰沐浴在夕照里。船头旗杆上的飘带一丝不动，傍晚的水面风平浪静。湖岸一湾红蓼倒映在微波之中如锦缎上的花纹，白鱼在清水中嬉游，双尾如玉刀一样清晰。夜凉的时候，船影和天上疏朗的星星倒映在湖水之中。词中展现了夜泊洞庭湖时所见的一幅幅宁静幽美的风景画。

217

浣溪沙 huàn xī shā

张孝祥 zhāng xiào xiáng

霜日明霄水蘸空，鸣鞘声
shuāng rì míng xiāo shuǐ zhàn kōng míng shāo shēng

里绣旗红。淡烟衰草有无中。万里
lǐ xiù qí hóng dàn yān shuāi cǎo yǒu wú zhōng wàn lǐ

中原烽火北，一尊浊酒戍楼东。酒阑
zhōng yuán fēng huǒ běi yī zūn zhuó jiǔ shù lóu dōng jiǔ lán

挥泪向悲风。
huī lèi xiàng bēi fēng

【注释】 ①明霄：明净的天空。　鞘：鞭梢。　②酒阑：酒尽。

【解说】 这是作者登荆州（湖北江陵）城楼所作。登楼远眺，时值霜秋，蓝天明净，水天空阔，上下辉映。城西有守军营寨，尘土飞扬，红旗翻卷，时而传来清脆的鞭鸣声。极目远望，淡烟衰草莽莽无垠。万里中原正在烽火之北，至今仍被金兵占领，不禁悲愤填膺，只能在东门的城楼上举杯借酒浇愁。可是杯酒更增忧愁，酒后面对秋风只有挥泪而已。全词意境深沉广远，风格苍凉悲壮，表现了一位北望中原悲愤填膺的志士强烈的爱国情感。

xī jiāng yuè
西江月
tí lì yáng sān tǎ sì
题溧阳 三塔寺

zhāng xiào xiáng
张孝祥

wèn xùn hú biān chūn sè chóng lái yòu
问讯湖边春色，重来又
shì sān nián dōng fēng chuī wǒ guò hú chuán
是三年。东风吹我过湖船，
yáng liǔ sī sī fú miàn shì lù rú jīn
杨柳丝丝拂面。 世路如今
yǐ guàn cǐ xīn dào chù yōu rán hán guāng
已惯，此心到处悠然。寒光
tíng xià shuǐ lián tiān fēi qǐ shā ōu yī piàn
亭下水连天，飞起沙鸥一片。

【注释】 ①寒光亭：在江苏溧阳三塔湖。

【解说】 这首词写作者游三塔湖的观感。讯问湖边的春色怎么样了，旧地重游又过了三年。坐船游湖，东风吹送，杨柳拂面，十分适意。仕途上两次罢职，人生道路的坎坷，见得多了也已习惯，所以心态平和，悠然自得。眼前见到的是寒光亭下水天相连，开阔渺远，水面上，飞起一片沙鸥，在自由地翱翔。这景色，正与作者的悠然之心相契合。

蝶恋花
dié liàn huā

霰雨雪词
xiàn yǔ xuě cí

吕胜己
lǚ shèng jǐ

天色沉沉云色赭，风搅阴寒，浩荡吹平野。万
tiān sè chén chén yún sè zhě fēng jiǎo yīn hán hào dàng chuī píng yě wàn

斛珠玑天弃舍，长空撒下鸣鸳瓦。　玉女凝愁
hú zhū jī tiān qì shě cháng kōng sǎ xià míng yuān wǎ　yù nǚ níng chóu

金阙下，褪粉残妆，和泪轻挥洒。欲降尘凡飚驭驾，
jīn què xià tùn fěn cán zhuāng hé lèi qīng huī sǎ yù jiàng chén fán biāo yù jià

翩翩白凤先来也。
piān piān bái fèng xiān lái yě

【注释】　①斛：古时十斗或五斗为一斛。　珠玑：小珠子。　鸳瓦：泛指屋瓦。　②飚驭驾：以风为车驾，比喻快速。　白凤先来：侍从骑白凤凰先来。

【解说】　词以丰富的想象描写霰（雪珠）、雨、雪。天色阴沉沉的，天边的云色赭红。北风呼啸，卷地而来，搅得天地阴冷。一会儿，下雪珠了，如老天舍弃万斛的珠子，从长空中抛撒下来，只听得屋瓦上发出了哗哗卟卟清脆的响声。仙女在金鸳殿里思慕下凡，正在愁容不展。她擦去脂粉，仅留残妆，伤心的眼泪轻轻挥洒——天空飘下纷纷的小雨。仙女想降临人间，准备让风神驾车，侍女们作为先导，骑着白凤凰翩翩地飘落——这就是雪花飘扬。

220

zhè gū tiān
鹧鸪天

shān xíng
山行

wáng zhì
王质

kōng xiǎng xiāo xiāo sì jiàn
空响萧萧似见
hū xī hūn shù àn jué shén gū wēi
呼,溪昏树暗觉神孤。微
máng shān lù cái tōng zú xíng dào
茫山路才通足,行到
shān shēn lù yì wú xún cǎo
山深路亦无。 寻草
qiǎn jiǎn lín shū suī shū wú nài yě
浅,拣林疏,虽疏无奈野
téng cū chūn shān bù guǎn téng chōu
藤粗。春衫不管藤挶
suì kě xī jiào huā zhuó dì pū
碎,可惜教花着地铺。

【注释】 ①挶:抓住,钩住。

【解说】 词写在山中行走的情景和感受。在荒山野岭中行走,山中极静,山风萧萧似在招呼。溪流隐在树林之中,沿溪而行,倍觉孤寂。隐隐约约的羊肠小道宽才容足,进了深山连这样的小路也没有了。于是寻草浅的地方,选林木疏朗的地方走。即使在林疏的地方走,无奈野藤粗,挡住了去路。在山中寻花,也顾不了春衫被野藤钩破,可惜落花已经铺满地,来得太迟了。词写山行的情景和感受十分真切。

221

探春令
tàn chūn lìng

赵长卿
zhào cháng qīng

笙歌间错华筵
shēng gē jiàn cuò huá yán

启，喜新春新岁。菜
qǐ xǐ xīn chūn xīn suì cài

传纤手，青丝轻
chuán xiān shǒu qīng sī qīng

细。和气入、东风里。
xì hé qì rù dōng fēng lǐ

幡儿胜儿都姑
fān ér shèng ér dōu gū

媂。戴得更忔戏。愿新
dì dài dé gèng qì xì yuàn xīn

春以后，吉吉利利，百
chūn yǐ hòu jí jí lì lì bǎi

事都如意。
shì dōu rú yì

【注释】　①间错：穿插，一个接一个。　华筵：精美丰盛的筵席。　启：开始。　②幡儿胜儿：唐宋人立春日戴的头饰，用纸或绸绢等剪成旗形或蝴蝶、金钱等形状。　姑媂：齐整、美好。　忔戏：可爱，有趣的意思。

【解说】　这是一首写新春的贺词。笙歌一个接一个演奏起来，丰盛的筵席开宴了，新年新春喜气洋洋。妇女们纤手端出了春盘，菜切得细细的。新年新春的东风里融入了和乐欢快的气氛。幡儿胜儿都齐整美好，人人戴得更开心有趣。愿新春以后，大家吉吉利利，百事都如意。词以通俗的语言描写当时新春的风俗，又表达了新年的美好祝愿，表现了中国人的一种文化传统。

临江仙

暮春

赵长卿

过尽征鸿来尽燕,故园消息茫然。一春憔悴有谁怜?怀家寒食夜,中酒落花天。见说江头春浪渺,殷勤欲送归船。别来此处最萦牵。短篷南浦雨,疏柳断桥烟。

【注释】 ①征鸿:远飞的大雁。 故园:家乡。 寒食:节令名,农历清明前一天或两天。 中酒:因酒醉而身体不爽。 ②殷勤:情意恳切。 短篷:小船。 南浦:泛指送别的地方。

【解说】 作者是宋王朝宗室,靖康事变之后南迁,定居临安(杭州)。词写的是乡思。他客居异乡,看尽鸿雁的北往和燕子的南来,而故乡的消息茫然,不禁惆怅满怀。整个春天都在惦念家乡,人已憔悴有谁见怜?于是只好在这落花时节的寒食夜以酒浇愁。听说江头春波浩渺,春水情意恳切地像是要送他的归船返回家乡。这条曾送他离乡又将送他归去的水路,是他最为之情牵梦萦的。最后,他设想登上归船,听着春雨打着船篷,看着将别的断桥边上的疏柳淡烟,充满别离之情。这一设想,可见作者怀乡思归之情的急切。

南柯子

nán kē zǐ

wáng yán
王炎

shān míng yún yīn zhòng tiān hán yǔ yì nóng shù zhī
山冥云阴重，天寒雨意浓。数枝

yōu yàn shī tí hóng mò wèi xī huā chóu chàng duì dōng fēng
幽艳湿啼红。莫为惜花惆怅对东风。

suō lì zhāo zhāo chū gōu chéng chù chù tōng rén jiān
蓑笠朝朝出，沟塍处处通。人间

xīn kǔ shì sān nóng yào dé yī lí shuǐ zú wàng nián fēng
辛苦是三农。要得一犁水足望年丰。

【注释】 ①幽艳：在暗处的花。 ②塍：田间土埂。 三农：指春耕、夏种、秋收。

【解说】 这是一首咏叹农民生活的词。山色昏暗，阴云密布，寒雨将至。数枝娇花凝聚着水珠，楚楚可怜。奉劝词人骚客，不要因为惜花而面对春风作惆怅愁思。请看看农村吧，农民们穿蓑戴笠不避风雨朝朝出门，水沟田塍处处相通。人间最辛苦的是农家的春耕、夏种和秋收。在这重阴欲雨的时刻，盼望的是有充足的雨水可以开犁耕作，希望五谷丰登。词中流露出一种与农民的声息相通的朴质而健康的感情，这在宋词中是不多见的。

bǔ suàn zǐ

卜算子

chǐ luò

齿落

xīn qì jí

辛弃疾

gāng zhě bù jiān láo róu dǐ nán
刚者不坚牢，柔底难
cuī cuò bù xìn zhāng kāi kǒu jiǎo
摧挫。不信张开口角
kàn shé zài yá xiān duò yǐ quē
看，舌在牙先堕。已缺
liǎng biān xiāng yòu huō zhōng jiān
两边厢，又豁中间
gè shuō yǔ ér cáo mò xiào wēng gǒu
个。说与儿曹莫笑翁，狗
dòu cóng jūn guò
窦从君过。

【注释】 ①刚者：坚硬的，此指牙齿。 摧挫：折断。 ②豁：残缺。 儿曹：儿童们。 “狗窦”句：这是与儿童开玩笑的话。狗洞任由你们从这里通过。此处把缺的门牙比作狗洞。

【解说】 词以“落齿”为题，写得很风趣。刚硬的不坚固，柔软的却难以折断。不信你张开口看看，舌头在而牙齿先掉落了。已经缺了两厢的大牙，又缺了中间的一个。说给儿童们听，可不要嘲笑我，这个狗洞你们可从这里通过。作者虽然近于开玩笑，但却表达了一种深深的感慨：刚直者为世俗不容，奸佞奉承者却活得很好！

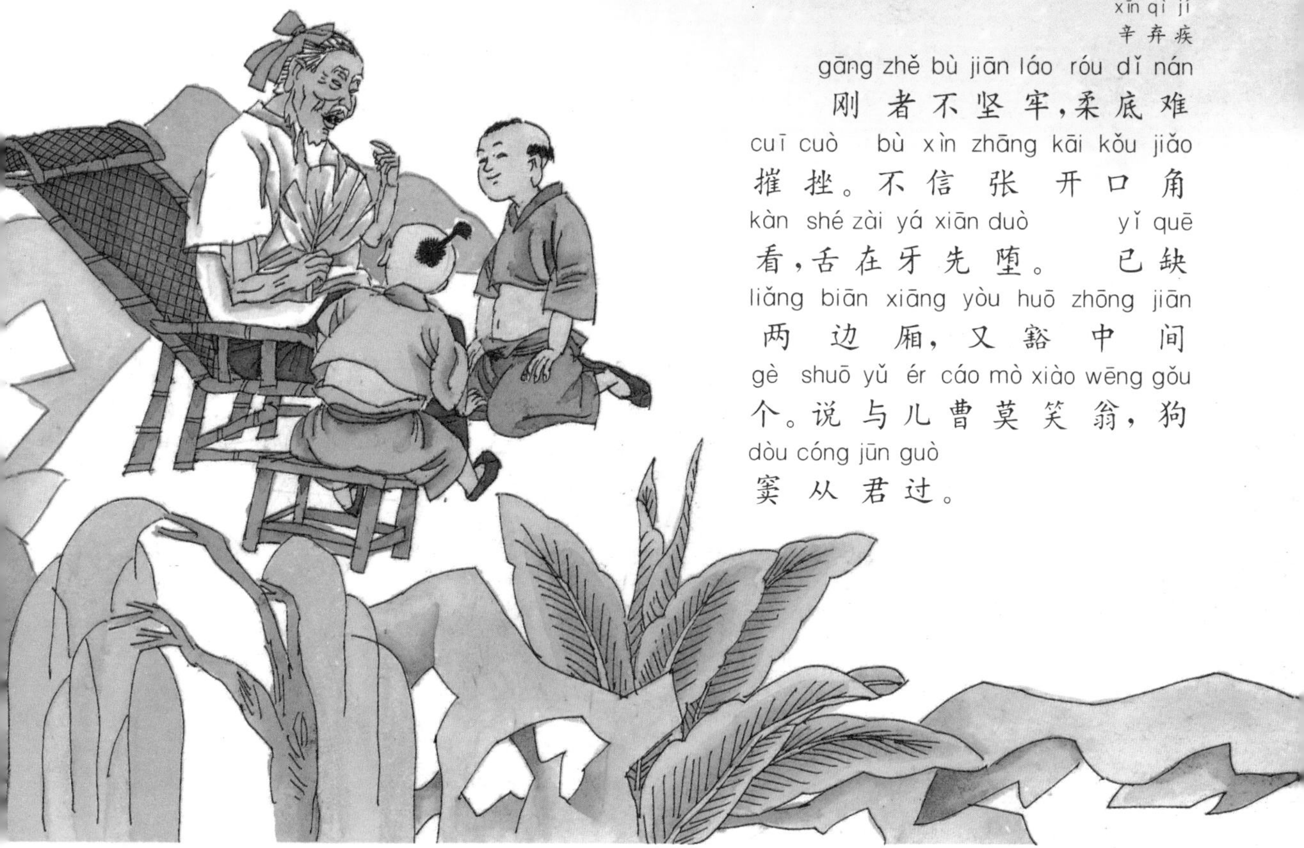

好事近
hǎo shì jìn

西湖
xī hú

辛弃疾
xīn qì jí

日日过西湖,冷浸一天寒玉。山色虽
rì rì guò xī hú lěng jìn yī tiān hán yù shān sè suī

言如画,想 画 时 难 邈。 前 弦 后 管
yán rú huà xiǎng huà shí nán miǎo qián xián hòu guǎn

夹 歌 钟, 才 断 又 重 续。 相 次 藕 花 开
jiā gē zhōng cái duàn yòu chóng xù xiāng cì ǒu huā kāi

也,几 兰 舟 飞 逐。
yě jǐ lán zhōu fēi zhú

【注释】 ①邈:同"貌",描画。 ②相次:依次,一个接一个。

【解说】 词写杭州西湖的景致。日日过西湖,湖水整天平静,如浸寒玉。山色虽说如画般美丽,但想画时又难以描画。上片写出西湖山水的可爱。下片写游湖的盛况。管弦歌钟处处可闻,"才断又重续",可见游赏的人络绎不绝。湖中的荷花次第开放,几条游船在湖中飞快地追逐游玩。岸上湖中热闹非凡。

pú sà mán
菩萨蛮

shū jiāng xī zào kǒu bì
书 江 西 造 口 壁

xīn qì jí
辛 弃 疾

yù gū tái xià qīng jiāng shuǐ zhōng
郁孤台下清江水，中

jiān duō shǎo xíng rén lèi　　xī běi wàng
间多少行人泪。西北望

cháng ān kě lián wú shù shān　　qīng
长安，可怜无数山。青

shān zhē bù zhù bì jìng dōng liú qù
山遮不住，毕竟东流去。

jiāng wǎn zhèng chóu yú shān shēn wén
江晚正愁余，山深闻

zhè gū
鹧鸪。

【注释】　①郁孤台：在今江西赣州市东南。　　长安：唐朝都城，这里借指北宋都城汴京。　②鹧鸪：鸟名，叫声如"行不得也哥哥"，这里用闻鹧鸪之声来暗示时势艰难。

【解说】　词借写山水抒发对时局的忧危之感。郁孤台下赣江之水向北流去，四十多年前金兵南侵时给人民带来了深重的苦难，因此这江水中间抛洒着多少行人的眼泪啊！向西北望故都，可惜被无数座山峰阻断了视线，何日能再见到呢？欲归无期。然而，青山虽然可以遮住"长安"，终究遮不住一江清水向东流归大海。江水冲破一切阻碍令人鼓舞。傍晚，词人伫立江边正在为国事担忧，愁绪满怀，又闻乱山深处鹧鸪声声，不禁忧心如焚。词人念念不忘民族之痛，不忘收复失地，既坚定，又担忧。

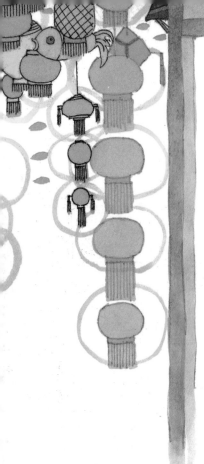

青玉案

元夕

辛弃疾

东风夜放花千树，更吹落、星如雨。宝马雕车香满路。凤箫声动，玉壶光转，一夜鱼龙舞。

蛾儿雪柳黄金缕，笑语盈盈暗香去。众里寻他千百度，蓦然回首，那人却在，灯火阑珊处。

【注释】　①玉壶：指月亮。　鱼龙：指鱼灯、龙灯。　②蛾儿雪柳黄金缕：用金线刻镂的妇女的头饰蛾儿、雪柳。　蓦然：忽然，猛然。　阑珊：零落、冷落。

【解说】　词写元宵节。春风吹放了元宵的火树银花，还吹落了天上的如雨的彩星——燃放的烟火。游赏灯景的男男女女，骑着宝马，乘坐着漂亮的车子，一路飘香。人们载歌载舞，凤箫悠扬动人。皓月皎洁，鱼灯龙灯舞动流转，长夜不息。游女们雾鬓云鬟上戴满了元宵特有的闹蛾儿、雪柳等首饰，说着笑着走过去，还有衣香在暗中飘散。在如海似潮的人流里千百次地寻找意中之"她"，猛一回头，眼前一亮，那人不就在街角残灯疏落的地方吗？词人要追寻的就是那自甘寂寞、自甘淡泊之人。这也是词人内心的表白。

清平乐

博山道中即事

辛弃疾

柳边飞鞚，露湿征衣重。宿鹭窥沙孤影动，应有鱼虾入梦。

一川明月疏星，浣纱人影娉婷。笑背行人归去，门前稚子啼声。

【注释】 ①博山：在江西永丰县西二十里，为风景名胜。 飞鞚：马飞快地奔驰。鞚，马络头。 征衣：远行人的衣服。 ②娉婷：形容女子姿态轻盈美好。

【解说】 词写作者在博山道中所见的景象。驱马从柳树旁边飞快地跑过，露水沾湿了行人的衣衫。经过河滩，只见一只白鹭栖宿在沙滩上，不时地眨着眼睛向水中窥视，身影在轻晃，准是在梦中见到鱼虾了吧？经过溪边，明月疏星映在溪流中，有年轻的妇女在溪边浣纱，月光下映出美丽的身影。村舍门前忽然响起孩子的哭声，正在溪边浣纱的妇女立刻起身回家，路上遇见陌生的行人，羞怯地低头一笑，随即背转身来匆匆归去。这山村妇女淳朴温良略带几分羞涩的形象被表现得栩栩如生。

229

qīng píng yuè
清平乐

cūn jū
村 居

xīn qì jí
辛弃疾

máo yán dī xiǎo xī shàng qīng
茅檐低小，溪上青
qīng cǎo zuì lǐ wú yí xiāng mèi
青草。醉里吴音相媚
hǎo bái fà shuí jiā wēng ǎo dà
好，白发谁家翁媪？ 大
ér chú dòu xī dōng zhōng ér zhèng
儿锄豆溪东，中儿正
zhī jī lóng zuì xǐ xiǎo ér wú lài xī
织鸡笼；最喜小儿无赖，溪
tóu wò bō lián péng
头卧剥莲蓬。

【注释】 ①吴音：这里指江西上饶一带口音，古代这里属吴国。 媚好：绵软好听。 翁媪：老公公和老婆婆。 ②无赖：调皮，可爱。

【解说】 词描绘农村一个五口之家的生活画面。有一所低小的茅屋，紧靠着一条清澈的小溪，溪边长满了青草。一对老公公和老婆婆，亲热地坐在一起，一边喝酒，一边用绵软好听的吴语聊天。大儿子在溪东豆地里锄草，二儿子在家编织着鸡笼，最喜爱的小儿子是个调皮鬼，躺卧在溪边剥着莲蓬吃。本篇仅几十字，便把一个农家五口人的身份、容貌、情态、动作和性格生动逼真地表现出来，尤其是"小儿"写得最令人喜爱。

清平乐
独宿博山 王氏庵

辛弃疾

绕床饥鼠,蝙蝠翻
灯舞。屋上 松风吹急雨,
破纸窗间自语。 平
生塞北江南,归来华发
苍颜。布被秋宵梦觉,
眼前万里江山。

【注释】 ①华发:白发。 苍颜:容貌苍老。

【解说】 词人罢官闲居上饶游览博山,在王姓一家草屋里留宿,写下所见所感。深山的草屋里,夜晚特别寂寞荒凉。饥饿的老鼠绕床觅食,蝙蝠飞舞撞翻了灯盏。屋上松涛哗哗,急雨倾泻,风吹着破窗纸沙沙作响,如人在怨恨在自言自语。在这样的环境中怎么睡得着呢?想起平生的经历,为了抗金大业南北奔走,现在归来已是面容苍老满头白发。秋夜从盖着布被的床上梦醒,眼前还仿佛出现梦中见到的祖国万里江山。词表达了作者被罢官后的苦闷和仍不忘祖国统一大业的心情。

231

qīng píng yuè
清平乐
jiǎn jiào shān yuán shū suǒ jiàn
检校山园书所见

xīn qì jí
辛弃疾

lián yún sōng zhú wàn shì cóng jīn zú   zhǔ zhàng dōng jiā fēn shè
连云松竹,万事从今足。拄杖 东家分社
ròu bái jiǔ chuáng tóu chū shú   xī fēng lí zǎo shān yuán ér tóng
肉,白酒 床 头初熟。 西风梨枣山园,儿童
tōu bǎ cháng gān   mò qiǎn páng rén jīng qù lǎo fū jìng chù xián kàn
偷把 长竿。莫遣旁人惊去,老夫静处闲看。

【注释】 ①分社肉:每当春社日或秋社日,四邻相聚,屠宰牲口来祭社神,然后分享祭社神的肉。 床头:指
指酿酒的糟床。 初熟:刚酿成。 ②把:握,拿。
【解说】 词人被免职回到上饶过退隐生活,词写他在自己山园中所见。园中松竹高耸入云,样样事情今天
我知足了。这里住得不是很好吗?秋社日,我拄着拐杖到东家分社肉,正好白酒刚酿成,可以惬意地一醉了。
秋风起,山园的梨儿枣子挂满枝头,一群儿童正手握长竹竿在偷打梨、枣。不要派人去惊跑他们,"老夫静处
闲看"。词人觉得这群顽皮的孩子有趣,还要躲在不易发觉的地方看着他们偷打。这表达了一位长者的宽容
和仁慈的善心。全词表现出词人知足自乐的感情。

清平乐

qīng píng yuè

yì wú jiāng shǎng mù xī

忆吴江 赏木樨

xīn qì jí

辛弃疾

shào nián tòng yǐn　yì xiàng wú jiāng xǐng míng yuè

少年痛饮，忆向吴江醒。明月

tuán tuán gāo shù yǐng shí lǐ shuǐ chén yān lěng　　dà dōu

团团高树影，十里水沉烟冷。　大都

yī diǎn gōng huáng rén jiān zhí nèn fēn fāng pà shì qiū tiān

一点宫黄，人间直恁芬芳。怕是秋天

fēng lù　rǎn jiào shì jiè dōu xiāng

风露，染教世界都香。

【注释】 ①吴江：在今江苏省。　木樨：桂花的别名。　水沉：沉香。这里把桂花香比作沉香。　②宫黄：杏黄色。　直恁：便这样。　怕是：恐怕是。　教：让，使。

【解说】 这首词咏桂花。回忆年轻时在吴江痛饮，酒醒时，见中秋的月亮圆圆的，月中桂影婆娑。月色中广阔的天地间如弥漫着沉香的香雾。十里的桂树上，大都是一点一点宫黄色，人间就这般芬芳了。或许是秋风的吹送，秋露的滋润，把世界都染上香气。词以丰富的联想，把天上传说的月桂和地上的桂花融和在月色中，写得优美。"染教世界都香"，写出桂花的神韵，也表达出作者的美好愿望。

233

qīng píng yuè
清 平 乐

xīn qì jí
辛弃疾

xī huí shā qiǎn hóng xìng dōu
溪回沙浅，红杏都

kāi biàn xī chì bù zhī chūn shuǐ nuǎn
开遍。䴔䴖不知春水暖，

yóu bàng chuí yáng chūn àn　　　piàn
犹傍垂杨春岸。　　片

fān qiān lǐ qīng chuán xíng rén xiǎng
帆千里轻船，行人想

jiàn qī mián shuí sì xiān shēng gāo
见攲眠。谁似先生高

jǔ　yī háng bái lù qīng tiān
举，一行白鹭青天。

【注释】　①䴔䴖：像鸳鸯一样的水鸟。　②攲：斜卧。　高举：高飞，远行。

【解说】　这是一首题写在朋友扇子上的咏春词，意境如画。溪流回环曲折，溪边沙地上，红杏开遍，如红云一片；两岸垂杨拂拂，䴔䴖还不知春水已暖，成对地停栖在柳岸边。溪流中，一叶轻舟，将远航千里之外，可以想见行人正在船舱里斜卧而眠。谁跟这位先生一样远行呢？只见一行白鹭飞向青天。词中，溪水、浅沙，明净；红杏、绿柳，明艳；䴔䴖、白鹭，动静相映；片帆、行人，飘然怡然。

生查子
shēng chá zǐ

独游西岩
dú yóu xī yán

辛弃疾
xīn qì jí

青 山 非 不 佳, 未 解 留
qīng shān fēi bù jiā wèi jiě liú

侬 住。赤 脚 踏 层 冰, 为
nóng zhù   chì jiǎo tà céng bīng wèi

爱 清 溪 故。 朝 来 山
ài qīng xī gù   zhāo lái shān

鸟 啼, 劝 上 山 高 处。我
niǎo tí quàn shàng shān gāo chù wǒ

意 不 关 渠, 自 在 寻 诗 去。
yì bù guān qú zì zài xún shī qù

【注释】 ①西岩:在江西上饶南六十里。 侬:我。 ②渠:它。

【解说】 词记写作者独游西岩时的情景。西岩的山景并不是不优美,只是不懂得如何留我住在这里,其实我倒是挺喜欢的。赤脚踏在冰冷的水中,只是因为太喜欢清溪水的缘故。早晨来到山边,只听见山鸟婉转啼鸣,仿佛是劝我登上山的高处。其实我的兴致跟鸟儿无关,只是自己饶有兴味地去寻找诗的灵感罢了。实际上,这"青山","清溪"、"山鸟",处处都显得很有诗意。

鹧鸪天 (zhè gū tiān)

鹅湖归，病起作 (é hú guī bìng qǐ zuò)

辛弃疾 (xīn qì jí)

枕簟溪堂冷欲秋，断云依水晚来收。红莲
相倚浑如醉，白鸟无言定自愁。 书咄咄，且休
休。一丘一壑也风流。不知筋力衰多少，但觉新来
懒上楼。

【注释】 ①咄咄：叹词，表示惊讶。 休休：闲适之意。 丘：小丘。 壑：深沟。 风流：风光。

【解说】 此词写作者罢职闲居在江西铅山期间，游罢鹅湖回来，病后登楼观赏江村晚景而引发的感慨。秋天将到，溪边山居的房内枕席已感到凉了，飘浮在水面上的片片晚霞慢慢消失。池塘里的荷花，互相偎倚，晚霞中像喝醉了酒的美人儿似的。堤岸上的白鸟却默默无言地静立着，它一定是为自己发愁吧？哎哎，姑且安享闲居的清福吧，隐居在山林中也很高雅的呢！但是一病之后不知筋力衰减了多少，只是觉得近来懒上楼。词人以初秋晚凉的美景自我安慰，又觉得年老力衰，担心功业难成，心有忧虑。

鹧鸪天

zhè gū tiān

东阳道中

dōng yáng dào zhōng

辛弃疾

xīn qì jí

扑面征尘去路遥，
pū miàn zhēng chén qù lù yáo

香篝渐觉水沉销。山
xiāng gōu jiàn jué shuǐ chén xiāo shān

无重数周遭碧，花不知
wú chóng shù zhōu zāo bì huā bù zhī

名分外娇。人历历，马
míng fèn wài jiāo rén lì lì mǎ

萧萧，旌旗又过小红
xiāo xiāo jīng qí yòu guò xiǎo hóng

桥。愁边剩有相思
qiáo chóu biān shèng yǒu xiāng sī

句，摇断吟鞭碧玉梢。
jù yáo duàn yín biān bì yù shāo

【注释】 ①香篝：熏笼。　水沉：一种香料，即沉香。　周遭：周围。　②历历：形容清清楚楚。　萧萧：马嘶叫的声音。　愁边：思索的意思。　相思句：这里指构思美好的句子。

【解说】 词写作者从京都临安(杭州)因事赴东阳(浙江金华、东阳一带)途中的情景。作者一行人骑马乘车向东阳进发，一路上尘土飞扬，道路遥远，香笼里的沉香渐渐燃烧尽了，还未到目的地。山重重叠叠，四周郁郁苍苍，绿得实在可爱。野花不知名，却格外娇艳。这一行人历历在目，骏马萧萧嘶鸣，他们打着旌旗走过一座小红桥。作者边骑在马上边思索着美好的诗句，一当想到好句子，便兴奋得边吟咏，边扬起马鞭催马疾跑。一路上风景优美，情绪欢快。

鹧鸪天 zhè gū tiān

代人赋 dài rén fù

辛弃疾 xīn qì jí

陌上柔桑破嫩芽，
mò shàng róu sāng pò nèn yá

东邻蚕种已生些。平
dōng lín cán zhǒng yǐ shēng xiē píng

岗细草鸣黄犊，斜日
gāng xì cǎo míng huáng dú xié rì

寒林点暮鸦。　山远
hán lín diǎn mù yā shān yuǎn

近，路横斜，青旗沽酒有
jìn lù héng xiá qīng qí gū jiǔ yǒu

人家。城中桃李愁风
rén jiā chéng zhōng táo lǐ chóu fēng

雨，春在溪头荠菜花。
yǔ chūn zài xī tóu jì cài huā

【注释】　①青旗：青布旗，酒店的招牌。　荠菜：野菜。
【解说】　词描绘江南农村初春生活。春天，田埂两边的桑枝上已绽出嫩芽，东边的邻家蚕种已经孵化出来。小土坡上长出了小草，小黄牛在欢快地鸣叫。傍晚的老树林里，飞来几只乌鸦。远远近近的山，横的斜的路与外界连通。更有兴味的是山村有一家青旗招展的酒店。城中的桃李忧风愁雨，只恐春将归去，而田头溪边的荠菜花正迎着风雨开得繁盛又显眼，好像春天是属于它们的。词表达了作者鄙弃城市上层社会的生活，欣赏、留恋农村朴质生活的感情。

238

鹧鸪天
zhè gū tiān

辛弃疾
xīn qì jí

春入平原荠菜花，新耕雨后落群
chūn rù píng yuán jì cài huā, xīn gēng yǔ hòu luò qún

鸦。多情白发春无奈，晚日青帘酒易
yā. duō qíng bái fà chūn wú nài, wǎn rì qīng lián jiǔ yì

赊。　　闲意态，细生涯。牛栏西畔有桑
shē. xián yì tài, xì shēng yá. niú lán xī pàn yǒu sāng

麻。青裙缟袂谁家女，去趁蚕生看外家
má. qīng qún gǎo mèi shuí jiā nǚ, qù chèn cán shēng kàn wài jiā

【注释】　①青帘：即青旗，酒店招牌。　赊：欠钱买东西。　②缟袂：指白绢做的衣服。袂，袖子。　趁：利用（机会）。　外家：指娘家。

【解说】　这首词写农村春天的景色。荠菜花开满田野，田翻耕好了，春雨之后，群鸦飞落在新翻的土地上觅食。万种愁绪染白了我的头发，这样生机勃勃的春天也没有办法使我消愁，只好到小酒店去买酒解愁了。村民们悠闲自在，细细地安排自己的生活。牛栏西边的空地上种满了桑麻。春耕刚完，春播还没有开始，新蚕即将孵化，不知谁家的年轻媳妇，穿着白衣青裙，趁着大忙前的空闲赶着去走娘家。这首词描绘出农村春耕之际的生活图景，清新，质朴，让人喜爱，同时也透露出作者此时闲居的苦闷心情。

zhè gū tiān
鹧鸪天

xīn qì jí
辛弃疾

zhuó yì xún chūn lǎn biàn
着意寻春懒便
huí hé rú xìn bù liǎng sān bēi
回，何如信步两三杯？
shān cái hǎo chù xíng hái juàn
山才好处行还倦，
shī wèi chéng shí yǔ zǎo cuī
诗未成时雨早催。
xié zhú zhàng gèng máng
携竹杖，更芒
xié zhū zhū fěn fěn yě hāo kāi
鞋，朱朱粉粉野蒿开。
shuí jiā hán shí guī níng nǚ xiào
谁家寒食归宁女，笑
yǔ róu sāng mò shàng lái
语柔桑陌上来。

【注释】 ①着意：存心，有意。 ②更芒鞋：换草鞋。 野蒿：草本植物，有特殊气味，花小。 归宁：已嫁女子回娘家看望父母。 陌：田间小路。

【解说】 作者闲居江西上饶铅山时，写游春的所见所感。存心要寻访春天的美景，疲乏了就回去，但这哪里能像散步或者饮两三杯酒那样随意。才来到山上的风景佳处，便早已走得疲倦了；诗还没有构思好，雨已经在催交卷了。寒食这一天作者带着竹杖，换上草鞋出游，看到野外红红白白的野草花争奇斗艳。不知谁家出嫁了的女儿回娘家，笑着说着跟村人打着招呼，从桑园的小路上走过来。词人似乎从这地头田间寻到了自己所喜爱的春意。

zhè gū tiān

鹧鸪天

xīn qì jí
辛弃疾

zhuàng suì jīng qí yōng wàn fū jǐn
　　壮 岁 旌 旗 拥 万 夫,锦
chān tū qí dù jiāng chū　yān bīng yè chuò
襜 突 骑 渡 江 初。燕 兵 夜 娖
yín hú lù　hàn jiàn zhāo fēi jīn pú gū
银 胡 䩮,汉 箭 朝 飞 金 仆 姑。

zhuī wǎng shì tàn jīn wú chūn fēng bù
　　追 往 事,叹 今 吾,春 风 不
rǎn bái zī xū　què jiāng wàn zì píng róng
染 白 髭 须。却 将 万 字 平 戎
cè huàn dé dōng jiā zhòng shù shū
策,换 得 东 家 种 树 书。

【注释】①壮岁:年轻时。　锦襜突骑:穿锦衣,骑快马。　燕兵:指北方抗金义军。　娖:通"捉",握,提。银胡䩮:饰银的箭袋。　金仆姑:箭名。　②"春风"句:指人衰老了,无法恢复青春。　万字平戎策:指作者上呈朝廷的抗金奏疏、策论。　东家种树书:指晚年失意闲居,从事农业。

【解说】这是作者对自己一生的回忆:年轻时,北方成千上万的义军簇拥在抗金的大旗下,我带领了几十个穿着锦衣、骑着快马的勇士,冲入敌营活捉叛徒、渡江南下。义军连夜提着箭袋,冲出防线,用箭回射金兵。追忆往事如此豪壮,可叹如今的我,春风染不了我的白胡子——无法恢复青春了。我上奏给皇帝的"万字平戎策",不仅不被采纳,反而罢了官,换来"东家种树书",解甲归田。词写出了失路英雄的遗憾。

241

西江月
夜行黄沙道中
辛弃疾

明月别枝惊鹊,清
风半夜鸣蝉。稻花香
里说丰年,听取蛙声
一片。 七八个星天外,
两三点雨山前。旧时
茅店社林边,路转溪
桥忽见。

【注释】 ①黄沙:黄沙岭,在今江西上饶西四十里。 别枝:由主干斜出的树枝。 听取:听得。 ②社林:
土地庙周围的树林。 见:同"现",出现。

【解说】 词描写夜行黄沙道中的所见所闻。词人在月下行走,见到栖息在树枝桠上的喜鹊因月明如昼而惊
起,夜半清风送来阵阵的蝉鸣声。稻花飘香中,蛙声一片,好像在争说今年丰收的事儿。忽然天色有变,七八
个星还在天边闪烁着,就有两三点雨有力地砸下来,预示着夏夜的雷阵雨就要来临。正在着急,路一转弯,
走过一座溪桥,社林边出现了旧时相识的茅店。这儿既可以避雨,又可以小酌,故而感到十分惊喜和欣慰,
如同到了家里一样。全词笔调轻快、灵动,字里行间透露出作者轻松、愉悦的心情。

西江月
遣兴

辛弃疾

醉里且贪欢笑，要愁那得工夫。近来始觉古人书，信着全无是处。昨夜松边醉倒，问松"我醉何如"。只疑松动要来扶，以手推松曰："去！"

【注释】 ①遣兴：用诗词来排遣某种兴致、意趣。 "近来"二句：化用《孟子·尽心》"尽信书，则不如无书"句。

【解说】 作者力主抗金而不为朝廷所用，借酒醉来抒发悲愁愤懑之情。我在醉里暂且可以得到欢笑，要愁哪里有工夫去愁。近来才觉得古书上说的，尽管有许多"至理名言"，但现实生活中却行不通，因为如果依照古训行事，势必处处碰壁。昨天夜里我在松树边醉倒了，我朦朦胧胧地问松树："我醉得怎么样了？"看见松枝摇动，只当松树要来扶我，便用手推开松树，并厉声喝道："去！"作者的醉态活灵活现，倔强的性格也表露无遗。

243

què qiáo xiān
鹊桥仙
jǐ yǒu shān xíng shū sǒu jiàn
己酉山行书所见

xīn qì jí
辛弃疾

sōng gāng bì shǔ máo yán bì
松冈避暑，茅檐避
yǔ xián qù xián lái jǐ dù zuì fú
雨，闲去闲来几度？醉扶
guài shí kàn fēi quán yòu què shì qián
怪石看飞泉，又却是、前
huí xǐng chù dōng jiā qǔ fù
回醒处。　　东家娶妇，
xī jiā guī nǔ dēng huǒ mén qián xiào
西家归女，灯火门前笑
yǔ niàng chéng qiān qǐng dào huā
语。酿成千顷稻花
xiāng yè yè fèi yī tiān fēng lù
香，夜夜费、一天风露。

【注释】　①归女：出嫁的女子回娘家探望亲人。
【解说】　词写作者罢官后闲居上饶时游览、栖息等情景。他的新居在城西北不远的带湖之滨，附近是灵山一带的山冈。他常游灵山，在山冈的松林里避暑，在茅檐下避雨，闲着无事，这里来来去去不知多少回了。酒醉恍惚，手扶怪石看飞泉，酒醒一看，发觉这里原来又正是前次酒醒的老地方。闲逸中有无穷的哀痛。但农村的生活，又使词人兴致盎然。东家娶媳妇，西家出嫁的女儿回来探亲，灯火辉煌，门前笑语盈盈，热闹非凡。村外，风露夜夜酿出千顷的稻花香醇，丰收在望。词人暂时忘却了自己的处境，把整个心情都投入了对农民的怜爱和关心。

shēng chá zǐ

生查子

tí jīng kǒu jùn zhì chén biǎo tíng
题京口郡治尘表亭

xīn qì jí
辛弃疾

yōu yōu wàn shì gōng kū kū
悠悠万世功，矻矻

dāng nián kǔ　yú zì rù shēn yuān
当年苦。鱼自入深渊，

rén zì jū píng tǔ　　　hóng
人自居平土。　　红

rì yòu xī chén bái làng cháng
日又西沉，白浪长

dōng qù　bù shì wàng jīn shān
东去。不是望金山，

wǒ zì sī liáng yǔ
我自思量禹。

【注释】　①悠悠：遥远的样子。　矻矻：形容辛勤劳苦的样子。　②金山：原在镇江西北的长江中，现已与南岸连接。　禹：夏朝的建立者，亲临工地指挥治水，经十年的努力，终于战胜了洪水。

【解说】　这是一首怀念、歌颂夏禹的小令。上片写夏禹治水的功绩。禹治水的功绩，历经悠悠万世，永留世间。当年经他勤劳不懈的努力，才使鱼儿归入深渊，人们居住在陆上平地，各得其所。下片写对夏禹的怀念。红日又西沉了，白浪永远向东流去。时光虽然不断流逝，但夏禹的功绩却始终为人们永记不忘。我站在这亭上不是在望长江中的金山，而是在思念大禹。希望今天的朝廷也能有大禹那样的信心和勤劳来造福于人民。

245

生查子 shēng chá zǐ

独游雨岩 dú yóu yǔ yán

辛弃疾 xīn qì jí

溪边照影行，天在清溪底。天上有行云，人在行云里。
xī biān zhào yǐng xíng，tiān zài qīng xī dǐ。tiān shàng yǒu xíng yún，rén zài xíng yún lǐ。

高歌谁和余？空谷清音起。非鬼亦非仙，一曲桃花水。
gāo gē shuí hè yú？kōng gǔ qīng yīn qǐ。fēi guǐ yì fēi xiān，yī qǔ táo huā shuǐ。

【注释】 ①雨岩：在江西广丰县博山的山湾里，岩的形状很怪，名叫"山鬼"。岩中有泉飞出。 ②桃花水：指春天三月的流水。

【解说】 这是一首记游词。人在溪边行，人影倒映在溪水中，天空也倒映在清溪里。天上有行云，溪水里的人影也就像在云里行走。这景象有使人飘飘欲仙的感觉。独自高歌，有谁能相和？不闻人和，只听到空谷里响起"清音"。乍一听"空谷清音"，还以为是鬼怪或是神仙发出的，定神一辨，才明白"非鬼亦非仙"，原来是春水潺潺，清音流转，似奏乐曲。词上片以写"形"为主，下片以写"声"为主，描绘出雨岩山水之美，抒发了词人独游时的舒适和畅快之感。

chǒu nú ér

丑 奴 儿

shū bó shān dào zhōng bì

书博山道中壁

xīn qì jí

辛弃疾

shào nián bù shí chóu zī wèi ài shàng céng lóu ài

少年不识愁滋味，爱上层楼。爱

shàng céng lóu wèi fù xīn cí qiǎng shuō chóu ér jīn

上层楼，为赋新词强说愁。而今

shí jìn chóu zī wèi yù shuō hái xiū yù shuō hái xiū què dào

识尽愁滋味，欲说还休。欲说还休，却道

tiān liáng hǎo gè qiū

天凉好个秋。

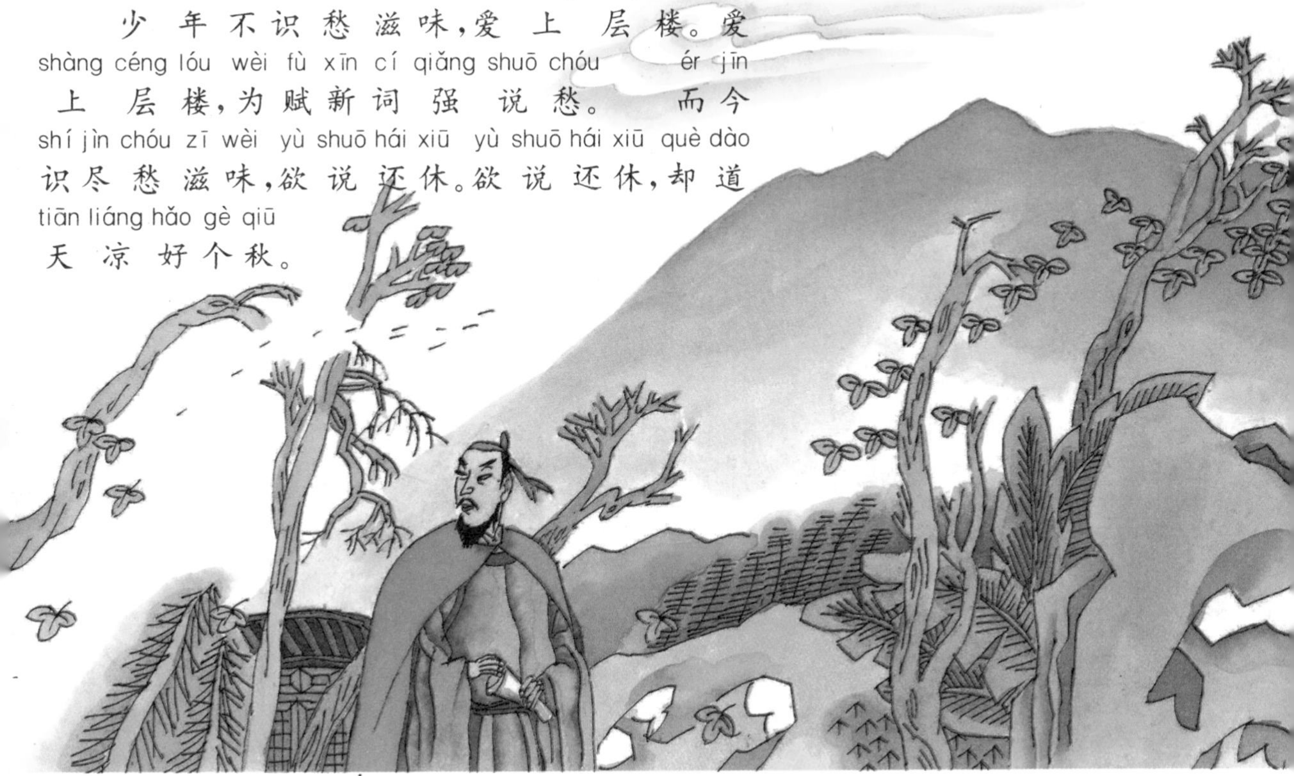

【注释】 ①强说愁：本来无愁却硬要说愁，即无病呻吟之意。

【解说】 词人罢官闲居带湖时，写下这首概括他大半生经历及感受的词。上片写自己青年时代：那时风华正茂，涉世不深，乐观单纯，对于“愁”还缺乏真切的体验，不识愁的滋味，爱上层楼赏玩。因为“爱上层楼”，触发诗兴，尽管“不识愁滋味”，也勉强说些“愁闷”之类的话。下片写现在，与“少年”时作对比。随着年岁的增长，阅历的加深，对“愁”有了真切的体验。力主抗金，收复失土，却一直受排挤打击，尝够了愁的滋味。想跟人诉说，又忍住不说，说了反会招致麻烦，而且说了也没有用，于是与人见面只好说说言不由衷的话：秋凉了，天气好啊！不说愁，而忧国伤时，报国无门之愁，才是真正的“愁”。

pò zhèn zǐ
破 阵 子

wèi chén tóng fǔ fù zhuàng cí yǐ jì
为 陈 同 甫 赋 壮 词 以 寄

xīn qì jí
辛 弃 疾

zuǐ lǐ tiǎo dēng kàn jiàn mèng huí chuī
醉 里 挑 灯 看 剑，梦 回 吹

jiǎo lián yíng bā bǎi lǐ fēn huī xià zhì wǔ shí
角 连 营。八 百 里 分 麾 下 炙，五 十

xián fān sài wài shēng shā chǎng qiū diǎn bīng
弦 翻 塞 外 声。沙 场 秋 点 兵。

mǎ zuò dí lú fēi kuài gōng rú pī lì
马 作 的 卢 飞 快，弓 如 霹 雳

xián jīng liǎo què jūn wáng tiān xià shì yíng
弦 惊。了 却 君 王 天 下 事，赢

dé shēng qián shēn hòu míng kě lián bái fà shēng
得 生 前 身 后 名。可 怜 白 发 生。

【注释】 ①梦回：梦醒。 八百里：指牛。 麾下：将帅的部下。 炙：烤肉。 五十弦：瑟，这里指军乐。 翻：弹奏。 ②的卢：骏马名。 君王天下事：指抗金复国大业。 可怜：可惜。

【解说】 词题为《为陈同甫赋壮词以寄》，作者用自己年轻时参加耿京起义军时所体验到的战斗盛况和雄心抱负来勉励好友陈亮（字同甫），抒发悲愤之情。当年醉酒时还拨亮灯火，深情地端详心爱的宝剑。一梦醒来，只听得各军营接连响起了雄壮的军号声。战士们一面大块分食烤牛肉，一面用各种乐器弹奏着雄壮的军乐。秋高马肥，正是练兵检阅部队的好时节。将军率领铁骑，风驰电掣般奔赴前线，弓弦雷鸣，万箭齐发。只为完成君王复国的大业，使自己生前死后都留下美名。可惜我已满头白发了！作者壮志难酬，悲愤难忍。

南乡子 (nán xiāng zǐ)

登京口北固亭有怀 (dēng jīng kǒu běi gù tíng yǒu huái)

辛弃疾 (xīn qì jí)

何处望神州？满眼风光北固楼。千古兴亡多少事？悠悠，不尽长江滚滚流！

年少万兜鍪，坐断东南战未休。天下英雄谁敌手？曹刘。生子当如孙仲谋。

【注释】 ①京口：今江苏镇江。 北固亭：在镇江城北北固山上。 神州：这里指中原。 北固楼：即北固亭。
②兜鍪：头盔，这里代指士兵。 坐断：占据。 孙仲谋：孙权。

【解说】 作者登临北固楼，见眼前风光无限，然而何处是神州？中原大地渺茫不见。千百年来，在这块土地上经历了多少朝代的兴亡事变？往事悠悠，只有这无尽的长江水依旧东流。在这江防战略要地，出现过多少英雄人物。想当年三国时的孙权，年纪轻轻就统率千军万马，雄据东南一方，奋发自强，战斗不息，何等气概！天下英雄中谁可配称他的"敌手"？唯有曹操与刘备罢了。你不信吗？连曹操都这样说："生儿子就要生像孙权这样的人！"显然，这里作者企盼当今能出现孙权式的英雄人物，统率千军万马与敌斗争到底。

249

浣溪沙
常山道中即事

辛弃疾

北陇田高踏水频，西溪禾早已尝新，隔墙沽酒煮纤鳞。　忽有微凉何处雨，更无留影霎时云。卖瓜人过竹边村。

【注释】　①常山：浙江常山县。　踏水：以足踩水车引水上坡。　禾：水稻。　纤鳞：小鱼。　②更无：绝无。

【解说】　词写途经浙西路上所见。北面那块田高水易干，农民们经常车水灌溉；西溪那边的田亩地势低，水源丰富，水稻成熟得早，已经可以提前收割尝新米饭了，隔墙就有一家农民高兴得到小酒店里买酒煮鱼小酌了。夏天忽晴忽雨，突然吹来一阵凉风，定是哪里下雨了。刚才天空还是万里无云，霎时便布满了乌云。黄瓜已熟，卖黄瓜的人吆喝着，穿村走巷，从屋旁的竹林边走过。词中所写恰如一幅江南农村的风俗画。

250

愁倚栏
chóu yǐ lán

程垓
chéng gāi

春犹浅,柳初
chūn yóu qiǎn liǔ chū

芽,杏初花。杨柳
yá xìng chū huā yáng liǔ

杏花交影处,有人
xìng huā jiāo yǐng chù yǒu rén

家。 玉窗明
jiā yù chuāng míng

暖烘霞。小屏上、
nuǎn hōng xiá xiǎo píng shàng

水远山斜。昨夜酒
shuǐ yuǎn shān xiá zuó yè jiǔ

多春睡重,莫惊他。
duō chūn shuì zhòng mò jīng tā

【注释】 ①玉窗:窗的美称。

【解说】 这是一首富有诗情画意的小令。初春时候,柳条上刚绽出绿芽,杏树也才开花。绿柳和红杏交映的地方,有一户人家。窗内明亮煦暖,春气融融,霞光斜照。室内的屏风上,画着"水远山斜"的风景画。在这春光明媚、居室雅致、宁静舒适的环境中,主人公因为昨夜欢饮,酒多喝了几杯,还在美美的睡大觉呢,别惊动他。词由室外写到室内,层层铺排,布置好一个优美的环境才点出要表现的主人公,真如画龙点睛一样巧妙。词表现了作者对和平、宁静、美好生活的一种向往,语言明白而自然。

251

卜算子 (bǔ suàn zǐ)

石孝友 (shí xiào yǒu)

见也如何暮？别也如何遽？别也应难见也难，后会无凭据。

去也如何去？住也如何住？住也应难去也难，此际难分付。

【注释】 ①暮：晚。 遽：急促。 ②难分付：不好办。

【解说】 词写男女主人公难分难舍的感情。全词都用男女主人公的口吻直接来表达。上片写女主人公的叹惋：我们相见为何这么晚？相别又为何这样仓促啊？相别时难分难舍，分别难，别后重逢也难啊，因为能否重逢还没有一点把握。下片写男主人公临行时的踌躇。要走，又怎么走得了？要留下来，情势所迫，又怎么能够？真是留也难，走也难，临别之际叫我该怎么办好呢？此词明白如话，读来如闻其声，如见其人。

水 调 歌 头

送 章 德 茂 大 卿 使 虏

陈 亮

不见南师久，漫说北群空。当 场 只手，毕竟还我万夫雄。自笑 堂 堂 汉使，得似洋 洋 河水，依旧只流东。且复穹庐拜，会 向 藁街逢。 尧之都，舜之壤，禹之封。于中 应有，一个半个耻臣戎。万里腥膻如许，千古英灵安在，磅 礴几时通？胡运何须问，赫日自当中。

【注释】 ①漫：全，都。 北群空：比喻无人才。 穹庐：毡幕，北方游牧民族的居所，这里指金国朝廷。 藁街：汉代长安城街名，汉将陈汤斩匈奴郅支单于，悬其头于此。 ②尧、舜、禹：传说中我国上古时代的圣君。

【解说】 章德茂奉命出使金国，作者写此词为之送行。许久不见北伐的南宋军队，人们都说已经没有抗战的英才了。真是胡说！当场这位能只手举千钧，毕竟会还我中原的英雄本色。他忠心为国，就像那洋洋河水永远向东流。虽然这次暂且到金廷拜贺，但终究会克敌制胜，使敌酋的头颅悬在藁街上。中原是中华民族的发祥地，在这当中，总该可以找到一个半个耻于向金国称臣的人吧！在金国统治下，中原成了这个样子，古代的英灵在哪里？伟大的民族精神何时才能重新激荡？敌人必败用不着怀疑，而我们一定会胜利，就像太阳高悬天空那样昭昭。

253

小重山

xiǎo chóng shān

章 良 能
zhāng liáng néng

柳暗花明春事深。小栏
liǔ àn huā míng chūn shì shēn xiǎo lán

红芍药,已抽簪。雨馀风软
hóng sháo yào yǐ chōu zān yǔ yú fēng ruǎn

碎鸣禽。迟迟日,犹带一分阴。
suì míng qín chí chí rì yóu dài yī fēn yīn

往事莫沉吟。身闲时序
wǎng shì mò chén yín shēn xián shí xù

好,且登临。旧游无处不堪寻。
hǎo qiě dēng lín jiù yóu wú chù bù kān xún

无寻处,惟有少年心。
wú xún chù wéi yǒu shào nián xīn

【注释】 ①雨馀:雨后。 迟迟日:指春日。 ②沉吟:沉思探究。 时序:时节。 堪:可以,能。

【解说】 词写重游旧地时的感受。柳暗花明,春天的景象都已充分显现,小花栏的红芍药也抽出了尖尖的如簪般的花蕾。雨后,春风和畅,百鸟争鸣。春日越来越长,阴晴无定,景色妩媚。往事不必去回忆细想了,身闲又正值春日的良辰美景,自应登临揽胜。可是当游览之后,又不禁处处引起对往日的追忆。过去的景物无处不可寻,只是时光流逝,年华已老,当年的"少年心"已再难追寻了。时光虽好,青春不再;人到晚年,回想起少年时的壮志雄心,不免感慨。

254

zhāo jūn yuàn
昭君怨
yuán chí yè fàn
园池夜泛

zhāng zī
张镃

yuè zài bì xū zhōng zhù
月在碧虚中住，
rén xiàng luàn hé zhōng qù huā
人向乱荷中去。花
qì zá fēng liáng mǎn chuán
气杂风凉，满船
xiāng yún bèi gē shēng yáo
香。云被歌声摇
dòng jiǔ bèi shī qíng duō sòng zuì
动，酒被诗情掇送。醉
lǐ wò huā xīn yōng hóng qīn
里卧花心，拥红衾。

【注释】　①碧虚：蓝天。　②掇送：催迫。　衾：被子。

【解说】　词描写夏夜泛舟荷花池的情景。月亮挂在碧空，月影倒映在池水中，词人乘游船划向荷花深处。凉风夹着荷花荷叶的清香吹送过来，满船芳香。游船上歌声飘入云霄，冷香飞上笔端，酒酿诗情，诗助酒意。醉酒舟中，因船在池中，莲花倒映水底，故仿佛身卧花心，拥盖着纷披的红被子。这首词，声色兼美，清丽动人。

满庭芳

促织儿

张镃

月洗高梧,露浥幽草,宝钗楼外秋深。土花沿翠,萤火坠墙阴。静听寒声断续,微韵转、凄咽悲沉。争求侣,殷勤劝织,促破晓机心。 儿时曾记得,呼灯灌穴,敛步随音。任满身花影,犹自追寻。携向华堂戏斗,亭台小、笼巧妆金。今休说,从渠床下,凉夜伴孤吟。

【注释】 ①促织儿:蟋蟀。 浥:露多的样子。 宝钗楼:咸阳古楼名,这里借指亲友家的楼台。 土花:苔藓。 晓机心:指纺织女子的心。晓机,女子夜里纺绩到天明。 ②亭台:指蟋蟀笼子。 从渠:随它。

【解说】 秋夜,梧桐沐浴在月光之中,楼外,小草沾满露水,沿墙苔藓翠碧,萤火虫飘坠墙根。静听蟋蟀断断续续的鸣声,声调凄凉、沉咽,似乎是在寻找伴侣,又像是催促着织女纺织到天明。曾记得儿时捕蟋蟀,呼叫着掌灯,在蟋蟀躲的洞里灌水赶它出来,收住脚步,又循声前行,钻到花丛里去,任凭满身花影,还是顾自追寻。捉到蟋蟀后,拿到厅堂里戏斗,把它装在小巧的用黄金装饰的笼子里玩耍。如今别再说这些欢乐的趣事了,秋凉之夜,只有蟋蟀在床底下发出凄苦的鸣声伴着我孤吟。

江城子

凯旋

张镃

春风旗鼓石头城，急麾兵，斩长鲸。缓带轻裘，乘胜诗蛮荆。蚁聚蜂屯三十万，军面缚，赴行营。舳舻千里大江横，凯歌声，犬羊惊。尊俎风流，谈笑酒徐倾。北望旄头今已灭，河汉淡，两台星。

【注释】 ①石头城：今南京市。 麾：指挥。 长鲸：比喻入侵中原的金兵。 缓带轻裘：形容态度闲适从容。 诗：写诗。 蛮荆：此指蛮笺，一种名贵的纸。 ②舳舻：船只头尾前后相接。 尊俎：指饮宴。 旄头：此指金兵的前驱部队。 台星：三台星，比喻大臣。两台星，比喻指挥陆战、水战的两位将军。

【解说】 东风浩荡，军旗飘扬，战鼓咚咚，宋军将领在石头城上急急地指挥军队出击南犯的敌人。将军缓带轻裘，从容地乘胜逸击，且壮思逸飞，援笔成诗。转眼间，就把如蚁聚、如蜂屯的三十万敌军战俘捆缚回军营。战船横江千里迎敌，凯歌高奏，敌人吓得如犬羊般惊恐。将士们风流倜傥，饮酒谈笑，北望敌人的前锋已被消灭。仰望天空，只见银河星淡，天将放晓，两座台星在闪闪发光。天下太平出现了新的希望。

唐多令

táng duō lìng

刘过
liú guò

芦叶满汀洲,寒沙带
lú yè mǎn tīng zhōu hán shā dài

浅流。二十年重过南
qiǎn liú èr shí nián chóng guò nán

楼。柳下系船犹未稳,能
lóu liǔ xià xì chuán yóu wèi wěn néng

几日,又中秋。黄
jǐ rì yòu zhōng qiū huáng

鹤断矶头,故人曾到否?
hè duàn jī tóu gù rén céng dào fǒu

旧江山浑是新愁。欲买
jiù jiāng shān hún shì xīn chóu yù mǎi

桂花同载酒,终不似,
guì huā tóng zài jiǔ zhōng bù sì

少年游。
shào nián yóu

【注释】①南楼:即武昌黄鹤山上的安远楼。 ②黄鹤断矶头:黄鹤山西北有黄鹤矶,黄鹤楼在其上。 浑是:全是。

【解说】 词人晚年重登二十年前曾游览过的安远楼,写下此词。登楼望去,枯槁的芦叶铺满江畔小洲。清浅的江水缓缓而流,沙底可见。二十年前壮怀激烈,以身许国曾来此楼,如今"重过南楼"。柳下停船不久,不消几日,又到中秋了。在这黄鹤矶头,想起当年同游的老朋友如今还在吗?二十年来,事业无成,朋友星散,旧日所见到的江山,如今满眼都是新愁。国家如江河日下,怎不担忧?想赏桂花饮美酒,苦中求一乐,但终究不像当年年轻时那样有指点江山、兴致勃勃的"少年游"了。全词充满今非昔比的忧伤和感慨。

258

diǎn   jiàng   chún
点 绛 唇

dīng wèi dōng guò wú sōng zuò
丁 未 冬 过 吴 松 作

jiāng kuí
姜 夔

yān yàn wú xīn tài hú xī pàn suí yún qù   shù fēng
燕雁无心,太湖西畔随云去。数峰

qīng kǔ shāng lüè huáng hūn yǔ   dì sì qiáo biān nǐ
清苦,商略黄昏雨。   第四桥边,拟

gòng tiān suí zhù   jīn hé xǔ   píng lán huái gǔ cán liǔ cēn
共天随住。今何许?凭栏怀古,残柳参

cī wǔ
差舞。

【注释】 ①燕雁:北方的大雁。 商略:商量、酝酿。 ②第四桥:指江苏吴江县城外的甘泉桥。 天随:唐朝诗人陆龟蒙自号天随子,晚年隐居松江甫里。
【解说】 这是作者旅途中经过吴松(今江苏吴江)时所写的怀古伤今之词。时值初冬的黄昏,寥落、冷清的群山之间正在酝酿着雨意,北方的大雁对于太湖的景致毫无眷恋之意,竟随云而去。城外的甘泉桥边,正是唐代天随子隐居的地方,我也想在这里隐居。眼前是怎样的景象呢?凭栏远眺,缅怀有心追随的古人,见到的却是苍茫的暮色中随风飘舞的几缕残柳。这景象实在令人伤感。陆龟蒙处在晚唐末世,一生不得志而隐逸江湖,作者也处在国家衰亡之时,飘泊江湖一生,所以心情可通。全词以景传情,含蓄有味。

扬 州 慢
yáng zhōu màn

jiāng kuí

淮左名都，竹西佳处，解鞍少驻初程。过春风十里，尽
荠麦青青。自胡马窥江去后，废池乔木，犹厌言兵。渐黄
昏，清角吹寒，都在空城。 杜郎俊赏，算而今、重到
须惊。纵豆蔻词工，青楼梦好，难赋深情。二十四桥仍
在，波心荡、冷月无声。念桥边红药，年年知为谁生！

【注释】 ①淮左：即淮东。扬州宋朝属淮南东路。 竹西：扬州禅智寺侧有竹西亭，环境清幽。 荠麦：荠菜、
麦苗。 ②杜郎：指唐代诗人杜牧。 俊赏：出色的鉴赏。 豆蔻：杜牧《赠别》："娉娉袅袅十三余，豆蔻梢头
二月初。" 青楼梦：杜牧《遣怀》："十年一觉扬州梦，赢得青楼薄幸名。" 二十四桥：传说有二十四位美人
吹箫于此而得名。

【解说】 作者路过扬州，目睹战争洗劫后的萧条景象，抚今追昔，写下这首感伤的词。扬州是淮东的名城，
作者初次到竹西亭风景优美的地方，下马稍作停留。看到昔日繁华的十里扬州街道，如今全长满野草、麦

260

苗，十分荒凉。自从金兵几次南侵，扬州遭到极大破坏，这里只留下荒废的池台，残存的大树，人们仍厌恶谈论战争。天渐渐黑下来，整座空城只听到凄清的号角声。唐朝诗人杜牧曾写过许多歌咏扬州的诗篇，如果他还活着重游扬州，看到眼前惨状，定会大吃一惊。纵使他用写"豆蔻"词的功力，写"青楼"诗的才华，也难写尽这萧条冷落的情景和哀时伤乱的心情。昔日繁华的二十四桥仍在，寒月倒映在微波摇荡的流水中，无声无息。桥边有名的芍药花，不知人间的盛衰巨变，自开自落，无人欣赏。词人以今昔对比的写法，真实地反映了扬州被战争破坏的惨景，表达了对山河残破的哀思。

shuǐ diào gē tóu
水 调 歌 头

tí jiàn gé
题 剑 阁

cuī yǔ zhī
崔 与 之

wàn lǐ yún jiān shù lì mǎ jiàn mén guān luàn shān jí mù wú jì zhí běi shì
万 里 云 间 戍,立 马 剑 门 关。乱 山 极 目 无 际,直 北 是

cháng ān rén kǔ bǎi nián tú tàn guǐ kū sān biān fēng dí tiān dào jiǔ yīng huán shǒu
长 安。人 苦 百 年 涂 炭,鬼 哭 三 边 锋 镝,天 道 久 应 还。手

xiě liú tún zòu jiǒng jiǒng cùn xīn dān   duì qīng dēng sāo bái shǒu lòu shēng
写 留 屯 奏, 炯 炯 寸 心 丹。 对 青 灯, 搔 白 首, 漏 声

cán lǎo lái xūn yè wèi jiù fáng què yī shēn xián pú jiàn qīng quán bái shí méi lǐng
残。老 来 勋 业 未 就,妨 却 一 身 闲。蒲 涧 清 泉 白 石,梅 岭

lǜ yīn qīng zǐ guài wǒ jiù méng hán fēng huǒ píng ān yè guī mèng rào jiā shān
绿 阴 青 子,怪 我 旧 盟 寒。烽 火 平 安 夜,归 梦 绕 家 山

【注释】 ①剑门关:今四川剑阁东北,地势险要,为古代戍守的要冲。 长安:今陕西西安,借指北宋故都汴梁(今开封)。 ②蒲涧:在广州白云山上,作者曾隐居在这里。 梅岭:大庾岭,在广东和江西交界处。

【解说】 作者到成都任职时,曾登临剑阁,写下这首爱国词章。作者身负保卫边境的重任,来到这万里之遥、高入云霄的剑阁,立马极目骋怀。向北望,崇山峻岭无数,直北是早已沦陷的北宋故都汴梁。人民苦于长达"百年"的悲惨遭遇,边境无数冤鬼在刀光剑影中悲哭。这种状况不能再继续下去了,天道早应该回转了,失地也该收复了。我要亲手写奏章留在四川屯兵抗金,表达一片耿耿丹心。在长夜将尽的时刻,青灯独坐,

轻抚白发，感慨不已。至今老了还未完成收复失地的事业，愧对国家，也妨碍了自己归隐山林的夙愿的实现。蒲涧的流泉，梅岭的青梅，都在责备我忘了归隐田园的旧约了。然而每当战事暂停的平安之夜，我的梦魂就飞回了故乡的山水间。词表达了国家的大业高于个人夙愿的爱国情怀。

风入松
fēng rù sōng

俞国宝

一春长费买花钱，日日醉湖边。玉骢惯识西湖路，骄嘶过、沽酒楼前。红杏香中箫鼓，绿杨影里秋千。

暖风十里丽人天，花压鬓云偏。画船载取春归去，馀情付、湖水湖烟。明日重扶残醉，来寻陌上花钿。

【注释】 ①玉骢：毛色青白相杂的马。 骄：放纵。 ②丽人天：指春天。 陌：路。 花钿：金翠珠宝等制成的花形首饰。

【解说】 词似一幅风光旖旎的杭州西湖春游图，也是南宋小朝廷偏安江南醉生梦死的写照。整个春天都在西湖边游赏，买花醉酒，特别费钱。我的马已经熟悉西湖的路，在酒楼前放纵地嘶鸣。红杏盛开的地方箫鼓不绝，绿杨丛中，有晃动的秋千影，空中飘散着氤氲的香气，到处都是穿红着绿的游人。湖畔十里，春风和暖，游女如云，个个头上戴满花儿，把鬓发都压偏了。画船载着饱览了春色的人归去后，西湖的春水春烟令人留恋。明天我还要带着醉人的余情，再来游赏丽人们游玩过的地方。词表现出作者对西湖春景的无限留恋。

264

柳梢青
岳阳楼

戴复古

袖剑飞吟。洞庭青草,秋水深深。万顷波光,岳阳楼上,一快披襟。 不须携酒登临。问有酒、何人共斟?变尽人间,君山一点,自古如今。

【注释】 ①洞庭青草:青草湖是洞庭湖的一部分。 ②君山:在洞庭湖中。

【解说】 这是一首登岳阳楼抒发情怀的词作。词人登上岳阳楼,眺望洞庭湖,秋水深深,波光万顷。独立楼头,任风吹开衣襟,朗声吟诗,好不痛快!无须携带美酒上楼。请问,有酒谁可跟我同饮?言外有流落江湖、知音难觅之感。国家危难,山河破碎,只有湖中的君山,自古至今,岿然不动。词人对于国家日渐衰弱,十分沉痛,感慨不已。

洞仙歌
dòng xiān gē

戴复古
dài fù gǔ

卖花担上，菊蕊金初
破。说着重阳怎虚过。看
画城、簇簇酒肆歌楼，奈没
个、巧处安排着我。　家
乡煞远哩，抵死思量，枉
把眉头万千锁。一笑且开
怀，小阁团栾，旋簇着、几
般蔬果。把三杯两盏记
时光，问有甚曲儿，好
唱一个？

【注释】　①画城：形容城市繁华，美丽如画。　簇簇：密集整齐的样子。　②煞远：很远。　抵死：极度，尽量。
小阁：酒店里的雅座或阁楼。　团栾：指圆桌。　旋簇着：很快地铺陈着。
【解说】　卖花人挑着初开的黄菊走来，边走边叫卖："重阳快到了，不要虚过呀！买些菊花赏赏吧！"看这繁
华的大街上，高楼簇拥，整齐壮观，到处有酒店歌楼，怎奈没有个好处所安排我啊！家乡可隔得远哩，苦想也
没有用，枉自皱眉头，不如爽然一笑，且放开心怀，进酒店，选个小阁儿，坐在圆桌旁，摆上几盘时鲜水果和
菜蔬，喝上三杯两盏，度过这重阳时光。问歌妓有什么好听的曲儿，可以唱一个？词人以清新俚俗的语言，
描绘了城市重阳时节的酒肆风光，使人如见其景，如闻其声。

减字木兰花

jiǎn zì mù lán huā

卢炳

莎衫筠笠，正是村村农务急。绿水千畦，
suō shān yún lì　zhèng shì cūn cūn nóng wù jí　lù shuǐ qiān qí

惭愧秧针出得齐。　风斜雨细，麦欲黄时
cán kuì yāng zhēn chū dé qí　　fēng xié yǔ xì　mài yù huáng shí

寒又至。饁妇耕夫，画作今年稔岁图。
hán yòu zhì　yè fù gēng fū　huà zuò jīn nián rěn suì tú

【注释】　①莎衫：蓑衣。　筠笠：竹笠。　急：忙碌。　惭愧：难得，幸亏。　②饁：往田里送饭。　稔岁：丰年。

【解说】　词描写农村四月农忙景象。四月多雨，农民们穿蓑衣，戴箬帽，来到田头。这个时候，正是村村农忙季节。翻耕好了的千亩水田，正等待插秧；幸亏今年秧苗出得齐整，长得好。上片写备耕，下片写麦收。斜风细雨，连日不晴，小麦将黄熟时天又转冷。男人们都去田里抢收抢种，妇女们送饭来到田头。水田、秧田、麦田，男人、女人们冒雨插秧、收麦，以勤劳的双手，画出了一幅丰收在望的图画。词中表达了作者对农民生活的关切和对农民辛勤劳动的赞美。

【注释】　①春社：古时春分前后祭土地神，以祈丰收。　差池：形容燕子飞动时张开尾翼的样子。　藻井：饰有各种纹彩的井栏状天花板。　红影：指花影。　②芳径：花径。　芹泥：长有水芹的泥土湿润，燕子衔去便于筑巢。　天涯芳信：相传燕子能传信。　翠黛：青绿颜色。　双蛾：双眉。

【解说】　词描写燕子。春社过后，燕子飞入旧家帘幕，只见旧巢冷落，积满灰尘。展翅徘徊，想双双入住，又把雕梁藻井等周围环境打量一番，再呢喃商量，终于决定住下来。于是飘然拂过花梢，开始了繁忙的生活。

双双燕

咏燕

史达祖

过春社了,度帘幕中间,去年尘冷。差池欲住,试入旧巢相并。还相雕梁藻井,又软语、商量不定。飘然快拂花梢,翠尾分开红影。 芳径,芹泥雨润。爱贴地争飞,竞夸轻俊。红楼归晚,看足柳昏花暝。应自栖香正稳,便忘了、天涯芳信。愁损翠黛双蛾,日日画栏独凭。

飞过花径,衔着湿润的泥巴筑巢。双燕贴地争飞,像比赛似的看谁飞得轻盈漂亮。傍晚飞归红楼,赏够了柳暗花明,带着花香双双栖息正酣,竟忘了一位天涯游子托捎的书信。这可害得闺中人愁锁双眉,天天独倚栏杆,望穿双眼。词把燕子写得惟妙惟肖。写双燕的自由快乐,目的是为了反衬思妇的寂寞痛苦。

菩萨蛮
pú sà mán

高观国
gāo guān guó

何须急管吹云暝，
hé xū jí guǎn chuī yún míng

高寒滟滟开金饼。今夕
gāo hán yàn yàn kāi jīn bǐng jīn xī

不登楼，一年空过秋。
bù dēng lóu yī nián kōng guò qiū

桂花香雾冷，梧叶西
guì huā xiāng wù lěng wú yè xī

风影。客醉倚河桥，清
fēng yǐng kè zuì yǐ hé qiáo qīng

光愁玉箫。
guāng chóu yù xiāo

【注释】 ①滟滟：水晃动的状态，这里形容月亮从云层出来时的情景。 金饼：形容圆月。

【解说】 词写中秋赏月时的感受。上片写待月心情。中秋之夜，人们早早吹奏起管弦之乐，等待着圆月升空。在青溟浩荡的天空中，圆月破云而出，明亮耀眼。这样好的月色，今晚如果不登楼观赏，那这一年的秋天可就白过了。下片写赏月。桂花在月光下散发着阵阵的幽香，不禁使人联想到月宫里的桂树、嫦娥、吴刚等美丽传说，令人神往。月色中梧桐树叶被西风吹动的影子，触动了客居者的乡愁。客居异乡的游子，此时正醉倚河桥栏干，看天上、水中的圆月，听清悠的玉箫之音，心头不免浮起思亲怀乡的愁绪。

270

菩萨蛮 (pú sà mán)

苏堤芙蓉 (sū dī fú róng)

高观国 (gāo guān guó)

红云半压秋波碧，艳妆泣露娇啼色。佳梦入仙城，风流石曼卿。宫袍呼醉醒，休卷西风锦。明日粉香残，六朝烟水寒。

【注释】　①苏堤：杭州西湖中里湖和外湖间的长堤。　"佳梦"句：传说宋代诗豪石延年（字曼卿）死后为鬼仙，为芙蓉城主，其朋友在梦中见有美女三十多人在列队迎候他。　②六朝：三国到隋朝之间的东吴、东晋和南朝的宋、齐、梁、陈等都以建康（南京）为都城，史称"六朝"，历时三百年。

【解说】　秋天的西湖，荷花盛开，就如半天的红云铺压在碧波上。带露的荷花，娇艳欲滴，就像艳妆含泪的仙女，凄楚动人。这些芙蓉仙子梦幻般地在仙城迎接风流诗豪石曼卿。他从酒醉中醒来，秋风可别吹卷仙子们锦袍似的绿叶了。明天一旦花落香残，就只有江南的浮烟寒水，实在令人悲伤凄凉。词人以丰富的想象、离奇的传说和拟人的手法写荷花。花开花残，六朝兴废，都寓含着作者对国家前途的忧虑。

shào nián yóu
少 年 游

cǎo
草

gāo guān guó
高观国

chūn fēng chuī bì, chūn yún yìng lǜ, xiǎo mèng rù fāng yīn. ruǎn chèn
春 风 吹 碧, 春 云 映 绿, 晓 梦 入 芳 裀。 软 衬

fēi huā, yuǎn suí liú shuǐ, yī wàng gé xiāng chén. qī qī duō shǎo jiāng
飞 花, 远 随 流 水, 一 望 隔 香 尘。 萋 萋 多 少 江

nán hèn, fān yì cuì luó qún. lěng luò xián mén, qī mí gǔ dào, yān yǔ zhèng
南 恨, 翻 忆 翠 罗 裙。 冷 落 闲 门, 凄 迷 古 道, 烟 雨 正

chóu rén
愁 人。

【注释】 ①芳裀:形容春草茸茸如垫褥。

【解说】 这是一首吟咏春草的小词。春风吹绿了芳草,在白云的映衬下显得葱翠可爱,是在晓梦中梦见了这如茵的芳草,花瓣轻轻地洒落在软草上;茸茸的草地随着流水伸向天际。一眼望去,美人的踪迹已被无边的芳草阻隔,春恨别情无限。下片写醒后的情怀。萋萋的芳草,遮断了美人的足迹,给人留下多少相思别离之恨,使人追忆起像绿草地一样的“翠罗裙”。冷落的庭院,寂寞凄冷的古道,都笼在茫茫的烟雨之中,这景象使人勾起满怀的愁绪。词借咏草来抒写离情,若实若虚,不即不离,耐人寻味。

杏花天
高观国

霁烟消处寒犹嫩。乍门巷、悄悄昼永。池塘芳草魂初醒，秀句吟春未稳。　仙源阻，春风瘦损。又燕子、来无芳信。小桃也自知人恨，满面羞红难问。

【注释】　①悄悄：默默。　昼永：白天日子长起来。　秀句：指优美的诗句。　②仙源：仙人所居，非常人可到的地方。　瘦损：瘦削。

【解说】　词描写初春的景象。春烟消散的地方，还有微寒。门巷中忽觉日子默默地长起来了。池塘岸边的芳草带着露珠刚钻出地面。赞美春天的诗句正在反复推敲未定。所思的人在"仙源"，被那里的神仙般的生活羁绊住，因此春风中思念远人便越发瘦损。都说燕子能传书，燕子却未带来半点信息。桃花也懂得思妇的离愁别恨，只是羞答答地红着脸难以启问。词借思妇的口吻描写初春的物象，给人以美好的联想。

_{gēng lòu zǐ}
更漏子

_{gāo guān guó}
高观国

_{yù xiāo xián qīng yùn yè}
玉箫闲,清韵咽。
_{rén yǐ huà lán chóu jué yún nǎo}
人倚画栏愁绝。云恼
_{yuè yuè xiū yún bàn xī méi yǐng}
月,月羞云。半溪梅影
_{hūn   hèn chūn fēng xiāo sàn}
昏。 恨春风,萧散
_{hòu   yè yè shǔ cán gēng lòu}
后。夜夜数残更漏。
_{qíng qiǎo qiǎo sī yī yī tiān}
情悄悄,思依依。天
_{hán yī yàn fēi}
寒一雁飞。

【注释】 ①闲:悠闲。形容吹箫者的神态。 ②萧散:疏散。 残更:后半夜,天将亮时。 漏:古代滴水计
时器具。 悄悄:忧愁的样子。

【解说】 玉箫的清韵低沉悲咽,有一个人十分愁苦地倚在栏杆上。夜空,云儿似乎恼恨圆月,飘过来要遮住
它;月亮又好像害羞似的在云层间时现时隐。溪边的梅影忽暗忽明地映在碧水里。使人恼恨的春风过后,我
夜夜失眠,彻夜数着这更漏的水滴响声,思念的愁情悠悠不断。晓寒中又见一只失群的孤雁悲鸣着远去。全
词以箫声、云月、梅影、更漏、孤雁和愁人构成一种凄清幽远的意境,使情、景、意三者和谐地统一在这幅空
阔渺远的画面中,表达出一种怀人的愁绪。

zuì luò pò
醉落魄

wèi liǎo wēng
魏了翁

wú biān chūn sè rén qíng kǔ xiàng nán shān
无边春色，人情苦向南山

mì cūn cūn xiāo gǔ jiā jiā dí qí mài qí cán lái
觅。村村箫鼓家家笛，祈麦祈蚕，来

chèn yuán zhēng qī   wēng qián zǐ hòu sūn
趁元正七。   翁前子后孙

fú yè shāng xíng gǔ zuò nóng gēng zhī xū zhī cǐ
扶掖，商 行贾坐农耕织，须知此

yì wú jīn xī   huì dé wéi rén rì rì shì rén rì
意无今昔。会得为人，日日是人日。

【注释】 ①趁：赶。 元正七：正月初七。 ②翁：指祖父。 扶掖：搀扶。 会得：领会到，懂得。 人日：旧时称农历正月初七为"人日"，民间旧俗为快乐吉祥的节日，人们饮酒游乐，吹奏乐器，以祈农桑。

【解说】 词写作者"人日"约朋友游南山途中所见所感。初春，人间显出了无边的春色，人们执着地到南山去探春。一路上只见"村村箫鼓家家笛"，热闹非凡。农民们要向上天祈求新麦春蚕的丰收，都忙着来赶这"人日"。祖孙三代，祖父在前，儿子在后，手搀着孙子。商人贩运，贾人坐卖，农民耕织，各行其职，争取丰收和幸福，这种意愿历来如此。只要懂得诚实做人的道理，那么"日日是人日"，不会只在"人日"这一天才去祈祷了。作者勉励人们要老实本分，各尽其职。

275

惜分飞

xī fēn fēi

柳絮

liǔ xù

刘学箕

liú xué jī

chí shàng lóu tái dī shàng lù　jìn rì yōu yáng fēi wǔ
池上楼台堤上路，尽日悠扬飞舞。

yù xià hái chóng jǔ　yòu suí hú dié qiáng dōng qù　　sǎn
欲下还重举，又随胡蝶墙东去。糁

jìng piāo kōng wú dìng chù　lái wǎng lǜ chuāng zhū hù　　què
径飘空无定处，来往绿窗朱户。却

bèi chūn fēng dù　sòng jiāng zhū wǎng liú lián zhù
被春风妒，送将蛛网留连住。

【注释】　①糁径：形容柳絮纷散在小路上。

【解说】　词描写柳絮。春天，池塘上，楼台上，河堤边的路上，柳絮成天到处悠扬地飞舞。刚刚飘下来，又飘上去，还随着飞舞的蝴蝶飘过墙东去。柳絮铺满小路上，飘满空中，飘移无定，又来往于绿窗朱户，自由自在。但让春风嫉妒，一阵风起，将它吹送到蛛网上，粘住了。从此，柳絮再也飘飞不起来，永远失去了自由。作者通过对柳絮的描写，表达了对自由的向往和对扼杀自由行径的厌恶。

菩萨蛮
杏花

刘学箕

昨日杏花春满树，今晨雨过香填路。零落软胭脂，湿红无力飞。转头春易去，春色归何处？待密与春期，春归人也归。

【注释】 ①待：欲；将要。 密：悄悄地。 期：约定。

【解说】 词咏杏花。昨天还是满树杏花，春色正浓，今晨一场春雨过后，杏花凋零，花香满路。零落的花瓣就像满地胭脂，沾湿的花片再也无力飞回树头了。一转眼，春就要归去，不知归到何处。春易去，人也易老，很想悄悄地跟春商量：你归去，我也随你归去。词写杏花遭雨零落，感伤春光易逝，表达了要追随春光的美好愿望。

菩萨蛮
鄂渚岸下

刘学箕

烟汀一抹蒹葭渚,风亭两下荷花浦。月色漾波浮,波流月自留。若耶溪上女,两两三三去。眉黛敛羞蛾,采菱随棹歌。

【注释】 ①鄂渚:地名,在今湖北武昌西江中。 汀:水边平地。 蒹葭:芦苇。 渚:水中小块陆地。 浦:水边。 ②若耶溪:在今浙江诸暨。即西施浣纱处。 蛾:指女子的眉毛。 棹:船桨,这里借指小船。

【解说】 词写水乡风光。上片写鄂渚夜景。一抹暮霭淡淡地轻笼在江岸的芦苇上,临水亭子的两边荷花盛开。月光在水波上荡漾,江水默默地流逝,月华静静地留驻。下片写采菱女。词人由眼前的采菱女,联想到西施故乡若耶溪上的姑娘。她们两两三三摇着小船在采菱,见到了陌生人,便羞涩地收起笑容,荡起船桨,唱起歌儿划入菱塘深处去了。水乡的夜景很迷人。

278

行香子
xíng xiāng zǐ

刘学箕
liú xué jī

雪白肥鳒,墨黑修鲇。柳穿腮、大小相兼。金刀批窗,鲜活甘甜。或时熬,或时煮,或时腌。 揎腕佳人,玉手纤纤。缕银丝、取意无厌。羹须淡煮,滋味重添。滴儿醯,呷儿酒,撮儿盐。

【注释】 ①鳒:鳒鱼。 鲇:鲇鱼,头大,口宽,有长须,皮有粘质,无鳞,肉细。 窗:切成小块的肉。 ②揎腕:捋起袖子。 醯:醋。

【解说】 作者饶有兴味地写江西鄱阳湖的鱼。雪白的肥肥的鳒鱼,墨黑的长长的鲇鱼,用柳条穿腮,大小兼有,成串的提回家来。用刀批成鱼块,鲜活甘甜,十分鲜美。有的用来熬汤,有的用来清煮,有的还可以腌。家庭主妇,挽起袖子,露出白嫩的臂腕,把鱼切成丝。她们烧鱼的手段可高明了,会变出各种花样来。鱼羹须淡煮,味道可以再调整,滴些醋,喷一点儿酒,撮一点儿盐。词以通俗、活泼的语言,表现了渔家欢乐的生活。

táo yuán yì gù rén
桃 源 忆 故 人

liú xué jī
刘学萁

mù xiá sàn qǐ xī xī pǔ tiān shàng qíng yún kāi xù
暮霞散绮西溪浦，天 上 晴 云 开絮。
qīng jué méi huā jǐ shù nǎo luàn chūn chóu chù xiǎo
清绝梅花几树？恼 乱 春 愁 处。 小
qiáo liú shuǐ rén lái qù shā àn yù ōu fēi lù shuí huà jiāng
桥流水人来去，沙岸浴鸥飞鹭。谁 画 江
nán hǎo chù zhuó wǒ xián jīn jù
南好处，著我闲巾屦。

【注释】 ①绮：有花纹的丝织品。 ②著：放置，置身。 闲巾屦：休闲的装束。巾，头巾。屦，鞋子。
【解说】 词写江南风光。晚霞映水，如美丽绚烂的丝绸飘散在溪水里，天上白云如朵朵棉絮。溪水边，几树梅花幽香清绝，春意撩人，使人心烦意乱。小桥流水人来人往，沙岸边鸥鸟浴水，人走过，白鹭惊飞。这是谁画的江南好景致啊？这画面中我这么个闲人有幸放上了，得以自在欣赏。

yǎn ér mèi 眼 儿 媚

huáng jī
黄 机

mò chēn rì rì huà sī guī guī
莫 嗔 日 日 话 思 归，归
yě què biàn yí dōng lín zhāo míng
也 却 便 宜。东 邻 招 茗，
xī lín huàn jiǔ yī xiào kāi méi
西 邻 唤 酒，一 笑 开 眉。

rén shēng wàn shì wú yuán zú
人 生 万 事 无 缘 足，
dài zú shì hé shí qī néng fǎng jì
待 足 是 何 时？妻 能 纺 绩，
ér néng gēng huò wèi bì hán jī
儿 能 耕 获，未 必 寒 饥。

【注释】 ①嗔：责怪，嫌。 便宜：方便，适宜。 茗：茶。 ②缘：缘分。 纺绩：纺线绩麻。

【解说】 不要嫌我天天说想回家，其实回家也还是方便的。那为什么不回家去呢？因为东邻招呼我品茶，西邻叫我饮酒，大家在一起开心得很。人生万事不可能都遂意，要都满足那要等到什么时候呢？妻子能纺纱绩麻裁制衣服，儿子能耕种收获粮食，不受饥寒，因此自食其力，自给自足也就满足了。词的上片是写人情、精神上的需求；下片写物质上的满足，全词表达了作者对人生的追求。

pú sà mán

菩萨蛮

huáng jī

黄机

xī shān bù yàn shān xíng yuǎn shān zhōng qín niǎo pín

惜山不厌山行远，山中禽鸟频

jīng xiàn xiǎo yǔ sì lián chūn fēi fēi róng yì qíng qīng

惊见。小雨似怜春，霏霏容易晴。青

qún tián shè fù yè xiǎng qián cūn qù xī shuǐ xiǎng píng

裙田舍妇，馌饷前村去。溪水想平

yāo huàn chuán yī duàn qiáo

腰，唤船依断桥。

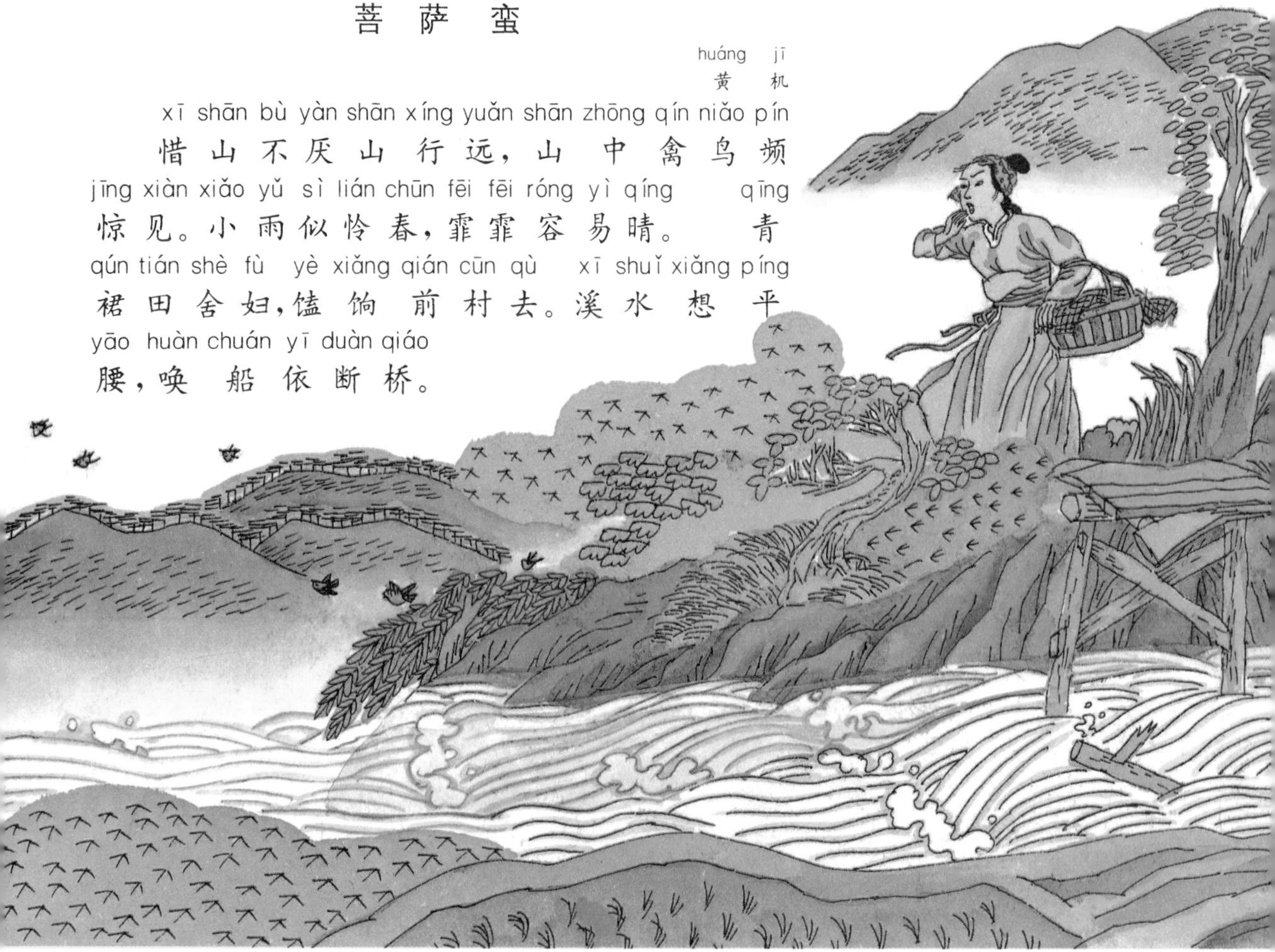

【注释】 ①馌饷：给在田间劳动的人送饭。

【解说】 因喜爱山，不嫌山路远，山中各种鸟儿不断地受惊动而飞起。小雨好像怜惜春光，霏霏的春雨容易转晴。腰系青布裙的农妇，送饭到前村田头去。溪水估计齐腰深，小木桥被水冲断了，这位妇女只得靠在断桥边上呼唤渡船。词的上片写山中所见，下片写田头所见。景象宁静、自然、质朴，富有生趣。

yì qín é
忆秦娥

huáng jī
黄 机

qiū xiāo suǒ　wú tóng luò jìn xī
秋萧索,梧桐落尽西
fēng è　xī fēng è　shù shēng xīn
风恶。西风恶,数声新
yàn　shù shēng cán jiǎo　　lí chóu
雁,数声残角。　离愁
bù guǎn rén piāo bó　nián nián gū fù
不管人飘泊,年年孤负
huáng huā yuē　huáng huā yuē　jǐ
黄花约。黄花约,几
chóng tíng yuàn jǐ chóng lián mù
重庭院,几重帘幕。

【注释】 ①孤负:辜负。 黄花:菊花。
【解说】 上片写秋景。秋天的景象萧索,西风凄厉,使梧桐落尽叶子,又送来了几声新雁的鸣叫声,几声凄厉、稀疏的号角声。秋景秋声都那么悲凉,促动游子思归的心。下片写离人内心的活动。游子四处飘泊,又加上离愁时时压着心头。当初分别时曾相约在秋天菊花盛开时重逢,然而年年辜负了这约会的日期,无法相见。遥想在那深深的庭院里、重重的帘幕内,对方一定不知怎样地在忍受着这相思的煎熬和独处的寂寞。词明写游子的离愁,暗写闺怨,两地相思,一种情愫,在萧索的秋景衬托下,更显得深挚动人。

长相思
cháng xiāng sī

liú kè zhuāng
刘克庄

朝有时,暮有时,潮
zhāo yǒu shí mù yǒu shí cháo

水犹知日两回。人生
shuǐ yóu zhī rì liǎng huí rén shēng

长别离。 来有时,去
cháng bié lí lái yǒu shí qù

有时,燕子犹知社后归。
yǒu shí yàn zǐ yóu zhī shè hòu guī

君行无定期。
jūn xíng wú dìng qī

【注释】 ①"燕子"句:燕子春社后归来。旧时农村在春秋两季祭土地神,称春社、秋社。

【解说】 词写思妇之怨。朝暮都有定时,潮水还懂得每天有早潮晚潮两次来回,只有人生一别相见无期。去有时日,来也应有时日。燕子还懂得在春社后就飞回来,您一去就遥遥无期,不知道及时归来。词以思妇的口吻,借潮汐和燕子有定时来作比,埋怨丈夫或情人久别不归,言辞诚挚,通俗如话。

284

玉楼春

xì chéng lín jié tuī xiāng xiōng

戏呈林节推乡兄

liú kè zhuāng

刘克庄

nián nián yuè mǎ cháng ān shì

年年跃马长安市,

kè shè sì jiā jiā sì jì qīng qián

客舍似家家似寄。青钱

huàn jiǔ rì wú hé hóng zhú hū lú

换酒日无何,红烛呼卢

xiāo bù mèi yì tiāo jǐn fù jī

宵不寐。 易挑锦妇机

zhōng zì nán dé yù rén xīn xià shì

中字,难得玉人心下事。

nán ér xī běi yǒu shén zhōu mò dī

男儿西北有神州,莫滴

shuǐ xī qiáo pàn lèi

水西桥畔泪!

【注释】 ①长安:借指南宋都城临安(今杭州市)。 青钱:青铜铸的钱币。 呼卢:指赌博。 ②锦妇机中字:从前有位女子因思念丈夫在锦上织出字来,纵横反复,可以读成许多首诗。这里锦妇借指感情真挚的妻子。 玉人:美女。此指妓女。 水西桥:此泛指妓女居住的地方。

【解说】 这是为规劝同乡而作的词。你年年骑着马在京城里游荡,把客店当作家,把家当作客店。白天无所事事,只沉湎于狂饮;晚上点起红烛聚赌通宵。你轻抛了妻子的一片真情,却迷恋于妓女的虚情假意,整日寻花问柳。男子汉要时刻想到西北方还有中原沦陷区有待收复,不要总是在水西桥畔为与妓女离别而伤心流泪。作者与这位同乡关系亲密,所以采用诙谐的戏谑形式来规劝。词中体现了作者爱国忧时的精神。

bǔ suàn zǐ
卜 算 子

liú kè zhuāng
刘 克 庄

piàn piàn dié yī qīng diǎn diǎn
片 片 蝶 衣 轻，点 点

xīng hóng xiǎo dào shì tiān gōng bù
猩 红 小。道 是 天 公 不

xī huā bǎi zhǒng qiān bān qiǎo
惜 花，百 种 千 般 巧。

zhāo jiàn shù tóu fán mù jiàn zhī
朝 见 树 头 繁，暮 见 枝

tóu shǎo dào shì tiān gōng guǒ xī
头 少。道 是 天 公 果 惜

huā yǔ xǐ fēng chuī liǎo
花，雨 洗 风 吹 了。

【注释】 ①蝶衣：蝴蝶的翅膀。 道是：据人们说。

【解说】 词咏海棠花。上片写海棠花开时。海棠的花瓣像蝴蝶的翅膀那样轻盈美丽，点点花朵儿猩红娇小。人们说天公不爱惜花，如果真是这样，那么海棠为什么能有这样千姿百态的美妙呢？下片写海棠花谢。早上看花，唯见花满枝头；傍晚再去时，只见花枝凋残。如果说天公果真爱惜花，那为什么还让雨洗风吹光呢？从词人的疑虑看来，天公看似惜花，实际上未必真的惜花。花开花谢是自然规律，这与天公的主观意愿无关，作者只是借此流露出对当局不重视人才，甚至压制、迫害人才的不满情绪。

清平乐
qīng píng yuè

五月十五夜玩月
wǔ yuè shí wǔ yè wán yuè

刘克庄
liú kè zhuāng

风高浪快，万里
fēng gāo làng kuài wàn lǐ

骑蟾背。曾识姮娥
qí chán bèi　céng shí héng é

真体态，素面原无
zhēn tǐ tài　sù miàn yuán wú

粉黛。　身游银阙
fěn dài　　shēn yóu yín què

珠宫，俯看积气蒙
zhū gōng fǔ kàn jī qì méng

蒙。醉里偶摇桂树，人
méng zuì lǐ ǒu yáo guì shù rén

间唤作凉风。
jiān huàn zuò liáng fēng

【注释】　①风高：风大。　蟾：蟾蜍。古人传说月中有蟾蜍。　姮娥：嫦娥。传说是月宫中的仙女。　素面：
面容白净。　②积气：云气。　蒙蒙：迷茫的样子。　桂树：相传月中有仙桂。

【解说】　词以丰富的想象，描写遨游月宫的情景。词人乘着大风，凭着银河的急浪，跨坐在银蟾的背上进入
月宫。原先怎么能识得嫦娥真实的体态容貌？只待亲眼见到，才看清她不施粉，不画眉，有着天然皎洁美丽
的本色。词人在银装珠饰的月宫中游览，俯瞰人间，只见云气蒙蒙，什么也看不到。畅饮了吴刚捧出的桂花
酒，醉意中偶然摇了摇月宫中的桂花树，人间便已是凉风习习。词人在月宫中尽兴游赏之时，也未忘怀人间
的炎热，给他们送来一阵凉风。词中流露了作者向往清平世界、关心人民疾苦的思想。

【注释】　①镇日：整天。　孤负：辜负。　杜宇：杜鹃鸟，叫声似"不如归去"。　新亭：西晋末，中原战乱，过江南下的士大夫多在新亭（今江苏江宁县南）饮宴。他们看到国家危急，相对流泪。　②底事：何事。　金沙：金沙湖，在蕲州（今湖北蕲春）东十里。　血流漂杵：血流成河，可以漂得起木棒。形容杀人极多。　洗：扫尽。残虏：对入侵的金兵的蔑称。

【解说】　1221年2月，金兵围攻作者的家乡蕲州城，城破，金兵大肆屠杀，洗劫一空。作者当时避难于南京，登上长江边上的新亭，写下这首思乡忧国的词作。登高远望，家乡只在白云深处。整日想回家却回不了，

288

念奴娇

wáng lán
王 澜

凭高远望，见家乡、只在白云深处。镇日思归归未得，孤负殷勤杜宇。故国伤心，新亭泪眼，更洒潇潇雨。长江万里，难将此恨流去。

遥想江口依然，鸟啼花谢，今日谁为主？燕子归来，雕梁何处，底事呢喃语？最苦金沙，十万户尽，作血流漂杵。横空剑气，要当一洗残虏。

辜负了杜鹃"不如归去"的殷勤呼唤。想到家乡沦陷在金兵的铁蹄之下，十分痛心。眼前这潇潇风雨，就如我伤心的眼泪。这万里长江的浪涛，也难将我对敌人的仇恨流去。遥想蕲州城外的江口，风景依然，鸟啼花谢，今日谁在那里管辖？如今那里早已易主，燕子归来，雕梁画栋，何处是旧日的主人家？唯见燕子在惊疑中呢喃细语。最使人感到痛苦的是金沙湖畔，十万户乡父老全被金兵屠杀，血流可漂木杵！想到此，我佩带的宝剑的剑光也怒气冲天。我们一定要扫灭敌寇，洗雪国耻！作者把思乡与忧国结合在一起，表达了对故乡沦陷的惨痛，对敌人暴行的愤慨，以及杀敌复国的豪情。

pú sà mán
菩萨蛮

lǐ hǎo gǔ
李好古

dōng yuán yìng yè méi rú dòu
东园映叶梅如豆，

xī yuán pū dì huā pū xiù chūn shuǐ
西园扑地花铺绣。春水

xiǎo lái shēn rì huá jiāo yàng jīn
晓来深，日华娇漾金。

dài yān chuān jìng zhú bù rù fēi
带烟穿径竹，步入飞

hóng qū hé chù zǎo yīng tí qū qiáo
虹曲。何处早莺啼？曲桥

xī fù xī
西复西。

【注释】 ①日华：太阳光。　娇：美好，可爱。　漾金：形容阳光映在水中，水波晃动的样子。

【解说】 词写暮春游赏的意趣。东园梅树绿叶繁茂，梅子如豆大；西园落花纷纷扑地，满地花瓣如铺绣锦。一夜春雨，晓看河水高涨，红日照临，河水晃动着太阳的金辉，十分美丽。带着早晨的雾气，漫步在竹林小径里，又跨上如飞虹的曲桥。忽然听到早莺婉转，在什么地方？细细辨听，呵，原来是在曲桥西面再向西。这早莺的啼鸣又逗引起作者更深的游兴。暮春的景象，在作者眼里也是很诱人的。

rú mèng lìng
如 梦 令

wú qián
吴 潜

jiāng shàng lù yáng fāng cǎo
江 上 绿 杨 芳 草，

xiǎng jiàn gù yuán chūn hǎo　yī shù
想 见 故 园 春 好。一 树

hǎi táng huā zuó yè mèng hún fēi
海 棠 花，昨 夜 梦 魂 飞

rào　jīng xiǎo jīng xiǎo chuāng wài
绕。惊 晓，惊 晓，窗 外

yī shēng tí niǎo
一 声 啼 鸟。

【注释】 ①故园：故乡。

【解说】 词写对家乡的思念之情。词人看到江边的绿杨芳草，引起对故乡的联想，家乡此时春景一定美好吧。昨夜梦中还见到故乡小园中的一树海棠花，开得正热闹。好梦被惊醒，天已放晓，原来是被窗外的鸟鸣声吵醒的。客地的春光虽美，但仍止不住对故乡的思恋。

如梦令

rú mèng lìng

吴潜
wú qián

枝上蝶纷蜂闹，几
zhī shàng dié fēn fēng nào jǐ

树杏花残了。幽鸟亦多
shù xìng huā cán liǎo yōu niǎo yì duō

情，片片衔归芳草。休
qíng piàn piàn xián guī fāng cǎo xiū

扫，休扫，管甚落英还好。
sǎo xiū sǎo guǎn shèn luò yīng hái hǎo

【注释】 ①幽鸟：幽居林中之鸟。 管甚：不管，别管。 落英：落花。

【解说】 词写作者惜花的心情。枝头上的花儿，被纷纷而来的蝴蝶、蜜蜂哄闹着，使得几树杏花凋残零落，这多可惜啊！不过，这儿的鸟儿也多情，把这一片片的落花衔归到芳草上，不使落花沾上尘泥。词人见打扫园子的家人来清扫落花，便急忙叫起来："别管它，别管它，这落花还很美呢！"词表露出作者对美好事物的怜爱之情，写得清新可喜。

如梦令
rú mèng lìng

吴潜
wú qián

闲向园林点检，又
xián xiàng yuán lín diǎn jiǎn yòu

见小桃开遍。切莫便飘
jiàn xiǎo táo kāi biàn qiè mò biàn piāo

零，且为春光留恋。留
líng qiě wèi chūn guāng liú liàn liú

恋，留恋，待我持杯深劝。
liàn liú liàn dài wǒ chí bēi shēn quàn

【注释】　①点检：查看。

【解说】　空闲的时候到花园里去走走看看，又发现桃花开遍了，这回切莫便凋谢了，因为你带来了大好的春光，令人留恋。留恋啊，留恋！等我去备酒持杯好好地劝勉劝勉。词表达了作者对美好春光的爱恋之情。

wàng jiāng nán
望 江 南

wú qián
吴 潜

jiā shān hǎo fù guō yǒu tián yuán cán
家山好,负郭有田园。蚕

kě chōng yī tiān cì yǔ gēng néng zú shí
可充衣天赐予,耕能足食

dì zhōu xuán gǔ ròu jìn tuán yuán   xuán
地周旋。骨肉尽团圆。　旋

wǔ fú suì suì lè fēng nián zì yǎng jī tún
五福,岁岁乐丰年。自养鸡豚

pēng là lǐ xīn chōu jiǔ jì jiàn chūn qián
烹腊里,新抽韭荠荠春前。

huó jì bù xū tiān
活计不须添。

【注释】 ①负郭:靠近外城。　周旋:应接,安排,也是"赐予"的意思。　②旋五福:退居可得五福。五福,即寿、富、康宁、攸好德(所好者德)、考终命(有善终)。　豚:猪。　腊:阴历十二月。　荠:荠新、尝新的意思。
【解说】 家乡好,城外有自己的田园。家里养蚕织丝,衣可自给,这是"天赐予",不需官府发给;自家耕种,粮食自足,是大地给予;全家老少骨肉团圆。退居家里,可享"五福",岁岁丰年快乐。自养的鸡鸭猪羊,到了年底宰杀烹煮;田里新抽的韭菜、荠菜立春前就可尝新,生计不须再添,这已足够了。作者晚年有感于官场的倾轧,怀恋故乡,希望退居故里过平静的农家生活。

294

jiǎn zì mù lán huā
减字木兰花

huái shàng nǚ
淮上女

huái shān yǐn yǐn qiān lǐ yún
淮山隐隐，千里云
fēng qiān lǐ hèn　huái shuǐ yōu yōu
峰千里恨。淮水悠悠，
wàn qǐng yān bō wàn qǐng chóu
万顷烟波万顷愁。
shān cháng shuǐ yuǎn zhē duàn
山长水远，遮断
xíng rén dōng wàng yǎn　hèn jiù chóu
行人东望眼。恨旧愁
xīn yǒu lèi wú yán duì wǎn chūn
新，有泪无言对晚春。

【注释】 ①淮山：淮河两岸的山峰。

【解说】 南宋与金国以淮河为界，淮河两岸的人民遭受的苦难最深。1221年，金兵南侵，掳走了大批淮上良家女。有女题此词于泗州客舍间。词写被掠女子的怨恨。离家乡越来越远了，四望淮河两岸的山峰，在云层里隐约可见。远离了家乡的云峰千里，这一路上都是恨。悠悠的淮河呵，万顷烟波就是心中的"万顷愁"。越走越远了，"山长水远"，遮断了四望故乡的视线。金兵南侵之恨，被掳掠后屈辱生活之愁，一齐涌上心头。这满腔的旧恨新愁无处倾诉，只有面对着将逝的春光含泪忍气吞声。这首词血泪交并，不仅真实地表现了这位被掠女子的不幸遭遇和怨愤，也是南宋人民流离失所的真实写照。

295

霜天晓角
shuāng tiān xiǎo jiǎo

梅
méi

萧泰来
xiāo tài lái

千霜万雪,受尽
qiān shuāng wàn xuě shòu jìn

寒磨折。赖是生来瘦硬,
hán mó zhé lài shì shēng lái shòu yìng

浑不怕、角吹彻。　清
hún bù pà jiǎo chuī chè　qīng

绝。影也别。知心唯有月。
jué yǐng yě bié zhī xīn wéi yǒu yuè

原没春风情性,如何
yuán méi chūn fēng qíng xìng rú hé

共、海棠说?
gòng hǎi táng shuō

【注释】　①赖是:好在,亏得是。　浑:全。　角:指大角曲《梅花落》。　彻:透,遍。

【解说】　词咏梅花的品格。梅花经千霜万雪,受尽严寒天气的磨折。亏得它有一副天生的瘦硬的铮铮铁骨,才经得起霜欺雪压,因此即使《梅花落》的曲子吹到最后一遍了,也全不怕。上片写梅花凌寒不屈的品格,下片写梅花不同流俗的气质。梅花清奇卓绝,就连梅影也与众不同。知心相伴的唯有天上的明月,因为素月赠梅以疏影,寒梅又报月以暗香。梅花原本不具春风的情性,不会以姿色取悦于人,又何必去和娇艳的海棠攀亲结缘呢?这表现了梅花不屑与凡卉争胜的傲气。全词以梅的品性来咏人的坚贞气节和高洁品格。

浣 溪 沙

wú wén yīng
吴文英

mén gé huā shēn mèng jiù yóu xī yáng wú yǔ yàn guī chóu yù
门 隔 花 深 梦 旧 游，夕 阳 无 语 燕 归 愁。玉

xiān xiāng dòng xiǎo lián gōu   luò xù wú shēng chūn duò lèi xíng
纤 香 动 小 帘 钩。   落 絮 无 声 春 堕 泪，行

yún yǒu yǐng yuè hán xiū   dōng fēng lín yè lěng yú qiū
云 有 影 月 含 羞。东 风 临 夜 冷 于 秋。

【注释】 ①玉纤：细嫩洁白似玉的手。

【解说】 这是一首怀人之作。词人梦见旧游的地方，重门深院，花径幽深，夕阳寂寂，双燕归来，玉人孤苦地守着窗儿，素手放下帘幕……回想当年离别情景，至今还历历在目。柳絮在空中飘落，好像在无声地掉泪，圆月含羞地躲进云影里，月影或许是替玉人掩饰泪眼吧。一梦醒来，只觉得夜里的东风吹来比萧瑟的秋天还要凄冷。作者通过缥缈的梦境来表现对旧日情人的深深思念。词中的梦境和离别的情景写得凄清迷离，含蓄而耐人寻味。

望江南
wàng jiāng nán

wú wén yīng
吴文英

sān yuè mù huā luò gèng qíng
三月暮,花落更情

nóng rén qù qiū qiān xián guà yuè mǎ
浓。人去秋千闲挂月,马

tíng yáng liǔ juàn sī fēng dī pàn huà
停杨柳倦嘶风。堤畔画

chuán kōng   yān yān zuì jìn rì
船空。   恹恹醉,尽日

xiǎo lián lóng sù yàn yè guī yín zhú
小帘栊。宿燕夜归银烛

wài liú yīng shēng zài lù yīn zhōng
外,流莺声在绿阴中。

wú chù mì cán hóng
无处觅残红。

【注释】 ①恹恹:精神不振的样子。 帘栊:指窗门。

【解说】 这是一首伤春怀远的词。暮春三月,繁花疏落,伤春的情怀更为浓烈。荡秋千的人走了,秋千在月下闲挂着;杨柳树旁,马儿在风中嘶鸣,江堤畔的画船停泊着,空空无人。这一切都流露出伊人不在的惆怅之情。独自以酒浇愁,整天守着窗儿,失魂落魄似的。夜晚烛光荧荧,燕子归来而人不归;绿阴中流莺啼啭,催春归去。美好的春光易逝,就连残红也无处寻觅了,令主人公伤心不已。

唐多令 (táng duō lìng)

吴文英 (wú wén yīng)

何处合成愁?离人心上秋。(hé chù hé chéng chóu lí rén xīn shàng qiū)纵芭(zòng bā)
蕉、不雨也飕飕。(jiāo bù yǔ yě sōu sōu)都道晚凉天气好,有(dōu dào wǎn liáng tiān qì hǎo yǒu)
明月,怕登楼。(míng yuè pà dēng lóu)年事梦中休,花(nián shì mèng zhōng xiū huā)
空烟水流。(kōng yān shuǐ liú)燕辞归、客尚淹留。(yàn cí guī kè shàng yān liú)垂柳不(chuí liǔ bù)
萦裙带住,漫长是、系行舟。(yíng qún dài zhù màn cháng shì xì xíng zhōu)

【注释】 ①离人:久别之人。 心上秋:合成"愁"字。 ②年事:指青春岁月。 淹留:停留。 萦:牵拉住。

【解说】 词写作者客居外乡思乡怀亲的思绪。何处造成这么多愁思的呢?是同为离人悲秋的缘故。纵使没有下雨,芭蕉也会因秋风飕飕而发出令人凄然的声音。人们都说晚凉天气好,正宜登楼纳凉赏月,而客居外乡的人却因为有明月而怕登楼,只为望月难免要触动乡思离情。年光过尽,往事如梦,花已落尽,只有茫茫的江水不停地流逝,青春年华也在暗暗消逝。燕子辞巢而去,我却不得不羁留。更何况,垂柳没有牵拉住"裙带",在异乡的情侣已去,柳丝漫长,却系住了我的"行舟",使我不得随她而去。离乡逢离别,则愁也更愁了。

沁园春

丁酉岁感事

陈人杰

谁使神州,百年陆沉,青毡未还?怅晨星残月,北州豪杰;西风斜日,东帝江山。刘表坐谈,深源轻进,机会失之弹指间。伤心事,是年年冰合,在在风寒。 说和说战都难,算未必、江沱堪宴安。叹封侯心在,鳣鲸失水;平戎策就,虎豹当关。渠自无谋,事犹可做,更别残灯抽剑看。麒麟阁,岂中兴人物,不画儒冠?

【注释】 ①神州:指中原。 陆沉:指土地被敌人占领。 青毡:比喻被金人盗走的中原故土。 东帝:战国时的齐湣王,这里代指岌岌可危的南宋皇帝。 "刘表"句:三国时,刘表不听刘备的劝说,坐失攻打曹操的良机,时人讥之为"坐谈客"。 "深源"句:东晋殷浩,字深源,草草用兵而败。 冰合、风寒:比喻遭北方强敌的威胁。 在在:处处。 ②江沱:代指江南。 宴安:享乐安逸。 鳣鲸:大鱼。 渠:他。 "麒麟阁"句:汉宣帝号称中兴之主,曾命画霍光等十一位功臣的肖像于麒麟阁上,以表彰他们的功绩。 儒冠:指读书人。

【解说】 这是一首评议时政的词。1234 年,蒙古与南宋军相约夹攻,灭了金国。第三年,南宋军仓促北进,想灭蒙古,结果大败而回。而蒙古军长驱南下,宋廷上下惊恐。词人痛感当权者腐败无能,词中表达了要挽

回危局，为国建功立业的愿望。谁使神州沦陷，中原故土被金人盗占而未归还？北方的抗敌志士寥若晨星，南宋的半壁江山也如西风落日，岌岌可危。当权者如坐谈客刘表，优柔寡谋，有时又如深源轻率北进，招致惨败，收复失地的时机也就轻易丢失了。年年、处处都遭受强敌胁迫，真使人伤心。而今，当权者对是战还是和，举棋不定。可江南一隅未必可长久安享逸乐。我虽有建功立业的雄心壮志，但就像鳣鲸离开了江海一样，难免会遭蝼蚁欺负。我虽想自陈恢复失地的大计，但权奸当道，无由上达。当权者自己无谋，但危局也并非不可挽回。我再剔亮残灯抽剑细看，难道麒麟阁上表彰的那些为国杀敌的英雄中就不能有书生？作者不甘屈服，表示要杀敌报国。

谒金门

曾揆

山衔日，泪洒西风独
立。一叶扁舟流水急，
转头无处觅。　去则而
今已去，忆则如何不忆？明
日到家应记得，寄书回
雁翼。

【注释】　①扁舟：小船。

【解说】　词写朋友别后的思念之情。在落日衔山的时候，江边送别友人。看着友人乘坐一叶扁舟，江水流急，一转眼就在江的尽头消失了。我独立在西风中伤心挥泪。要走的而今已走了，该想念的却如何不想念？明日到家时可要记得，鸿雁飞回时让它捎封书信来。全词表达了作者与友人的深挚情谊。

302

柳梢青 liǔ shāo qīng

春感 chūn gǎn

刘辰翁 liú chén wēng

铁马蒙毡，银花洒泪，春入愁城。笛里番腔，街头戏鼓，不是歌声。

那堪独坐青灯。思故国、高台月明。辇下风光，山中岁月，海上心情。

【注释】 ①铁马蒙毡：元骑兵的装束。 番腔：异族的曲调。 ②辇下风光：指南宋都城繁华的景象。 海上心情：苏武被匈奴驱赶到北海上，捕野鼠采草子充饥，杖汉节牧羊，但坚贞不屈，仍保持民族气节。

【解说】 这是一首抒写亡国之痛和故国之思的优秀词作。词写南宋灭亡后，元朝统治下的临安城元宵节的观感。战马披着铁甲，上面又蒙着毡子；火树银花，似在洒泪；春天进入了这个充满人间哀怨的"愁城"。笛里吹奏的是番腔异调，街头演出的是游牧民族的鼓吹杂戏，不是清悠的歌声！我独坐在青灯下心情难以平静。想当年，风清月朗之际，登上高台观赏灯景，都城的风光何等繁华。如今我避乱山中，想到汉朝的苏武持节牧羊于北海上的心情，我决不会向异族屈服，我将守节不移。

303

闻鹊喜
吴山观涛

周密

天水碧，染就一江秋色。鳌戴雪山

龙起蛰，快风吹海立。　数点烟鬟

青滴，一杼霞绡红湿，白鸟明边帆

影直，隔江闻夜笛。

【注释】①吴山：山名，在今浙江杭州。鳌：传说中的大龟。蛰：伏藏。②杼：织布梭。白鸟：指鸥鸟。
【解说】钱塘江潮，天下闻名。农历八月十八日的潮水最为壮观。吴山雄踞江边，也是当时观涛的好去处。潮来之前，水天澄碧，天光倒映水中，染就了一江秋色。潮头陡然而起，如巨鳌背负着雪山，像蛟龙从水底升腾翻卷而起。风势迅猛，推波助澜，水面骤然升高，凭空而立。上片写潮水来时的壮观，下片写潮平后的景象。两岸远处的山峰如鬟髻般笼在烟雾中青翠欲滴；天边一抹红霞如刚织出来的轻纱被潮水浸湿。鸥鸟在透着日光的帆影边上下翻飞。隔江传来了声声夜笛。整个画面处在潮平后的平静之中，但涌潮的惊心动魄仍在观者的心里涌动。

táng duō lìng
唐多令

dèng yǎn
邓 剡

yǔ guò shuǐ míng xiá cháo huí àn
雨过水明霞，潮回岸
dài shā yè shēng hán fēi tòu chuāng
带沙。叶声寒、飞透窗
shā kān hèn xī fēng chuī shì huàn
纱。堪恨西风吹世换，
gèng chuī wǒ luò tiān yá jì
更吹我，落天涯。 寂
mò gǔ háo huá wū yī rì yòu xié
寞古豪华，乌衣日又斜。
shuō xīng wáng yàn rù shuí jiā wéi
说兴亡、燕入谁家？惟
yǒu nán lái wú shù yàn hé míng yuè
有南来无数雁，和明月，
sù lú huā
宿芦花。

【注释】 ①世换：时世变换，指南宋被元军灭亡。 ②"乌衣"句：唐朝刘禹锡《乌衣巷》诗中有"乌衣巷口夕阳斜"等句，感叹历史的变迁。乌衣巷在南京市东南秦淮河畔。

【解说】 此词是宋亡后邓剡被俘过建康（今南京）时所写的伤今吊古之作。黄昏雨后，晚霞映照得水面格外明亮；潮水退后，江岸边留下沙痕。秋风吹得落叶声声，透过窗纱，使人本已孤寂的心情更添悲凉。可恨元军如秋风吹落叶灭了南宋改换了朝代，更使我如一叶飘零流落天涯。当年繁华的六朝古都，而今一派萧条景象。夕阳斜照中的乌衣巷口，那昔日栖息在豪族之家的燕子诉说着王朝兴亡，而今不知栖身何处。江边南飞的无数鸿雁栖宿在月下的芦花丛中。这就如南下避兵流离失所的人们，词人对之寄以无限的同情。

305

【注释】 ①能：这样。 元：同“原”。 横槊题诗：苏轼《前赤壁赋》写曹操破荆州下江陵时，“酾酒临江，横槊赋诗”的英雄气概。槊，长矛。 登楼作赋：东汉末王粲避难荆州时，曾作《登楼赋》吐露雄图难展的苦闷。
②一线青如发：指江南。

【解说】 文天祥与友人邓剡抗元被俘，被押往元都途经金陵，邓剡因病暂留，写词给文天祥送行，文天祥作此词答和。天地乾坤如此辽阔，豪杰之士决不会低头屈服，一旦时机成熟，就会如蛟龙出池，腾飞云间。我身陷囚笼，寒虫四鸣，长夜难寐。虽然像曹操横槊题诗气吞万里，王粲登楼作赋流芳千古这样的风流人物已不

酹 江 月

lèi jiāng yuè

hè
和

wén tiān xiáng
文 天 祥

乾坤能大,算蛟龙、元不是池中物。风雨牢愁
无着处,那更寒蛩四壁。横槊题诗,登楼作赋,万
事空中雪。江流如此,方来还有英杰。   堪笑一
叶飘零,重来淮水,正凉风新发。镜里朱颜都变
尽,只有丹心难灭。去去龙沙,江山回首,一线青如
发。故人应念,杜鹃枝上残月。

复存在,但江流依旧滚滚向前,必定还会有英杰来完成复国大业。可笑我如一叶飘零,重来淮河畔,正是秋风又起时。镜里一照,年轻时的容貌已变苍老了,只有抗元复国的丹心难灭。向北国走呀走,忍不住频频回首瞻望江南。老朋友可记住,我即使为国捐躯,我的灵魂也会变成杜鹃飞回南方,为南宋的灭亡作泣血的哀啼。词人虽然被俘在押,非但丝毫没有绝望、悲哀的叹息,反显示了慷慨、昂扬的气概。全词充溢着炽热的爱国情怀,令人可敬。

【注释】　①潮阳：今属广东。　张许二公庙：唐代安史之乱，张巡、许远合力死守睢阳（今河南商丘），城破被俘，从容就义。后人为表彰张许功烈而建庙。　光岳：日月星等三光与五岳，即天地。　气分：气概，精神品格。　②翕欻：一会儿。　使：假使。　幽沉：幽邃深沉。　俨雅：壮严典雅。

【解说】　此词借咏赞张许二人的品格来表达作者的人生观，词中凝聚着中国文化的精神。做儿子的要为父母尽孝，做臣子的要为国为君尽忠，为了忠孝，死又何妨？张许二人的正气如三光五岳，自此之后，就不见尽忠报国壮烈之士，不讲大义了，有谁能有如此刚烈的义胆？只有血战睢阳至死不降大骂逆贼的张巡和宽厚

308

沁园春

题潮阳张许二公庙

文天祥

为子死孝，为臣死忠，死又何妨。自光岳气分，士无全节；君臣义缺，谁负刚肠？骂贼张巡，爱君许远，留取声名万古香。后来者，无二公之操，百炼之钢。人生翕炊云亡。好烈烈轰轰做一场。使当时卖国，甘心降虏，受人唾骂，安得流芳！古庙幽沉，仪容俨雅，枯木寒鸦几夕阳。邮亭下，有奸雄过此，仔细思量。

仁爱的许远，留取声名，万古留芳。后来的人，没有谁能有这二位的节操，如百炼之钢。但人生极短，转眼即逝，更应该轰轰烈烈地做一番为国为民的事业。假使张许二人当时卖国，甘心投降敌人，受人唾骂，又怎能流芳百世？眼前的古庙，幽邃深沉，二公塑像仪容庄严典雅，栩栩如生，而夕阳中庙前枯木上的寒鸦啼鸣，使人感到人生易老但精神不朽。古庙前，邮亭下，如果有奸雄经过，面对先烈，应当好好思量，到底如何为人。词中洋溢着爱国者的豪情与正气。此词与他的坚贞不屈的爱国业绩一样，可以与日月争光，其精神可以光照万代。

长相思

袁正真

南高峰，北高峰，南北高
峰云淡浓。湖山图画中。
采芙蓉，赏芙蓉，小小
红船西复东。相思无路通。

【注释】 ①南高峰、北高峰：两山对峙，是杭州西湖湖畔最高的两座山。 ②芙蓉：此指荷花。

【解说】 元军攻入临安，将南宋帝后大臣掳往大都（北京），作者袁正真等宫女，还有琴师、诗人汪元量等随往。后来汪元量获准回南方，宋旧宫人为之饯行。汪元量的南归，激起了作者对故土的思念。南高峰，北高峰，南北高峰云雾聚散忽浓忽淡，变化多姿，湖山的景色就如在图画中一样美丽。更使人不能忘怀的，是在西湖中采荷花、赏荷花的乐事。姑娘们坐着小红船，向西又向东，自由又快乐。尽管对湖山如画的旧都临安，对采莲赏莲如此眷恋，可是左思右想，哪有归路？真是相思无路可通哪！这是词人绝望的心声。

望江南
wàng jiāng nán

jīn dé shū
金德淑

春睡起，积雪满燕山。万里长城横缟带，六街灯火已阑珊。人立玉楼间。

【注释】　①燕山：在大都（今北京）东北面。　缟带：白绸带，丧服外系的带子。　阑珊：将尽。　玉楼：楼房的美称。

【解说】　金德淑也是南宋的旧宫女，宋亡时被掳往大都。汪元量南归时，宋旧宫人为他饯行，金德淑作此词相赠。这首词也可称为亡宋的挽词。春睡起，只见积雪满燕山，万里长城蜿蜒起伏于崇山峻岭之巅，宛如祖国山河上所披戴的一条素带。大都的街市上，灯火将尽未尽，稀疏冷落。女词人独立在楼台间，似在为覆亡的祖国默默致哀。词的境界庄严肃穆，感情沉郁痛切。

贺新郎

兵后寓吴

蒋捷

深阁帘垂绣。记家人、软语灯边，笑涡红透。万叠城头哀怨角，吹落霜花满袖。影厮伴、东奔西走。望断乡关知何处，羡寒鸦、到着黄昏后。一点点，归杨柳。

相看只有山如旧。叹浮云、本是无心，也成苍狗。明日枯荷包冷饭，又过前头小阜，趁未发、且尝村酒。醉探枵囊毛锥在，问邻翁、要写牛经否？翁不应，但摇手。

【注释】　①寓吴：客居在苏州一带。　②"叹浮云"句：比喻世事变幻无常。　小阜：小土山。　枵囊：空无文钱的袋子。　毛锥：指毛笔。　牛经：关于养牛知识的书。

【解说】　元兵占领了词人的家乡宜兴等地后，他客居吴门（苏州）一带，为衣食而奔忙，这是他流浪生活的真实记录。开首回忆往昔家庭的幸福生活，难以忘怀深院闺阁，绣帘垂地，在柔和的灯光下，和亲人轻言细语，谈到会心处，她嫣然一笑，那红润的面庞呈现出迷人的酒窝。而今听到的是城头反复吹奏的哀怨的号角，漂泊中，只有身影相伴，东奔西走，霜花落满两袖，孤独凄苦。遥望家乡不知在哪里，我无法与亲人团聚，

倒使我羡慕这寒鸦,到了黄昏后,一点点尚能归巢杨柳,人不如鸦啊!上片写自己精神上的痛苦,下片着重写生活上的困顿。国破山河在,看到的只是山河依旧,可叹风云变幻,白云已成苍狗,世道变了。以后的生计无着,明日还是用枯干的荷叶包冷饭当干粮,又要翻越前面的小土山,设法找点话计干,赖以糊口。趁还未动身,姑且尝几杯村酒来解解忧愁。微醉中伸手一探空口袋,幸喜那唯一的谋生工具毛笔还在,于是询问邻近的老翁:要不要抄《牛经》?没想到,老翁不作声,只是摇手。这首词是一个流浪者的悲歌,也是宋元易代时国破家亡者的一曲悲歌,具有鲜明的时代特色。全词描写细致、真切,言词凄楚感人。

一剪梅

舟过吴江

蒋捷

一片春愁待酒浇。江上舟摇，楼上帘招。秋娘渡与泰娘桥，风又飘飘，雨又萧萧。 何日归家洗客袍？银字笙调，心字香烧。流光容易把人抛，红了樱桃，绿了芭蕉。

【注释】 ①秋娘渡、泰娘桥：吴江两处地名，以唐代著名的歌女命名。

【解说】 船在吴江上飘摇，词人满怀羁旅的春愁，看到岸上酒帘子在飘摆，招徕客人，便产生了借酒消愁的愿望。船过令文人骚客遐想不尽的胜景秋娘渡和泰娘桥，也没有好心情欣赏，眼前是"风又飘飘，雨又萧萧"，实在令人着恼。哪一天能回家洗客袍，结束客游劳顿的生活呢？哪一天能与家人在一起，调弄镶有银字的笙，点燃熏炉里心字形的盘香？春光容易流逝，使人追赶不上，樱桃才红熟，芭蕉又绿了，春去夏就到。词表达了作者思归的急切心情，也包含了年华易逝的人生感叹。最后三句把时序的转换和时光的易逝形象化，语极清新，脍炙人口。

虞美人
听雨
蒋捷

少年听雨歌楼上，红烛昏罗帐。壮年听雨客舟中，江阔云低、断雁叫西风。而今听雨僧庐下，鬓已星星也。悲欢离合总无情，一任阶前、点滴到天明。

【注释】 ①昏：暗。 断雁：失群的孤雁。 ②星星：比喻花白的头发。

【解说】 词写自己少年、壮年、老年三个不同时期的不同处境和不同心情，以"听雨"来贯串。少年听雨在歌楼上，歌楼中红烛映照，罗帐低垂，充满着青春的欢乐。壮年听雨在客船中，从船中望出去，水阔云低，孤雁在秋风中哀鸣。这正是兵荒马乱，作者飘泊四方的日子。而今听雨在和尚庙里，两鬓已经花白了。尝尽了悲欢离合的滋味，又经历江山易主的巨大变化，不但埋葬了少年的欢乐，也埋葬了壮年的愁恨，一到老年，万念俱灰，虽然雨声浙沥，已麻木无所感觉，"一任阶前点滴到天明"了，但在淡漠中蕴含着极大的痛苦。作者的一生变化，也是时代变化的反映。

315

燕归梁
风莲
蒋捷

我梦唐宫春昼迟，正舞到、曳裾时。翠云队仗绛霞衣，慢腾腾，手双垂。　忽然急鼓催将起，似彩凤、乱惊飞。梦回不见万琼妃，见荷花，被风吹。

【注释】 ①唐宫：唐朝的宫殿。 曳裾：牵拉舞衣的前后片。这里指《霓裳羽衣舞》的舞姿。 翠云：绿色舞衣，又指荷叶。 绛霞衣：红色舞衣，又指荷花。 ②梦回：梦醒。 琼妃：水仙，比喻荷花。

【解说】 词以梦境中的唐宫《霓裳羽衣舞》来描写风中的莲花景象。我梦见莲花成了唐宫里的美人，春日迟迟，她们跳起了《霓裳羽衣舞》，舞姿正翩翩。穿着翠绿舞衣的成队舞女，风飘舞裙如云；穿着绛红舞衣的舞女们多如红霞，正在轻歌曼舞。忽然急鼓催起，惊破了舞曲，惊散了凤侣，梦境霎时幻灭。梦醒不见了成千上万的仙女，只见荷花被风吹动着。词把梦幻与现实交织成完美的艺术图案。

清平乐 qīng píng yuè

平原放马 píng yuán fàng mǎ

张炎 zhāng yán

辔摇衔铁，蹴踏平原雪。勇趁军声曾汗血，闲过升平时节。

茸茸春草天涯，涓涓野水晴沙。多少骅骝老去，至今犹困盐车。

【注释】　①辔：缰绳。　衔铁：马嚼子。　蹴：踢、踏。　趁：追赶。　汗血：流过汗，淌过血。　②茸茸：形容春草柔嫩的样子。　涓涓：水流声。　骅骝：骏马名，指千里马。　盐车：运盐的车子。

【解说】　作者借写放牧战马来抒发感慨。一匹戴着笼头的战马，在主人驾驭之下，奔走在残留着冬雪的辽阔的平原上。这匹战马曾经在战斗号令中勇猛地冲杀，为国家立过功劳。现在正当壮年，它渴望驰骋沙场，却被闲置起来过太平日子。柔嫩的春草长满天涯，晴日里，涓涓野水清澈见沙底。多少千里马就这样老去，失去了驰骋沙场的机会，至今还在拉盐车。此词通过战马被闲置，不得驰骋沙场的描述，寄寓作者对南宋朝廷主和不战，埋没抗金人才的抨击和感慨。

qīng píng yuè
清平乐

zhāng yán
张 炎

hòu qióng qī duàn rén yǔ xī
候 蛩 凄 断，人 语 西

fēng àn　yuè luò shā píng jiāng sì
风 岸。月 落 沙 平 江 似

liàn wàng jìn lú huā wú yàn àn
练，望 尽 芦 花 无 雁。 暗

jiāo chóu sǔn lán chéng kě lián yè yè
教 愁 损 兰 成，可 怜 夜 夜

guān qíng zhǐ yǒu yī zhī wú yè bù
关 情。只 有 一 枝 梧 叶，不

zhī duō shǎo qiū shēng
知 多 少 秋 声！

【注释】　①候蛩：蟋蟀。　②兰成：北周文学家庾信的小字。他原是南朝的官员，奉命出使，被强留在北朝做官，常思念故国，心里很痛苦。　关情：牵动感情，思念。　秋声：指秋天的风声、落叶声和虫声等。

【解说】　词借写秋景来抒发家国和身世的悲凉。蟋蟀已不能欢畅地鸣叫，凄凄咽咽，时断时续。西风瑟瑟，江月西斜，映照着江岸一片白沙；江水澄净如练，人语细细，唯望江边白茫茫一片芦花，看不到一只归雁。都说雁足传书，但家乡至今音讯全无。吴江秋晓凄冷静寂，令人心境凄然。这景象使得我如庾信一样，勾起了故国之思，夜夜神牵梦绕。只有一枝孤零零的梧桐叶，在秋风中不知发出多少瑟瑟的秋声！我这样一个孤单地飘泊异乡的人，也如这一枝梧桐叶，有多少愁思和哀伤啊！

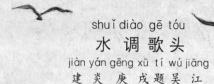

水调歌头

建炎庚戌题吴江

无名氏

平生太湖上，短棹几经过。如今重到，何事愁与水云多？拟把匣中长剑，换取扁舟一叶，归去老渔蓑。银艾非吾事，丘壑已蹉跎。　鲙新鲈，斟美酒，起悲歌。太平生长，岂谓今日识兵戈？欲泻三江雪浪，净洗胡尘千里，不用挽天河。回首望霄汉，双泪堕清波。

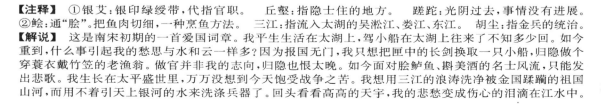

【注释】①银艾：银印绿绶带，代指官职。　丘壑：指隐士住的地方。　蹉跎：光阴过去，事情没有进展。②鲙：通"脍"。把鱼肉切细，一种烹鱼方法。　三江：指流入太湖的吴淞江、娄江、东江。　胡尘：指金兵的统治。

【解说】　这是南宋初期的一首爱国词章。我平生生活在太湖上，驾小船在太湖上往来了不知多少回。如今重到，什么事引起我的愁思与水和云一样多？因为报国无门，我只想把匣中的长剑换取一只小船，归隐做个穿蓑衣戴竹笠的老渔翁。做官并非我的志向，归隐也恨太晚。如今面对脍鲈鱼、斟美酒的名士风流，只能发出悲歌。我生长在太平盛世里，万万没想到今天饱受战争之苦。我想用三江的浪涛洗净被金国蹂躏的祖国山河，而用不着引天上银河的水来洗涤兵器了。回头看看高高的天宇，我的悲愁变成伤心的泪滴在江水中。

319

青玉案

无名氏

年年社日停针线，怎忍见、双飞燕？今日江城春已半，一身犹在，乱山深处，寂寞溪桥畔。 春衫著破谁针线，点点行行泪痕满？落日解鞍芳草岸，花无人戴，酒无人劝，醉也无人管。

【注释】 ①社日：古代祭祀土地神的日子，此指春社。

【解说】 这是一首思念亲人的词。词人远行在外，遥想春社这个传统日子，妻子也会与往常一样停下手中的针线活，结伴外出闲游。但她怎能忍心看见燕子双双归来呢？今日江城的春天已过去一半了，而我还孤身只影在乱山深处和寂寞的桥畔行走。春衫破了有谁给我缝补？春衫上点点行行都是泪痕。黄昏时，我在草萋萋的江边投宿，尽管是在春社的节日里，我孤身一人，没有你相伴，花无人可戴，酒无人相劝，喝醉了也无人管。最后三句，"语淡而情浓，事浅而言深"，确是妙语。

huàn xī shā
浣 溪 沙

wú míng shì
无 名 氏

shuǐ zhǎng yú tiān pāi liǔ qiáo yún jiū tuō yǔ guò
水 涨 鱼 天 拍 柳 桥，云 鸠 拖 雨 过
jiāng gāo　　yī fān chūn xìn rù dōng jiāo　　xián niǎn
江 皋。一 番 春 信 入 东 郊。　闲 碾
fèng tuán xiāo duǎn mèng jìng kàn yàn zǐ lěi xīn cháo
凤 团 消 短 梦，静 看 燕 子 垒 新 巢。
yòu yí rì yǐng shàng huā shāo
又 移 日 影 上 花 梢。

【注释】 ①鱼天：鱼游于水，如翔于天，自由自在。此指广阔的水面。　云鸠：鸟名，俗称鹁鸠。谚语说："天
将雨，鸠逐妇。"故有"鸠鸣唤雨"的说法。江皋：江岸。 ②凤团：宋时一种贡茶，制成圆饼形，上印凤形图纹。
【解说】 词写春日的物候。春水涨起，鱼儿自由畅游，江水拍打柳岸的桥墩。云鸠飞过江岸，预示着春雨将
要来到。这一番春天的信息先到东郊。上片写东郊所见的春天景象，下片写春日居家的情形。闲在家里无
事打瞌睡做短梦，为了提神，把印有凤纹的茶饼碾碎沏茶喝，静静地看着燕子垒新巢。又见日影移上花梢，
时光就这样白白地消磨掉。词含蓄地表露了有志而无所作为的哀愁和痛苦。

如梦令
rú mèng lìng

无名氏
wú míng shì

莺嘴啄花红溜，
yīng zuǐ zhuó huā hóng liū

燕尾点波绿皱。指冷
yàn wěi diǎn bō lù zhòu zhǐ lěng

玉笙寒，吹彻《小
yù shēng hán chuī chè xiǎo

梅》春透。依旧，依旧，人
méi chūn tòu yī jiù yī jiù rén

与绿杨俱瘦。
yǔ lù yáng jù shòu

【注释】 ①溜：滑落。 彻：从头至尾演奏完一支（套）曲子。

【解说】 这是一首赞咏春景的词。黄莺用嘴啄着花儿，红红的花瓣从嘴边滑落。燕子从池上掠过，如剪的双尾点破水面，泛起小小涟漪。一位女子用玉笙吹奏完一曲《小梅花》，仿佛四处洋溢着春天的气息。春色依旧，人事已不同了，又令人哀伤，因此绿杨依依，人也如柳枝一样瘦弱。词写春景，细致入微；写人伤春的情志，"人与绿杨俱瘦"，比喻新巧。